一問一答シリーズ

一問一答

新しい相続法
〔第2版〕
平成30年民法等（相続法）改正、
遺言書保管法の解説

法務省大臣官房審議官
堂薗幹一郎
東京高等裁判所判事
（元法務省民事局総務課長）
野口宣大

編著

商事法務

●第2版はしがき

　本書は、平成30年7月6日に成立した「民法及び家事事件手続法の一部を改正する法律」（平成30年法律第72号）及び「法務局における遺言書の保管等に関する法律」（平成30年法律第73号。以下「遺言書保管法」という。）について、改正の趣旨やその内容を解説したものである。両法律は、平成31年1月13日に自筆証書遺言の方式緩和を内容とする規定が施行されたのを皮切りに、数次にわたって段階的に施行され、令和2年7月10日の遺言書保管法の施行により、現在ではその全てが施行に至っている。遺言書保管法では、技術的な事項や細目的な事項についてはその多くが政令又は省令に委任されており、これを受けて、政令として「法務局における遺言書の保管等に関する政令」（令和元年政令第178号）及び「法務局における遺言書の保管等に関する法律関係手数料令」（令和2年政令第55号）が、省令として「法務局における遺言書の保管等に関する省令」（令和2年法務省令第33号）がそれぞれ制定された。法務局における遺言書の保管等に関する具体的な規律の内容については、法律とこれらの政省令を併せて理解しないとその全体像が見えてこないことから、本書についても、これらの政省令の制定を受け、その内容を盛り込むことを中心とする改訂を行ったものである。

　引き続き、本書が広く国民一般に両法律の趣旨や内容を知っていただく一助になれば幸いである。

　なお、第2版の刊行に当たっては、株式会社商事法務の澁谷禎之氏のご尽力を賜った。記して、謝意を表する次第である。

　令和2年7月

　　　　法務省大臣官房審議官　　　　　　　　　　　　堂薗　幹一郎
　　　　東京高等裁判所判事（元法務省民事局総務課長）　野口　宣大

遺言書保管制度の施行に当たって

　遺言書保管法の令和2年7月10日の施行に向けて、制度や人的・物的体制の整備が精力的に行われてきた。制度的には、遺言書保管法に基づきその下位法令である政令、省令及び通達が順次制定され、人的・物的体制としては、遺言書保管所として全国の法務局・地方法務局の本局・支局等の312か所が指定され、同所において遺言書保管官が業務を担うこととされた。

　遺言書保管法による事務の特徴として、次のようなものが挙げられる。

　1つ目として、相続をめぐる紛争の解決に利用されるという遺言書の性質から、法務局がつかさどる遺言書保管の事務は短期間で完了するものでなく、タイムスパンが非常に長いことがある。遺言書原本は遺言者の死亡の日から50年が経過するまで、遺言書に係る情報に至っては150年が経過するまでお預かりすることとなる。このことは、法務局という組織が長期間にわたり安定した業務を提供できるという信頼がベースになっているものと考えられるから、その信頼に適切に応えていかなければならない。

　2つ目として、遺言者や相続人等のプライバシーに配慮することが重視されていることがある。遺言書の存在や内容を秘密にしたい遺言者が少なくないと考えられることから、遺言者による保管申請等の手続は遺言者本人が出頭しなければできないこととし、また、相続開始後には相続人等がその秘密を保持したいと考える場合が少なくないと考えられることから、遺言書の閲覧等は相続人等本人が直接しなければならないこととし、プライバシーへの配慮が図られている。

　このほか、遺言書保管法による新たな事務については、所有者不明土地問題の解決にも資するものと期待されている。この問題が社会問題化している要因の1つとして相続登記がされないことが指摘されている。残された家族等の間で相続財産である不動産の取扱いに意見の一致をみることが困難となり速やかに相続登記ができないケースも見られるが、遺言者が遺言により予め自らの財産の行く末を定めておくことで、このような事態を避けることができる。遺言書保管所と登記所は法務局に併設されていることから、問題解決に向け相乗効果を期待することができる。

　このような特徴を有する遺言書保管制度は、国民の大切な遺言書をお預か

りする制度であるから、慎重な準備により円滑に制度を導入し、今後長く信頼される制度として定着していくよう尽力して参りたい。

※　第2版の遺言書保管制度に係る改訂部分の執筆は、政省令の立案作業等に従事した福永宏、竹下慶、杉山典子、佐藤晶子、三田真史、岡田康裕が、同じくこれらに従事した佐藤雄一郎、平田理の助言を受けて、分担して行い、編集者及び小職らが調整を行った。

令和2年7月

前法務省民事局商事課長　　宮崎　拓也
法務省民事局商事課長　　　篠原　辰夫

● はしがき

　本書は、平成30年7月6日に成立した「民法及び家事事件手続法の一部を改正する法律」（平成30年法律第72号）及び「法務局における遺言書の保管等に関する法律」（平成30年法律第73号）について、一問一答の形式で、改正の趣旨やその内容を分かりやすく解説しようとするものである。

　「民法及び家事事件手続法の一部を改正する法律」は、社会の高齢化の進展や国民の権利意識の高まり等を踏まえ、民法第5編の「相続」に関する規定等を改正するものであるが、同編に新たに「配偶者の居住の権利」の章（第8章）や「特別の寄与」の章（第10章）が設けられたほか、遺産分割制度、遺言制度及び遺留分制度といった既存の制度についても大きな見直しがされており、その改正内容は多岐にわたっている。

　また、「法務局における遺言書の保管等に関する法律」は、社会の高齢化の進展等の社会経済情勢の変化に鑑み、相続をめぐる紛争を防止する観点から、法務局において自筆証書遺言に係る遺言書を保管する制度を新たに設けるものである。この制度創設を契機とする遺言の利用促進により、早期に遺産をめぐる法律関係を確定して相続登記のインセンティブを高めるとともに、相続登記の促進に資することが期待される。

　このように、両法律は、いずれも、相続法制に関する規律を新たに設け、又はこれを改正するものであるが、相続は国民の誰もが経験するものであり、その効果も被相続人の権利義務を包括的に承継するという重大なものであるため、相続法制の見直しが国民一般の生活に与える影響には大きなものがあると考えられる。本書の出版を通じて、法律実務家や研究者だけでなく、広く国民一般に両法律の趣旨や内容を知っていただくことができれば、筆者らとしてはこの上ない喜びである。

　両法律は、法制審議会において答申された「民法（相続関係）等の改正に関する要綱」に基づき立案されたものであり、本書の内容も、法制審議会民法（相続関係）部会の議論等に負うところが大きい。この場をお借りして、改めて、同部会の委員、幹事をはじめとする関係各位のご尽力、ご協力に心より御礼を申し上げたい。

　本書の執筆は、編著者である堂薗、野口のほか、法務省民事局において両

法律の立案作業に従事した笹井朋昭、神吉康二、宇野直紀、倉重龍輔、満田悟、秋田純、竹下慶、中川晃、島津直也、佐藤晶子、河瀬貴之、福田宏晃を中心に、陶山敦志、澤村雄太、平田理が分担して行い、全体の調整は編著者が行った。

　なお、執筆に当たっては、法務省民事局において相続法制の見直し作業に従事した渡辺諭、大塚竜郎、下山洋司、太田章子、數原裕一、木船雄介の各氏や法案の国会審議に従事した平田晃史、大谷智彦の各氏から、貴重な助言等をいただいた。もとより、本書中意見にわたる部分は筆者らの個人的見解を述べたものにすぎず、その内容についての責任もひとえに筆者らが負うべきものである。また、本書の刊行に当たっては、株式会社商事法務の岩佐智樹氏、下稲葉かすみ氏のご尽力を賜った。記して、謝意を表する次第である。

平成31年3月

　　　　　　　　　　　　法務省民事局民事法制管理官　堂薗　幹一郎
　　　　　　　　　　　　法務省民事局総務課長　　　　野口　宣大

●凡　例

　本書中、法令の条文等を引用する場合に用いた略語は、次のとおりです。

改正法	民法及び家事事件手続法の一部を改正する法律（平成30年法律第72号）
改正法案	民法及び家事事件手続法の一部を改正する法律案
附則	改正法附則
第○条	改正法による改正後の民法第○条
新法	改正法による改正後の民法
改正前の第○条	改正法による改正前の民法第○条
旧法	改正法による改正前の民法
債権法改正法	民法の一部を改正する法律（平成29年法律第44号）
遺言書保管法	法務局における遺言書の保管等に関する法律（平成30年法律第73号）
遺言書保管法案	法務局における遺言書の保管等に関する法律案
遺言書保管法附則	遺言書保管法附則
遺言書保管政令	法務局における遺言書の保管等に関する政令（令和元年政令第178号）
手数料令	法務局における遺言書の保管等に関する法律関係手数料令（令和2年政令第55号）
遺言書保管省令	法務局における遺言書の保管等に関する省令（令和2年法務省令第33号）
準則	遺言書保管事務取扱手続準則（「遺言書保管事務取扱手続準則の制定について（通達）」令和2年5月11日付け法務省民商第97号民事局長通達）

一問一答　新しい相続法〔第2版〕
——平成30年民法等（相続法）改正、遺言書保管法の解説

もくじ

第1章　総　論

- Q1　今回、相続法の改正が行われたのはなぜか。　1
- Q2　今回の改正の特徴としては、どのような点が挙げられるか。　3
- Q3　改正法案の提出に至る経緯は、どのようなものか。　5
- Q4　改正法案の国会における審議の経過及び内容は、どのようなものであったか。　7

第2章　配偶者の居住の権利

[配偶者居住権]

- Q5　配偶者居住権を創設した趣旨は何か（第1028条～第1036条関係）。　9
- Q6　配偶者居住権はどのような場合に発生するのか（第1028条第1項関係）。　11
- Q7　遺産分割の審判により配偶者居住権を取得するためには、どのような要件を満たす必要があるか（第1028条第1項第1号、第1029条関係）。　13
- Q8　特定財産承継遺言（いわゆる相続させる旨の遺言）によって配偶者居住権を取得することはできないこととしたのはなぜか（第1028条第1項関係）。　14
- Q9　居住建物が店舗兼住宅であった場合にも、配偶者は配偶者居住権を取得することができるのか（第1028条第1項関係）。　15
- Q10　居住建物の一部が賃貸に供されていた場合にも、配偶者は配偶者居住権を取得することができるのか。取得することができる場合には、誰が賃料を取得することになるのか（第1028条第1項関係）。　16
- Q11　被相続人が第三者又は配偶者と居住建物を共有していた場合にも、配偶者は配偶者居住権を取得することができるのか（第1028条第1項関係）。　17
- Q12　配偶者居住権は、どのような性質の権利か（第1028条～第1036条関係）。　18
- Q13　配偶者が配偶者居住権を第三者に対抗するためには、どのような手続が必

要となるのか（第1031条関係）。　19

Q14　配偶者居住権が存続している間、配偶者と居住建物の所有者との間には、どのような法律関係が生ずるのか（第1028条〜第1036条関係）。　20

Q15　配偶者は、配偶者居住権を第三者に譲渡することができるのか。また、配偶者居住権が設定された居住建物を第三者に賃貸することができるのか（第1032条第2項、第3項関係）。　23

Q16　配偶者がその家族や家事使用人を居住建物に住まわせて使用させるためには、居住建物の所有者の承諾を得る必要があるのか（第1032条第3項関係）。　24

Q17　居住建物の修繕が必要な場合には、配偶者と居住建物の所有者のどちらが修繕をすることになるのか（第1033条関係）。　25

Q18　配偶者居住権が設定された場合には、居住建物の固定資産税は、誰が負担することになるのか（第1034条第1項関係）。　26

Q19　配偶者居住権は、遺産分割においてどのように財産評価をされることになるのか（第1028条第1項第1号関係）。　27

Q20　配偶者が配偶者居住権を取得した後、老人ホーム等に入居するために居住建物を使用する必要がなくなった場合には、どのようにしたらよいのか（第1032条第3項等関係）。　29

Q21　配偶者居住権は、どのような場合に消滅するのか（第1032条第4項、第1036条関係）。　30

Q22　配偶者居住権が消滅した場合には、配偶者と居住建物の所有者との間には、どのような法律関係が生ずるのか（第1035条関係）。　32

Q23　配偶者の死亡により配偶者居住権が消滅した場合には、居住建物の所有者は、単独で配偶者居住権の設定の登記の抹消を申請することができるのか。　33

[配偶者短期居住権]

Q24　配偶者短期居住権を創設した趣旨は何か（第1037条〜第1041条関係）。　34

Q25　配偶者短期居住権は、どのような場合に発生するのか（第1037条第1項関係）。　36

Q26　被相続人が第三者又は配偶者と居住建物を共有していた場合にも、配偶者は、配偶者短期居住権を取得することができるのか（第1037条関係）。　38

x　もくじ

Q27　居住建物が店舗兼住宅であった場合にも、配偶者は、配偶者短期居住権を取得することはできるか。取得することができる場合には、その効力はどの範囲に及ぶのか（第1037条第1項関係）。　40

Q28　配偶者短期居住権の存続期間については、どのように定められているか（第1037条第1項各号関係）。　41

Q29　居住建物が配偶者を含む相続人間で遺産分割の対象となる場合の配偶者短期居住権の存続期間について、遺産分割により居住建物の帰属が確定した日又は相続開始の時から6か月を経過する日のいずれか遅い日までの間としたのはなぜか（第1037条第1項第1号関係）。　42

Q30　居住建物の遺贈等がされた場合の配偶者短期居住権の存続期間を、居住建物を遺贈等により取得した者による消滅の申入れがあった日から6か月を経過する日までとしたのは、なぜか（第1037条第1項第2号関係）。　43

Q31　配偶者短期居住権の発生により、配偶者は、遺産分割までの間等の一定期間、居住建物の全部又は一部を無償で使用し続けられることになるが、配偶者がそれによって得た利益は遺産分割においてどのように取り扱われるのか。　45

Q32　配偶者居住権とは異なり、配偶者短期居住権について対抗要件制度を設けることとしなかったのは、なぜか。　46

Q33　配偶者短期居住権が存続している間、配偶者と居住建物取得者との間にはどのような法律関係が生ずるのか（第1037条〜第1041条関係）。　47

Q34　配偶者短期居住権は、どのような場合に消滅するのか（第1037条第1項、第1038条第3項、第1039条、第1041条関係）。　51

Q35　配偶者短期居住権が消滅した場合には、配偶者と居住建物取得者との間にはどのような法律関係が生ずるのか（第1040条関係）。　53

［その他］

Q36　配偶者短期居住権や配偶者居住権については、諸外国にも同様の制度があるのか。　55

第3章　遺産分割等に関する見直し

［持戻し免除の意思表示推定規定］

Q37　婚姻期間が20年以上の夫婦間でされた居住用不動産の贈与等について、いわゆる持戻し免除の意思表示を推定する規定を設けることとしたのはなぜか（第903条第4項関係）。　57

Q38 持戻し免除の意思表示があったと推定される遺贈又は贈与の対象財産を居住用不動産に限定したのはなぜか（第903条第4項関係）。　60

Q39 持戻し免除の意思表示があったと推定されるためには、いつの時点で贈与等に係る建物に居住している必要があるのか（第903条第4項関係）。　61

Q40 居住用不動産について特定財産承継遺言（いわゆる相続させる旨の遺言）がされた場合についても、第903条第4項の規定は適用されるのか（第903条第4項関係）。　62

Q41 店舗兼住宅について贈与等がされた場合についても、第903条第4項の規定は適用されるのか（第903条第4項関係）。　64

Q42 被相続人が第903条第4項の規定と異なる意思表示をすることは可能か。また、その意思表示は遺言でする必要があるのか（第903条第4項関係）。　65

Q43 持戻し免除の意思表示の推定規定は、法制審議会民法（相続関係）部会において、配偶者の相続分の引上げに代わって提案されたものであると聞いているが、この規定はどのような経緯で設けられることになったのか（第903条第4項関係）。　66

[遺産分割前の預貯金の払戻し制度]

Q44 預貯金債権について、遺産分割前の払戻し制度を創設し、また、仮分割の仮処分の要件を緩和したのはなぜか（第909条の2、家事事件手続法第200条第3項関係）。　68

Q45 第909条の2の規定によって払戻しをすることができる金額については、どのような限定が設けられているのか（第909条の2関係）。　70

Q46 第909条の2の規定によって払戻しをすることができる金額について、金融機関ごとの上限額を設けたのはなぜか（第909条の2関係）。　72

Q47 第909条の2の規定により預貯金の払戻しを受けるためには、金融機関にどのような資料を提示する必要があるか（第909条の2関係）。　74

Q48 第909条の2の規定により、共同相続人が預貯金の払戻しをした場合には、その後の遺産分割においてどのように取り扱われることになるのか（第909条の2関係）。　75

Q49 今回の改正により、遺産分割前に遺産に属する財産が処分された場合の遺産の範囲に関する規律（第906条の2）が設けられたが、相続開始後に預貯金債権が払い戻された場合には、第909条の2と第906条の2のいずれの規定が適用されることになるのか（第909条の2、第906条の2関係）。　77

Q50 今回の改正により各共同相続人は、第909条の2に基づき、遺産分割前であっても預貯金債権のうち一定額については単独で払戻し請求をすることができることになったが、各共同相続人は、同条に基づく払戻し請求権を第三者に譲渡することができるか。また、各共同相続人の債権者は、同条に基づく払戻し請求権を差し押さえ、取立てをすることができるか(第909条の2関係)。 78

Q51 預貯金債権が遺贈又は特定財産承継遺言(いわゆる相続させる旨の遺言)の対象となっている場合には、第909条の2の規定に基づき預貯金の払戻し請求権を行使することができるか(第909条の2関係)。 79

Q52 預貯金債権について仮分割の仮処分を得るためには、どのような要件を満たす必要があるか(家事事件手続法第200条第3項関係)。 80

Q53 家事事件手続法第200条第3項ただし書では、「他の共同相続人の利益を害するときは」仮分割の仮処分が認められないこととされているが、具体的には、どのような場合がこれに当たるのか(家事事件手続法第200条第3項関係)。 82

Q54 家事事件手続法第200条第3項の規定により払戻しがされた預貯金については、本案である遺産分割の審判においてどのように取り扱われるのか(家事事件手続法第200条第3項関係)。 84

Q55 家事事件手続法第200条第3項の規定による仮分割の仮処分の申立てをするには、どのような資料を準備する必要があるのか。また、その申立てをした場合には、どの程度の期間で裁判所の決定を得ることができるのか(家事事件手続法第200条第3項関係)。 85

[遺産の一部分割]

Q56 遺産の一部分割の規定を設けることとしたのはなぜか。また、どのような場合に遺産の一部分割をすることができるのか(第907条関係)。 87

Q57 遺産の一部分割の規定は、具体的にどのような場合を想定して設けられたものか(第907条関係)。 89

Q58 第907条第2項ただし書では、「遺産の一部を分割することにより他の共同相続人の利益を害するおそれがある場合」には、一部分割をすることができないこととされているが、具体的にはどのような場合がこれに当たるか(第907条第2項ただし書関係)。 90

Q59 遺産の一部分割の申立てをするには、どのような資料を準備する必要があるか(第907条関係)。 92

もくじ　xiii

[遺産分割前に遺産に属する財産が処分された場合の遺産の範囲]

Q60　遺産分割前に遺産に属する財産が処分された場合の遺産の範囲に関する規律を設けることとしたのはなぜか（第906条の2関係）。　93

Q61　遺産分割前に遺産に属する財産が全て処分された場合には、第906条の2の規定は適用されるのか（第906条の2関係）。　97

Q62　遺産分割前に遺産に属する財産を処分したのが共同相続人以外の第三者である場合には、第906条の2の規定は適用されるのか（第906条の2関係）。　98

Q63　第906条の2第1項の共同相続人の同意については、撤回することができるのか（第906条の2第1項関係）。　99

Q64　遺産分割前に遺産に属する財産が処分されたが、共同相続人間で、誰が処分したのか争いがある場合には、どうしたらよいのか（第906条の2関係）。　100

第4章　遺言制度に関する見直し

[自筆証書遺言の方式緩和]

Q65　自筆証書遺言の方式を緩和したのはなぜか。方式を緩和すると、偽造、変造が容易になってしまうのではないか（第968条第2項関係）。　101

Q66　自筆によらない財産目録を添付して遺言書を作成する場合には、自筆証書と財産目録にそれぞれどのような事項を記載する必要があるか（第968条第2項関係）。　103

Q67　財産目録の添付の方式について特別の定めはあるか（第968条第2項関係）。　105

Q68　財産目録に署名押印をする場合には、どのような点に注意すべきか（第968条第2項関係）。　106

Q69　遺言書の本文が記載されているページに、財産目録を印刷して遺言書を作成することはできるのか（第968条第2項関係）。　108

Q70　自書によらない財産目録を訂正する場合には、どのようにしたらよいのか（第968条第3項関係）。　109

[遺贈の担保責任]

Q71　遺贈の担保責任に関する規律を見直したのはなぜか（第998条関係）。　110

[遺言執行者の権限の明確化]

Q72 遺言執行者の権限を明確化することとしたのはなぜか（第1007条第2項、第1012条〜第1015条関係）。　111

Q73 遺言執行者が任務を開始したときに、相続人に対して遅滞なく通知する旨の規定を設けたのはなぜか（第1007条第2項関係）。　112

Q74 改正前の第1012条第1項や第1015条の規定を見直したのはなぜか（第1012条第1項、1015条関係）。　113

Q75 遺言執行者がある場合には、遺贈の履行は遺言執行者のみが行うことができることとしたのはなぜか。また、第1012条第2項の「遺贈」には包括遺贈も含まれるのか（第1012条第2項関係）。　114

Q76 特定財産承継遺言（いわゆる相続させる旨の遺言）がされた場合に、遺言執行者に対抗要件の具備に必要な行為をする権限を付与したのはなぜか（第1014条第2項関係）。　116

Q77 預貯金債権について特定財産承継遺言（いわゆる相続させる旨の遺言）がされた場合に、遺言執行者に預貯金の払戻しや預貯金契約の解約権限を付与したのはなぜか。預貯金以外の金融商品については、どうなるのか（第1014条第3項関係）。　118

Q78 遺言執行者の復任権に関する規律を見直したのはなぜか（第1016条関係）。　120

第5章 遺留分制度に関する見直し

[金銭債権化]

Q79 遺留分権利者の権利行使によって生ずる権利を金銭債権化したのはなぜか（第1046条第1項関係）。　122

Q80 遺留分権利者の権利行使によって生じた金銭債権に係る債務については、いつから遅延損害金が発生するのか（第1046条第1項関係）。　124

Q81 遺留分権利者の権利行使によって生じた金銭債権については、何年で時効にかかることになるのか（第1046条第1項関係）。　125

Q82 遺留分権利者から金銭請求を受けた受遺者又は受贈者が直ちに金銭を準備することができない場合にはどうしたらよいのか（第1047条第5項関係）。　126

Q83 受遺者又は受贈者による期限の許与の請求はどのようにするのか。遺留分権利者が提起した金銭請求訴訟の中で抗弁として主張すれば足りるのか、そ

れとも独立の訴えを提起する必要があるのか（第1047条第5項関係）。 127

Q84　遺留分権利者が提起した金銭請求訴訟において、裁判所が許与した期限が口頭弁論終結後に到来する場合には、判決主文はどうなるのか（第1047条第5項関係）。 129

Q85　金銭請求を受けた受遺者又は受贈者が直ちに金銭を準備することができない場合に対処するための方策として、法制審議会民法（相続関係）部会における検討過程においては、金銭債務の支払に代えて遺贈又は贈与の目的財産を給付することができる制度を検討していたとのことであるが、どうして採用されなかったのか。 131

[算定方法の見直し等]

Q86　遺留分や遺留分侵害額はどのように算定するのか（第1042条、第1046条第2項関係）。 133

Q87　遺留分を算定するための財産の価額に算入する贈与については、どのような改正が行われたのか（第1043条第1項、第1044条関係）。 135

Q88　負担付贈与がされた場合には、遺留分を算定するための財産の価額はどのように算定されるのか（第1045条第1項関係）。 138

Q89　不相当な対価をもってした有償行為については、遺留分を算定するための財産の価額はどのように算定されるのか（第1045条第2項関係）。 140

Q90　特定財産承継遺言（いわゆる相続させる旨の遺言）により財産を承継した相続人や相続分の指定を受けた相続人も、遺留分侵害額の請求の相手方になるのか（第1046条第1項関係）。 142

Q91　遺産分割の対象となる財産が残されている場合には、遺留分侵害額はどのように算定されるのか（第1046条第2項第2号関係）。 143

Q92　相続債務が存在する場合には、遺留分侵害額はどのように算定されるのか（第1046条第2項第3号関係）。 147

Q93　遺留分権利者の遺留分を侵害している受遺者又は受贈者が複数いる場合には、どのような割合で遺留分侵害額を負担することになるのか（第1047条第1項関係）。 149

Q94　遺留分侵害額の負担の順序について、死因贈与はどのように取り扱われるのか（第1047条第1項関係）。 152

Q95　受遺者等が相続人である場合には、遺留分侵害額の負担額をどのように算定することになるのか（第1047条第1項関係）。 153

Q96　遺留分権利者が負担すべき相続債務について、受遺者又は受贈者が第三者弁済をするなどしてその債務を消滅させた場合には、遺留分侵害額の算定においてどのように考慮されるのか（第1047条第3項関係）。　154

［その他］

Q97　新法において、「減殺」という文言を用いないこととしたのはなぜか。　156

Q98　第885条第2項、第902条第1項ただし書、第964条ただし書の規定を削除したのはなぜか。　157

Q99　第1044条の準用規定を削除したのはなぜか。　159

第6章　相続の効力等に関する見直し

［権利の承継］

Q100　相続による権利の承継についても対抗要件主義を適用することとしたのはなぜか（第899条の2関係）。　160

Q101　第899条の2において、「次条（第900条）及び第901条の規定により算定した相続分を超える部分については」という限定が付されているのはなぜか（第899条の2関係）。　162

Q102　第899条の2第1項の対象となる財産は、動産や有価証券などを含む全財産か（第899条の2第1項関係）。　164

Q103　相続による権利の承継について必要となる対抗要件はどのようなものか（第899条の2第1項関係）。　165

Q104　預貯金などの債権を相続により承継した場合には、どのように対抗要件を具備すればよいのか（第899条の2第2項関係）。　166

Q105　第899条の2第2項において、遺言の内容又は遺産分割の内容を明らかにして通知をしたといえるためには、どのような書面を示す必要があるのか（第899条の2第2項関係）。　169

［債務の承継］

Q106　相続分の指定がされた場合における義務の承継については、どのような規律が設けられたのか（第902条の2関係）。　170

Q107　相続債権者は、法定相続分に応じた権利行使をした後でも、指定相続分に応じた債務の承継を承認することができるのか（第902条の2ただし書関係）。　172

[遺言執行者がある場合における相続人の行為の効果等]

Q108 遺言執行者がある場合における相続人の行為の効果等について規律を設けたのはなぜか（第1013条第2項、第3項関係）。　174

第7章　相続人以外の者の貢献を考慮するための方策

Q109 特別の寄与の制度を設けた趣旨は何か（第1050条関係）。　177

Q110 特別の寄与の制度において、療養看護等の貢献をした者を遺産分割の当事者に含めることにはせずに、遺産分割の手続外で相続人に対する金銭請求をすることを認めることとしたのはなぜか（第1050条第1項関係）。　180

Q111 特別の寄与の制度において、請求権者の範囲を限定し、寄与行為の態様に関する要件を設けたのはなぜか（第1050条第1項関係）。　181

Q112 被相続人に対する労務の提供が「無償」であるか否かはどのように判断するのか。例えば、被相続人が労務の提供をした者の生活費を負担していた場合にはどうなるのか（第1050条第1項関係）。　184

Q113 特別寄与料の額はどのように算定するのか（第1050条第2項、第3項関係）。　186

Q114 相続人が相続により取得した財産の価額を超える特別寄与料の支払を命じられることはあるのか（第1050条第4項関係）。　188

Q115 相続人が複数いる場合には、特別寄与者は、相続人全員に対して特別寄与料の支払を請求しなければならないのか（第1050条第1項、第5項関係）。　190

Q116 相続人が複数いる場合には、各相続人は、法定相続分又は指定相続分に応じて特別寄与料を負担することとされているのはなぜか（第1050条第5項関係）。　191

Q117 特別寄与料の請求が可能な期間については、どのような制限があるか（第1050条第2項ただし書関係）。　193

Q118 特別寄与料の額について当事者間に争いがある場合はどうしたらよいのか（第1050条第2項本文、家事事件手続法第216条の2～5関係）。　194

第8章　施行日・経過措置

Q119 改正法の施行期日はいつか（附則第1条関係）。　196

Q120 改正法における経過措置はどのようなものか（附則第2条関係）。　198

Q121 権利の承継の対抗要件に関する経過措置はどのようなものか（附則第3条

関係)。 199

Q122 夫婦間における居住用不動産の贈与等に関する経過措置はどのようなものか（附則第4条関係）。 200

Q123 遺産分割前の預貯金債権の払戻し制度に関する経過措置はどのようなものか（附則第5条関係）。 201

Q124 自筆証書遺言の方式緩和に関する経過措置はどのようなものか（附則第6条関係）。 202

Q125 遺贈義務者の引渡義務等に関する経過措置はどのようなものか（附則第7条関係）。 203

Q126 遺言執行者の権利義務等に関する経過措置はどのようなものか（附則第8条関係）。 204

Q127 配偶者の居住の権利に関する経過措置はどのようなものか（附則第10条関係）。 206

Q128 特別の寄与に関する経過措置はどのようなものか。被相続人の療養看護が改正法の施行日前に行われ、相続が施行日後に開始した場合にはどうなるのか。 208

第9章 遺言書保管法

Q129 法務局における遺言書の保管制度を設けることとした趣旨は、どのようなものか。 209

Q130 制度に関する規定は、法律、政令、省令にわたっているが、どのように振り分けられているのか。 211

Q131 遺言書の保管の申請は、どの法務局で行うことができるか（遺言書保管法第2条第1項、第4条第3項関係）。 212

Q132 遺言者は、遺言書を作成するにあたり、予め遺言書保管官に、その作成の要否や遺言の内容をどうするのかといった事項について相談をすることができるか。 214

Q133 保管の申請をすることができる遺言書は、どのようなものか（遺言書保管法第1条、第4条第1項、第2項関係）。 215

Q134 遺言書の保管の申請をすることができる遺言書の様式は、どのようなものか（遺言書保管法第4条第2項、遺言書保管省令第9条、別記第1号様式関係）。 217

Q135 遺言書保管官は、遺言書の保管の申請があったときに、どのような確認を

もくじ　xix

　　行うのか（遺言書保管法第1条、第4条、第5条、遺言書保管省令第13
　　条、第14条関係）。　218

Q136　遺言書の保管の申請をするには、事前の予約が必要とされたのはなぜか。
　　予約の具体的方法はどのようなものか。　219

Q137　遺言書の保管の申請が却下されるのは、どのような場合か（遺言書保管政
　　令第2条関係）。　220

Q138　遺言書の保管の申請の方式（申請書の様式、記載事項及び添付書類）は、
　　どのようなものか（遺言書保管法第4条第4項、第5項、遺言書保管省令第
　　10条～第12条、別記第2号様式関係）。　222

Q139　遺言書の保管の申請は、必ず遺言者本人が出頭して行わなければならない
　　のか（遺言書保管法第4条第6項、第5条、遺言書保管政令第2条第1号、
　　第6号関係）。　224

Q140　保管の申請に係る遺言書の保管を開始した場合、遺言書保管官は、遺言者
　　に対し、保管証を交付するのか（遺言書保管省令第15条～第17条、別記第
　　3号様式関係）。　226

Q141　遺言書保管所において、遺言書及びその画像情報等は、どのように保管、
　　管理されるのか（遺言書保管法第6条第1項、第7条第2項、遺言書保管省
　　令第20条、準則第6条関係）。　227

Q142　遺言書保管所に保管される遺言書及び当該遺言書に係る情報は、どのくら
　　いの期間保存されるか（遺言書保管法第6条第5項、第7条第3項、遺言書
　　保管政令第5条関係）。　228

Q143　遺言者は、遺言書保管所に保管されている遺言書の返還を請求することが
　　できるのか（遺言書保管法第8条関係）。　229

Q144　遺言書の保管の申請の撤回の方式（撤回書の様式、記載事項及び添付書
　　類）は、どのようなものか（遺言書保管法第8条第2項、遺言書保管省令第
　　25条、第26条、別記第5号様式関係）。　230

Q145　遺言者の生存中、遺言書保管所に保管されている遺言書の内容は、誰が、
　　どのようにして確認することができるか（遺言書保管法第6条第2項～第4
　　項、遺言書保管政令第4条関係）。　231

Q146　遺言者による遺言書の閲覧又は遺言書保管ファイルの記録の閲覧の請求の
　　方式（請求書の様式、記載事項及び添付書類）は、どのようなものか（遺言
　　書保管法第6条第3項、遺言書保管政令第4条第3項、遺言書保管省令第
　　21条、第23条、別記第4号様式関係）。　233

Q147 遺言書保管官が遺言書の保管を開始した後、遺言者の生存中に、遺言者の住所等に変更が生じた場合において、遺言書保管官は、当該変更があったことを把握することができるか（遺言書保管政令第3条第1項、遺言書保管省令第30条第1項関係）。 234

Q148 遺言者の住所等の変更の届出の方式（届出書の様式、記載事項及び添付書類）は、どのようなものか（遺言書保管政令第3条第3項、遺言書保管省令第28条、第29条、第30条第2項、別記第6号様式関係）。 235

Q149 遺言者の死亡後、遺言者の相続人等は、遺言書保管所に遺言書が保管されていることを、どのようにして知ることができるか（遺言書保管法第9条第5項本文、第10条第1項、遺言書保管政令第9条第4項本文、遺言書保管省令第15条第1項、第48条第1項本文、準則第19条第1項、第35条第1項関係）。 237

Q150 遺言者の死亡後、関係相続人等による遺言書情報証明書の交付請求等がされなくても、遺言書保管官が関係相続人等に対して遺言書保管所に当該遺言者の遺言書が保管されていることを通知することはあるか（準則第19条、第35条第1項関係）。 239

Q151 ある者の遺言書が遺言書保管所に保管されているか否かは、その者の死亡後であれば、誰でも調べられるのか（遺言書保管法第10条関係）。 241

Q152 遺言書保管事実証明書の交付請求の方式（請求書の様式、記載事項及び添付書類）は、どのようなものか（遺言書保管法第10条第2項、第9条第4項、遺言書保管省令第33条第2項、第43条、第44条、別記第10号様式関係）。 242

Q153 遺言者の死亡後、遺言書保管所に保管されている遺言書の内容は、誰が、どのようにして確認することができるか（遺言書保管法第9条第1項、第3項、遺言書保管政令第9条第1項関係）。 244

Q154 遺言書情報証明書の交付請求の方式（申請書の様式、記載事項及び添付書類）は、どのようなものか（遺言書保管法第9条第4項、遺言書保管省令第33条、第34条、別記第8号様式関係）。 246

Q155 関係相続人等による遺言書の閲覧又は遺言書保管ファイルの記録の閲覧の請求の方式（申請書の様式、記載事項及び添付書類）は、どのようなものか（遺言書保管法第9条第4項、遺言書保管政令第9条第3項、遺言書保管省令第37条、第38条、第40条、第41条、別記第9号様式関係）。 249

Q156 関係相続人等による遺言書の閲覧又は遺言書保管ファイルの記録の

もくじ xxi

請求、遺言書情報証明書の交付の請求及び遺言書保管事実証明書の交付の請求は、請求人本人が手続を行わなければならないのか（遺言書保管法第9条第1項、第3項、第10条第1項、遺言書保管省令第36条、第46条関係）。　250

Q157　遺言書情報証明書によって、現在遺言書を提出することにより行うことができる登記等の手続を行うことができるのか（遺言書保管法第9条第1項、第11条関係）。　251

Q158　遺言者の死亡後、遺言書保管官は、どのようにして遺言者の相続人等に遺言書を保管している旨を通知するのか（遺言書保管法第9条第5項本文、遺言書保管政令第9条第4項本文、遺言書保管省令第48条第1項本文、第2項、準則第35条第1項関係）。　252

Q159　遺言書保管所に保管されている遺言書について、検認を不要とした理由は、どのようなものか（遺言書保管法第11条関係）。　254

Q160　遺言書の保管の申請等について、手数料はかかるのか（遺言書保管法第12条第1項、遺言書保管政令第4条第5項、第9条第5項、第10条第7項、手数料令第1条、第2条関係）。　255

Q161　遺言書の保管の申請の申請書や撤回書等、各種申請書等やその添付書類の閲覧は、誰が、どのような場合にすることができるのか（遺言書保管政令第10条関係）。　256

Q162　遺言書の保管の申請の申請書や撤回書等、各種申請書等及びその添付書類の閲覧請求の方式（請求書の様式、記載事項及び添付書類）は、どのようなものか（遺言書保管省令第31条、第49条、第50条、別記第7号様式、別記第11号様式関係）。　258

Q163　遺言書保管法の施行期日はいつか（遺言書保管法附則関係）。　260

Q164　遺言書保管法の施行前に作成された遺言書について、その様式に関する経過措置はあるか（遺言書保管省令附則第2条関係）。　261

参考資料1　改正法の規定による遺言書のイメージ　263
参考資料2　平成31年度税制改正の大綱（平成30年12月21日閣議決定）（抄）　268
参考資料3　民法及び家事事件手続法の一部を改正する法律　新旧対照条文　270
参考資料4　民法及び家事事件手続法の一部を改正する法律（抄）　296
参考資料5　法務局における遺言書の保管等に関する法律　299

参考資料6　法務局における遺言書の保管等に関する政令（令和元年政令第178号）　306

参考資料7　法務局における遺言書の保管等に関する法律関係手数料令（令和2年政令第55号）　311

参考資料8　法務局における遺言書の保管等に関する省令（令和2年法務省令第33号）　312

参考資料9　遺言書保管事務取扱手続準則（令和2年5月11日付け法務省民商第97号通達）　352

事項索引　373

第1章 総　　論

Q1　今回、相続法の改正が行われたのはなぜか。

A　相続法制については、昭和55年に、配偶者の法定相続分の引上げや寄与分制度の新設等の改正がされて以降、約40年間、大きな見直しはされてこなかった。

しかし、その間にも我が国の平均寿命は延び、社会の少子高齢化が進展する一方で、高齢者間の再婚が増加するなど、相続を取り巻く社会経済情勢には大きな変化が見られた。具体的には、我が国の平均寿命は、昭和55年当時は、男性が73.35歳、女性が78.76歳であったのが、平成29年には、男性が81.09歳、女性が87.26歳と、男女ともに7歳から8歳程度延びて、高齢化が進展する一方で、出生数は、昭和55年当時は約158万人であったのが、平成29年には約95万人にまで減少し、合計特殊出生率も、昭和55年当時は1.75であったのが、平成29年には1.43に低下しており、少子化が進展した。このため、相続開始時における配偶者の年齢も相対的に高くなって、その保護の必要性が高まる一方で、子については経済的に独立している場合も多く、また、少子化により相続人である子の人数が相対的に減ることから、遺産分割における1人の子の取得割合も相対的に増加することになるものと考えられる。このように、配偶者と子が相続人になる場合を想定すると、配偶者の保護を図るべき必要性が相対的に高まっていると考えられ、このような社会経済情勢の変化に対応する観点から、相続法制を見直す必要があるとの指摘もされていた。

また、平成25年9月4日には、最高裁判所大法廷において、嫡出でない子の相続分を嫡出子の2分の1と定めていた当時の民法の規定が憲法第14条第1項に違反するとの判断が示された（最大決平成25年9月4日民集67巻6号1320頁）^(注1)。これを受け、同年12月に、この規定を削除して嫡出子と嫡出でない子の相続分を同じにすることを内容とする「民法の一部を改正

する法律」（平成25年法律第94号）が成立したが、その議論の過程で、各方面から、配偶者の死亡により残された他方配偶者の生活への配慮等の観点から相続法制を見直すべきではないかとの問題提起がされた。

このように、昭和55年以降の社会経済情勢の変化や嫡出でない子の相続分に関する民法改正の過程で示された問題提起等を踏まえ、平成27年2月に、法務大臣から法制審議会に対して相続法の見直しについて諮問がされ（諮問第100号）(注2)、相続法の見直しを行うこととなったものである。

（注1）平成25年9月4日最高裁決定の骨子
1　平成25年改正前の民法第900条第4号ただし書の規定のうち嫡出でない子の相続分を嫡出子の相続分の2分の1とする部分は、遅くとも平成13年7月当時において、憲法第14条第1項に違反していた。
2　本決定の違憲判断は、平成13年7月から本決定までの間に開始された相続につき、平成25年改正前の民法第900条第4号ただし書の規定のうち嫡出でない子の相続分を嫡出子の相続分の2分の1とする部分を前提としてされた遺産の分割の審判その他の裁判、遺産の分割の協議その他の合意等により確定的なものとなった法律関係に影響を及ぼすものではない。
（注2）諮問第100号の諮問文
高齢化社会の進展や家族の在り方に関する国民意識の変化等の社会情勢に鑑み、配偶者の死亡により残された他方配偶者の生活への配慮等の観点から、相続に関する規律を見直す必要があると思われるので、その要綱を示されたい。

Q2　今回の改正の特徴としては、どのような点が挙げられるか。

A　今回の改正は、昭和55年以降の社会経済情勢の変化等に対応するものとして行われたものであり、その内容は多岐にわたるが、その特徴としては、以下の3点が挙げられるように思われる。

1つ目は、配偶者保護を目的とする新たな制度を設けたことである。前述のとおり（Q1参照）、少子高齢化の進展に伴い、配偶者と子を相対的に比較すると、配偶者の保護の必要性がより高まっていること、特に高齢の配偶者にとってはその居住の権利の保護を図ることが重要であること等を踏まえ、民法第5編第8章に「配偶者の居住の権利」という新たな章を設けた上で、配偶者居住権（同章第1節）及び配偶者短期居住権（同章第2節）という新たな権利を創設したほか、被相続人が配偶者に対して居住用不動産の遺贈や生前贈与をした場合に、いわゆる持戻し免除の意思表示があったものと法律上推定する規定（第903条第4項）を設けるなどしている。

2つ目は、遺言の利用を促進するための方策が多く盛り込まれている点である。国会の審議においても、家族の在り方が多様化していることに伴い、法定相続のルールをそのまま当てはめると実質的な不公平が生ずる場合があるとの指摘がされたが、そのような場合には、被相続人の意思によってこれを修正することが考えられるところであり、その意味では、遺言制度は、今後ますますその重要性を増していくものと考えられる。

今回の改正では、法務局において自筆証書遺言に係る遺言書を保管する制度を設けたほか、自筆証書遺言の方式を緩和し（第968条第2項）、遺言の円滑な実行を図るために遺言執行者の権限を明確化することとしている（第1012条、第1014条第2項～第4項、第1015条、第1016条）。このほかにも、遺留分権利者の権利行使によって生ずる権利を金銭債権とする改正も行っているが（第1046条）、これにより、遺留分権利者がその権利を行使した場合にも遺贈や贈与の効力は否定されないことになるため、遺言者の意思をより尊重することにつながり、法律関係をより簡明にする点で、間接的に遺言の利用を促進することにつながるものと考えられる。

3つ目は、相続人を含む利害関係人の実質的公平を図るための見直しがさ

れている点である。旧法においては、被相続人との法律上の身分関係を前提として、ある程度画一的な処理が可能な制度設計がされていたものと考えられる。これは、相続に関する紛争は、一般に紛争性が高く、利害関係人も多数に上ること等を考慮したものであると考えられるが、他方で、これにより、一定の場面では不公平な事態が生じていたものと考えられる。新法では、このような不公平な事態を是正することを目的として、相続開始後遺産分割終了前に相続人の1人が遺産を処分した場合に関する規律（第906条の2）や、相続人以外の者が被相続人の療養看護等の貢献を行った場合に、その者に相続人に対する金銭請求を認める制度（第5編第10章）を設けている。このように、実質的公平の実現の在り方やその適用場面は異なるが、これらの見直しは、国民の権利意識の変化等を踏まえたものということができるように思われる。

　このほかにも、新法では、預貯金債権について遺産の分割前に払戻しを受けることを認める制度を創設し（第909条の2、家事事件手続法第200条第3項）、また、いわゆる相続させる旨の遺言や相続分の指定がされた場合についても対抗要件主義を適用することとし、相続人がこれらの遺言により法定相続分を超える権利を取得した場合にも、対抗要件を備えなければその超過分を第三者に対抗することができないこととする（第899条の2）などの見直しをしている。

Q3 改正法案の提出に至る経緯は、どのようなものか。

A　**1　相続法制検討ワーキングチームにおける検討**

　前述のとおり（Q1参照）、相続法制については、昭和55年に配偶者の相続分の引上げ等がされて以来約40年間大きな見直しはされてこなかったが、その間に少子高齢化が進展するなどの社会経済情勢の変化が見られたこと、嫡出でない子の相続分に関する民法改正（平成25年法律第94号による改正）の際に相続法制の見直しの必要性が指摘されたこと等を踏まえ、法務省では、相続法制の見直しに向けた検討を開始することとし、平成26年1月に省内に有識者等から構成される相続法制検討ワーキングチームを設置し、約1年にわたり相続法制に関する現状の問題点や考えられる見直しの方向性等について検討を行い、報告書を取りまとめた。同報告書では、①配偶者の居住権を保護するための方策、②配偶者の貢献に応じた遺産の分割等を実現するための方策（配偶者の相続分の引上げ等）、③遺留分制度の見直しのほか、④遺産分割における可分債権の取扱いの見直し、⑤相続人以外の者の貢献を考慮するための方策等の各項目について、見直しの方向性を示すとともに、今後さらに検討を進めていく上で課題となる点等の整理がされた。

2　法制審議会における調査・審議

　相続法制検討ワーキングチームにおける検討結果等を踏まえ、法務大臣は、平成27年2月に、法制審議会に対し、相続法制の見直しについて諮問をした。この諮問を受け、法制審議会に民法（相続関係）部会（部会長：大村敦志東京大学大学院法学政治学研究科教授）が設置された。

　同部会においては、当初は、相続法制検討ワーキングチームの報告書に記載された論点を中心に議論がされたが、見直しの必要性やその方向性そのものについて異論が噴出した。特に、配偶者の居住権を保護するための方策や配偶者の相続分の引上げのように、平成25年の最高裁違憲決定（Q1参照）を契機として見直しの必要性が指摘されるようになった論点についてその傾向が顕著であった。このため、同部会では、当初は、相続法制の見直しをす

る立法事実があるか否か、あるとしても、どのような方向性の見直しが望ましいかといった根本的なところから時間をかけて議論がされた。これらの議論の結果を踏まえ、見直しの内容を幾度にもわたり修正するなどした結果、配偶者保護に関する論点についても徐々に委員・幹事の中でコンセンサスが形成されていった。

　他方で、同部会においては、委員・幹事から、現行の実務における問題点が指摘され、その見直しを検討すべきであるとの意見が示されたことを受けて検討が開始され、最終的に要綱案に盛り込まれたものも複数存在する。具体的には、遺言執行者の権限の明確化や自筆証書遺言の保管制度の創設等がこれに当たる。

　さらに、同部会における審議の途中で、預貯金債権の遺産分割における取扱いに関する重要な判例変更（Q44参照）があったため、この判例変更に伴い新たに生ずる問題点を解消するための方策についても検討がされ、最終的に要綱案に盛り込まれた。

　このように、同部会においては、配偶者保護のための方策だけでなく、現行の実務において生じている問題点に対応するための方策についても積極的に検討がされた結果、要綱案の内容は多岐にわたるものとなった。

　これらの調査・審議の結果を踏まえ、平成30年1月16日に、同部会（第26回会議）において全会一致で要綱案が取りまとめられた。同年2月16日には、法制審議会総会（第180回会議）において、相続法制の見直しの内容について審議が行われ、要綱案どおりの内容で答申をすることが了承された。これを受けて、法制審議会は、同日、法務大臣に対し、「民法（相続関係）等の改正に関する要綱」を答申した。

　今回の改正に係る「民法及び家事事件手続法の一部を改正する法律案」及び「法務局における遺言書の保管等に関する法律案」は、いずれもこの要綱に基づいて立案されたものであり、平成30年3月13日の閣議決定に基づき、同日第196回国会（常会）に提出された。

Q4 改正法案の国会における審議の経過及び内容は、どのようなものであったか。

A 今回の改正に係る「民法及び家事事件手続法の一部を改正する法律案」及び「法務局における遺言書の保管等に関する法律案」の両法律案については、第196回国会（常会）において、平成30年6月6日に一括して審議が開始され、衆議院法務委員会では、同月8日及び同月15日に対政府質疑が、同月13日に参考人質疑がそれぞれ行われた。同委員会では、同月15日に採決が行われ、賛成多数（遺言書保管法案については全会一致）で可決された(注1)。これを受けて、同月19日に、衆議院本会議において採決が行われ、賛成多数（遺言書保管法案については全会一致）で可決されたことから、両法律案は参議院に送付された。

参議院法務委員会では、同月26日に両法律案の審議が一括して開始され、同月28日及び同年7月5日に対政府質疑が、同月3日に参考人質疑がそれぞれ行われた。同委員会では、同月5日に採決が行われ、賛成多数（遺言書保管法案については全会一致）で可決された(注2)。これを受けて、両法律案は、翌6日に、参議院本会議において採決が行われ、いずれも賛成多数で可決されたことから、法律として成立し、同月13日に公布された。

衆議院及び参議院のいずれの質疑においても、今回新たに制度が設けられた配偶者居住権や特別の寄与の制度に関する質疑が多くされたほか、事実婚や同性のカップルのパートナーに対する法律上の保護の在り方といった親族法にもまたがる大きな問題についても多くの時間が費やされた(注3)。

(注1) 衆議院法務委員会で両法律案が可決された際に附帯決議が付されたが、その内容は以下のとおりである。
（附帯決議の内容）
　政府は、本法の施行に当たり、次の事項について格段の配慮をすべきである。
一　現代社会において家族の在り方が多様に変化してきていることに鑑み、多様な家族の在り方を尊重する観点から、特別の寄与の制度その他の本法の施行状況を踏まえつつ、その保護の在り方について検討すること。
二　性的マイノリティを含む様々な立場にある者が遺言の内容について事前に相談できる仕組みを構築するとともに、遺言の積極的活用により、遺言者の意思を尊重した遺

産の分配が可能となるよう、遺言制度の周知に努めること。
　三　法務局における自筆証書遺言に係る遺言書の保管制度の実効性を確保するため、遺言者の死亡届が提出された後、遺言書の存在が相続人、受遺者等に通知される仕組みを可及的速やかに構築すること。
　四　法務局における自筆証書遺言に係る遺言書の保管制度の信頼を得るため、遺言書の保管等の業務をつかさどる遺言書保管官の適正な業務の遂行を担保する措置を講ずるよう検討すること。
（注2）参議院法務委員会で両法律案が可決された際に附帯決議が付されたが、その内容は以下のとおりである。
（附帯決議の内容）
　　政府は、本法の施行に当たり、次の事項について格段の配慮をすべきである。
　一　現代社会において家族の在り方が多様に変化してきていることに鑑み、多様な家族の在り方を尊重する観点から、特別の寄与の制度その他本法の施行状況を踏まえつつ、その保護の在り方について検討すること。
　二　性的マイノリティを含む様々な立場にある者が遺言の内容について事前に相談できる仕組みを構築するとともに、遺言の積極的活用により、遺言者の意思を尊重した遺産の分配が可能となるよう、遺言制度の周知に努めること。
　三　配偶者居住権については、これまでにない新たな権利を創設することになることから、その制度の普及を図ることができるよう、配偶者居住権の財産評価を適切に行うことができる手法について、関係機関と連携しつつ、検討を行うこと。
　四　法務局における自筆証書遺言に係る遺言書の保管制度の実効性を確保するため、遺言者の死亡届が提出された後、遺言書の存在が相続人、受遺者等に通知される仕組みを可及的速やかに構築すること。
　五　法務局における自筆証書遺言に係る遺言書の保管制度の信頼を高めるため、遺言書の保管等の業務をつかさどる遺言書保管官の適正な業務の遂行及び利便性の向上のための体制の整備に努めること。
　六　今回の相続法制の見直しが国民生活に重大な影響を及ぼすものであることから、国民全般に十分に浸透するよう、積極的かつ細やかな広報活動を行い、その周知徹底に努めること。
（注3）事実婚や同性のカップルのパートナーに対する法律上の保護の在り方については、特別の寄与の制度の申立権者にこれらの者を含めていないことが問題にされたほか、相続法以外の分野を含め、これらの者に対する保護が不十分ではないかという問題意識に基づく質疑も多く行われた。衆議院法務委員会及び参議院法務委員会の前記附帯決議（(注1)、(注2)）の第一項及び第二項は、いずれもこれらの質疑を踏まえて盛り込まれたものであると考えられる。

第2章 配偶者の居住の権利

[配偶者居住権]

Q5 配偶者居住権を創設した趣旨は何か（第1028条〜第1036条関係）。

A 1 近年の社会の高齢化の進展及び平均寿命の伸長に伴い、被相続人の配偶者（以下、単に「配偶者」という。）が被相続人の死亡後にも長期間にわたり生活を継続することは少なくない(注1)。そして、配偶者は、住み慣れた居住環境での生活を継続するために居住権を確保しつつ、その後の生活資金として預貯金等の財産についても一定程度確保したいという希望を有する場合も多いと考えられる。

2 旧法の下では、これを実現するために、遺産分割において配偶者が居住建物の所有権を取得したり、居住建物の所有権を取得した者との間で賃貸借契約等を締結したりすることが考えられたが、前者の方法による場合には、居住建物の評価額が高額となり、配偶者がそれ以外の財産を十分に取得することができなくなるおそれがあるし、後者の方法による場合には、居住建物の所有権を取得した者が賃貸借契約の締結に応ずることが前提となり、そうでなければ、配偶者の居住権は確保されないこととなる。

3 配偶者居住権の制度は、配偶者のために居住建物の使用収益権限のみが認められ、処分権限のない権利を創設することによって、遺産分割の際に、配偶者が居住建物の所有権を取得する場合よりも低廉な価額で居住権を確保することができるようにすること等を目的とするものである。

4 また、配偶者居住権の活用場面は遺産分割の場合に限られるものではなく、被相続人が遺言によって配偶者に配偶者居住権を取得させることもできることとしている。これによって、例えば、それぞれ子がいる高齢者同士

が再婚した場合にも^(注2)、自宅建物を所有する者は、遺言によって、その配偶者に配偶者居住権を取得させてその居住権を確保しつつ、自宅建物の所有権については自分の子に取得させることができることとなり、自宅建物については、いわゆる後継遺贈と同様の効果を生じさせることが可能となる^(注3)。

(注1) 平成29年における国民の平均寿命は男性81.09歳、女性87.26歳であるが、例えば前回配偶者の相続分の見直しがされた昭和55年の平均寿命（男性73.35歳、女性78.76歳）と比較すると、男性で約7.7歳、女性で約8.5歳延びており、高齢化が進展している。しかも、男女差についても拡大する傾向にある。以上によれば、高齢の生存配偶者が、被相続人の死後も長期間生活を継続する場面が増加していると考えられる。

(参考) 平均寿命の年次推移

和暦	男	女	男女差
昭和22年	50.06	53.96	3.90
昭和30年	63.60	67.75	4.15
昭和40年	67.74	72.92	5.18
昭和50年	71.73	76.89	5.16
昭和60年	74.78	80.48	5.70
平成 2 年	75.92	81.90	5.98
平成 7 年	76.38	82.85	6.47
平成12年	77.72	84.60	6.88
平成17年	78.56	85.52	6.96
平成22年	79.55	86.30	6.75
平成27年	80.75	86.99	6.24
平成28年	80.98	87.14	6.16
平成29年	81.09	87.26	6.17

＊簡易生命表より抜粋（単位：年）

(注2) 前回相続法分野の改正を行った昭和55年には、65歳以上の再婚者数は1537人だったが、平成29年には、7474人となっており、4倍以上に増加している。

(注3) 後継遺贈については、現行法上その有効性に争いがあり、その点を明確に判示した判例も存在しない（最二判昭和58年3月18日判タ496号80頁参照）。

Q6 配偶者居住権はどのような場合に発生するのか(第1028条第1項関係)。

A 1 配偶者居住権の成立要件は、①配偶者が相続開始の時に被相続人所有の建物に居住していたこと、②その建物について配偶者に配偶者居住権を取得させる旨の遺産分割(Q7参照)、遺贈(Q8参照)又は死因贈与(注)がされたことである(第1028条第1項、第554条)。

2 第1028条第1項の「配偶者」は、法律上被相続人と婚姻をしていた配偶者をいい、内縁の配偶者は含まれない。配偶者居住権は、基本的には、遺産分割等における選択肢を増やす趣旨で創設したものであるが、内縁の配偶者はそもそも相続権を有していないことや、内縁の配偶者を権利主体に含めることとすると、その該当性をめぐって紛争が複雑化、長期化するおそれがあること等を考慮したものである。

3 配偶者居住権の目的となる建物(以下「居住建物」という。)は、相続開始の時点において、被相続人の財産に属した建物でなければならない。したがって、被相続人が賃借していた建物(借家)に配偶者が居住していた場合には、配偶者居住権は成立しない。

また、被相続人が建物の共有持分を有していたに過ぎない場合には、被相続人と配偶者との間でその建物を共有していた場合を除き、配偶者居住権を成立させることはできないこととしている(第1028条第1項ただし書。Q11参照)。

4 「居住していた」とは、配偶者が当該建物を生活の本拠としていたことを意味するものである(配偶者が建物の一部のみを居住の用に供していた場合については、Q9参照)。したがって、例えば、配偶者が相続開始の時点では入院していたために、その時点では自宅である居住建物にいなかったような場合であっても、配偶者の家財道具がその建物に存在しており、退院後はそこに帰ることが予定されていた場合のように、その建物が配偶者の生活の本拠としての実態を失っていないと認められる場合には、配偶者はなおその

建物に居住していたということができる。

　このような生活の本拠は通常1か所であることが多いと思われるが、一定の期間（例えば半年）ごとに生活の拠点を変えているような場合には、例外的に、生活の本拠が複数認められることもあり得るものと考えられ、このような場合でいずれも被相続人所有の建物に居住していたときは、複数の建物について配偶者居住権が成立することもあり得ると考えられる。このほか、生活の本拠は1か所であるとしても、例えば、2棟の建物を一体として居住の用に供していた場合等については、2棟の建物について配偶者居住権が成立することもあり得るものと考えられる。

　5　配偶者居住権は、以上の要件に加え、配偶者に配偶者居住権を取得させる旨の遺産分割、遺贈又は死因贈与がされることによって成立する。

　（注）第1028条第1項各号には死因贈与に関する規定がないが、死因贈与については、第554条により、その性質に反しない限り遺贈に関する規定が準用されることとされており、死因贈与による配偶者居住権の取得を否定する理由はないことから、死因贈与によることも認める趣旨である。

Q7 遺産分割の審判により配偶者居住権を取得するためには、どのような要件を満たす必要があるか(第1028条第1項第1号、第1029条関係)。

A 第1028条第1項第1号の「遺産の分割」には遺産分割の審判も含まれるから、他の相続人が反対している場合であっても、審判によって配偶者に配偶者居住権を取得させることは可能である。もっとも、居住建物の所有者が配偶者居住権の設定に反対している場合に、審判により配偶者に配偶者居住権を取得させることとすると、遺産分割に関する紛争が解決した後も配偶者と居住建物の所有者との間で紛争が生ずるおそれがある。

そこで、遺産分割の請求を受けた家庭裁判所は、①共同相続人の間で、配偶者に配偶者居住権を取得させることについて合意が成立しているときか、②配偶者が家庭裁判所に対して配偶者居住権の取得を希望する旨を申し出た場合において、居住建物の所有者の受ける不利益の程度を考慮してもなお配偶者の生活を維持するために特に必要があると認めるときに限り、配偶者に配偶者居住権を取得させる旨の審判をすることができることとしている(第1029条)。

なお、配偶者が遺産分割により配偶者居住権を取得する場合には、他の遺産を取得する場合と同様、自らの具体的相続分の中からこれを取得することになる。

> **Q8** 特定財産承継遺言(いわゆる相続させる旨の遺言)によって配偶者居住権を取得することはできないこととしたのはなぜか(第1028条第1項関係)。

A 被相続人が遺言によって配偶者に配偶者居住権を取得させるためには、遺贈によることを要し、特定財産承継遺言(遺産分割方法の指定として遺産に属する特定の財産を共同相続人の1人又は数人に承継させる旨の遺言。第1014条第2項参照)によることはできないこととしている(注)。

これは、仮に特定財産承継遺言による取得を認めることとすると、配偶者が配偶者居住権の取得を希望しない場合にも、配偶者居住権の取得のみを拒絶することができずに、相続放棄をするほかないこととなり、かえって配偶者の利益を害するおそれがあること、配偶者居住権の取得には一定の義務の負担を伴うことになるが、一般に、遺産分割方法の指定について負担を付すことはできないと解されていること等を考慮したものである。

(注)このため、遺言者があえて配偶者居住権を目的として特定財産承継遺言をしたと認められる場合には、その部分は無効ということになるが、通常は遺言者があえて無効な遺言をすることは考え難い。したがって、例えば、相続させる旨の遺言により、遺産の全部を対象として各遺産の帰属が決められ、その中で、「配偶者に配偶者居住権を相続させる」旨が記載されていた場合でも、配偶者居住権に関する部分については、遺贈の趣旨であると解するのが遺言者の合理的意思に合致するものと考えられる。

Q9 居住建物が店舗兼住宅であった場合にも、配偶者は配偶者居住権を取得することができるのか（第1028条第1項関係）。

A 1 配偶者居住権を取得するためには、配偶者が相続開始の時にその目的となる建物に「居住していた」ことが必要であるが、建物の全部を居住の用に供していたことまでは要件とされていない。したがって、配偶者が被相続人所有の建物を店舗兼住宅として使用していた場合であっても、配偶者が建物の一部を居住の用に供していたのであれば、「居住していた」という要件を満たすことになる。

2 もっとも、配偶者が相続開始前に居住建物の一部に居住していた場合であっても、配偶者居住権の効力は建物の全部に及ぶこととしているため、配偶者居住権を取得した配偶者は、居住建物の全部について使用及び収益をすることができることになる。これは、建物の一部について配偶者居住権が成立することを認めると、配偶者は居住建物全体についての配偶者居住権を取得するよりも低い評価額で配偶者居住権を取得することができることになり、執行妨害目的等で利用されるおそれがあることや、建物の一部について登記をすることを認めることが技術的に困難であること等を考慮したものである。

Q10 居住建物の一部が賃貸に供されていた場合にも、配偶者は配偶者居住権を取得することができるのか。取得することができる場合には、誰が賃料を取得することになるのか（第1028条第1項関係）。

A 被相続人が居住建物の一部を第三者に賃貸していた場合でも、配偶者は配偶者居住権を取得することが可能である。配偶者居住権を取得した配偶者は、居住建物の所有者との関係では、第三者に賃貸されている部分も含め、居住建物の全部について使用及び収益をすることができる権利を取得する。

もっとも、建物賃貸借においては建物の引渡しが対抗要件となるところ（借地借家法第31条）、このような事例では、通常、賃借人が先に引渡しを受けているものと考えられることから、配偶者は、その賃借人に対しては、配偶者居住権による使用収益権限を対抗することができないことになるものと考えられる。

このような場合には、一般的には、賃借人は、賃貸人たる地位を承継した居住建物の所有者に対して賃料を支払うこととなる。

Q11 被相続人が第三者又は配偶者と居住建物を共有していた場合にも、配偶者は配偶者居住権を取得することができるのか（第1028条第1項関係）。

A 1 被相続人が建物の共有持分を有していたに過ぎない場合には、原則として配偶者居住権を成立させることはできないこととしている（第1028条第1項ただし書）。配偶者居住権は、配偶者が建物使用の対価を支払うことなく排他的な利用権を取得することができるところにその存在意義があるが、被相続人が建物を第三者と共有していた場合には、被相続人やその占有補助者である配偶者等は、被相続人の生前ですら、共有持分に応じた利用権を有していたに過ぎず、少なくとも、他の共有持分権者との関係では排他的な利用権は有していなかったのであるから、このような場合にまで配偶者居住権の成立を認めると、被相続人の死亡により他の共有持分権者の利益が不当に害されることになること等を考慮したものである。

2 例外的に、居住建物が夫婦の共有となっている場合（被相続人と配偶者のみで居住建物を共有していた場合）には、配偶者居住権の成立を認めることとしている（第1028条第1項ただし書）。これは、夫婦が居住する建物については夫婦の共有となっている場合も相当程度存在するため、このような場合にも配偶者居住権の成立を認める必要性があり、かつ、そのような場合に配偶者居住権の成立を認めたとしても、上記1のような不利益を受ける者はいないことを考慮したものである。

なお、配偶者が居住建物の共有持分を有する場合には、配偶者は共有持分に基づいて居住建物を使用することができるが、この場合であっても、配偶者は、他の共有者から、その使用利益について不当利得返還請求をされ、又は、共有物分割請求により配偶者が居住建物での居住を継続することができなくなるおそれがあることから、配偶者居住権の成立を認める必要性はあるものと考えられる。

Q12 配偶者居住権は、どのような性質の権利か(第1028条~第1036条関係)。

A 配偶者居住権は、配偶者の居住権を保護するために特に認められた権利であり、帰属上の一身専属権である。このため、配偶者居住権の帰属主体は配偶者に限定され、配偶者はこれを譲渡することができず(第1032条第2項)、配偶者が死亡した場合には当然に消滅して、相続の対象にもならない(第1036条において準用する第597条第3項)。

また、その法的性質については、規定上特に明確にしていないが、賃借権類似の法定の債権であると考えられる(注)。もっとも、配偶者は、遺産分割においてこれを取得する場合でも、自己の具体的相続分において取得することになるから、その存続期間中賃料の支払義務を負わず、無償で使用することができるなど、賃借権とも異なる性質を有している。

(注)配偶者居住権の債権者は配偶者であり、債務者は居住建物の所有者(共有である場合には共有者全員)である。したがって、例えば、配偶者が遺贈により配偶者居住権を取得したが、居住建物については遺産共有状態にある場合には、債務者は、配偶者を含む相続人全員ということになる。

Q13 配偶者が配偶者居住権を第三者に対抗するためには、どのような手続が必要となるのか(第1031条関係)。

A 1　配偶者が配偶者居住権を第三者に対抗するためには、配偶者居住権の設定の登記をしなければならない(第1031条第2項において準用する第605条)。

　この点については、建物の賃借権とは異なり、居住建物の引渡しを対抗要件とすることとはしていない(借地借家法第31条参照)。配偶者居住権は、無償で居住建物を使用することができる権利であるから、配偶者が対抗要件を取得した後に居住建物の所有権を譲り受けた者や居住建物の差押えをした抵当権者等の第三者は、賃借権の場合とは異なり、その存続期間中は建物使用の対価すら取得することができないこととなるため、第三者に権利の内容を適切に公示すべき必要性が高い。しかし、配偶者居住権は、相続開始時に配偶者が居住建物に居住していたことがその成立要件とされているため、居住建物の引渡しを対抗要件として認めたとしても、建物の外観上は何らの変化もないことになり、公示手段として極めて不十分なものになるものと考えられる。このため、居住建物の引渡しを対抗要件とすることとはしなかったものである。

　2　配偶者が遺産分割に関する審判や調停によって配偶者居住権を取得したときは、その審判書や調停調書には、配偶者が単独で配偶者居住権の設定の登記手続をすることができるように所要の記載がされるのが通常であるから、配偶者は、その審判書や調停調書に基づき、単独で配偶者居住権の設定の登記の申請をすることができる(不動産登記法第63条第1項)。

　このような審判書や調停調書がない場合には、配偶者居住権の設定の登記は、配偶者と居住建物の所有者とが共同して申請しなければならないが(不動産登記法第60条)、居住建物の所有者が登記の申請に協力しない場合には、配偶者は、居住建物の所有者に対して登記義務の履行を求める訴えを提起することができ(第1031条第1項)、これを認容する判決が確定すれば、配偶者は、その判決に基づき、単独で登記の申請をすることができる(不動産登記法第63条第1項)。

Q14 配偶者居住権が存続している間、配偶者と居住建物の所有者との間には、どのような法律関係が生ずるのか（第1028条～第1036条関係）。

A 　1　居住建物の使用及び収益

　配偶者は無償で居住建物の使用及び収益をすることができ（第1028条第1項本文）、居住建物の所有者はこれを受忍すべき義務を負う[注1]。もっとも、配偶者は、使用貸借契約の借主等と同様に、居住建物の所有者の承諾を得なければ、第三者に居住建物を使用又は収益させることはできないこととしているから（第1032条第3項）、実際には居住建物の使用権限を有するに過ぎず、配偶者の意思のみで居住建物の収益をすることができる場合はほとんど想定することができない[注2]。

　また、配偶者の使用収益権限が及ぶ範囲は居住建物の全部である。したがって、配偶者は、相続開始前に居住建物の一部に居住していた場合であっても、配偶者居住権を取得した場合には、それに基づき、居住建物の全部について使用及び収益をすることができる。

　さらに、配偶者は、配偶者居住権に基づき居住建物の使用及び収益をする場合には、それに必要な限度で敷地を利用することができる。

2　用法遵守義務・善管注意義務

　配偶者は、従前の用法に従って、善良な管理者の注意をもって、居住建物の使用及び収益をしなりればならない（第1032条第1項本文）。

　もっとも、配偶者の居住権を保護するという制度趣旨に照らし、相続開始前には配偶者が使用していなかった部分や居住の用に供していなかった部分についても、居住の用に供することは妨げられないこととしており（同項ただし書）、その限度では従前の用法を変更することを認めることとしている（逆の用法変更は認められず、例えば居住の用に供していた部分を営業の用に供することは、用法遵守義務違反となる。）。

3　配偶者居住権の譲渡及び無断で第三者に居住建物を使用収益させることの禁止

配偶者居住権は、譲渡することができない（第1032条第2項）。また、配偶者は、使用貸借契約における借主等と同様に、居住建物の所有者の承諾を得なければ、第三者に居住建物の使用又は収益をさせることはできない（同条第3項。この点についての詳細は、Q15参照）。

4　無断増改築の禁止

配偶者は、居住建物の所有者の承諾を得なければ、居住建物の増改築をすることはできない（第1032条第3項）。

配偶者は、従前の用法に従って居住建物を使用収益しなければならないから、基本的に、居住建物の増改築をすることができないことは当然であるが、従前居住の用に供していなかった部分を居住の用に供することができることとされていることから（同条第1項ただし書）、そのような用法変更をする場合にも、配偶者が無断で増改築をすることは認められていないことを確認的に規定したものである。

5　居住建物の修繕等

居住建物の修繕が必要な場合には、まずは配偶者において修繕することができ（第1033条第1項）、居住建物の所有者は、配偶者が相当の期間内に必要な修繕をしないときに修繕をすることができる（同条第2項。この点についての詳細は、Q17参照）。

6　費用負担

配偶者は、居住建物の通常の必要費を負担する（第1034条第1項。この点についての詳細は、Q18参照）。

7　居住建物の所有者による消滅請求

配偶者が第1032条第1項又は第3項の義務に違反した場合（用法遵守義務や善管注意義務に違反した場合、居住建物の所有者の承諾を得ずに、第三者に使用収益をさせ、又は増改築をした場合）において、居住建物の所有者が相当の

期間を定めてその是正の催告をしたにもかかわらず、配偶者がこれに応じない場合には、居住建物の所有者は、配偶者に対する意思表示によって、配偶者居住権を消滅させることができる（第1032条第4項。この点についての詳細は、Q21参照）。

8 損害賠償請求権及び費用償還請求権についての期間制限

配偶者の善管注意義務違反等による損害賠償請求権及び居住建物についての費用償還請求権は、居住建物の所有者が居住建物の返還を受けた時から1年以内に請求しなければならない（第1036条において準用する第600条第1項）。使用貸借と同様の規律を設けることとしたものである。

（注1）上記本文1のとおり、居住建物の所有者は、賃貸借契約における賃貸人とは異なり、配偶者の使用収益を受忍すべき義務を負うに過ぎず、建物の使用及び収益をするのに適した状態にする義務（修繕義務等）までは負っていない（第1033条参照）。
（注2）居住建物の収益とは、居住建物を賃貸して利益を上げることなどをいい、利益を得るための活動を行う場所として居住建物を使用すること（居住建物の一部で小売店や飲食店を営業すること）は、基本的には収益に当たらないと解される（ただし、その代金等の一部に建物使用の対価が含まれていると認められるような場合には、収益に当たり得るものと考えられる。）。

Q15 配偶者は、配偶者居住権を第三者に譲渡することができるのか。また、配偶者居住権が設定された居住建物を第三者に賃貸することができるのか（第1032条第2項、第3項関係）。

A 1 配偶者居住権は、配偶者が相続開始後も従前の居住環境での生活を継続することを可能とするため、その選択肢となる手段を増やすことを目的として創設したものである。配偶者が第三者に対して配偶者居住権を譲渡することを認めることは、このような制度趣旨と整合的でないことから、配偶者居住権については譲渡をすることができないこととしている（第1032条第2項）。

2 また、配偶者は、使用貸借契約における借主と同様、居住建物の所有者の承諾を得なければ、第三者に居住建物の使用又は収益をさせることはできないこととしている（第1032条第3項）。

逆に言えば、配偶者は、居住建物の所有者の承諾を得れば、第三者に居住建物の使用又は収益をさせることができることになる。配偶者にこのような権限を認めたのは、配偶者は自らの具体的相続分において配偶者居住権を取得していることから、配偶者が介護施設に入居するなどの事情の変更等により、配偶者がその建物に居住する必要がなくなった場合に、配偶者居住権の価値を回収する手段を確保するためである。

Q16 配偶者がその家族や家事使用人を居住建物に住まわせて使用させるためには、居住建物の所有者の承諾を得る必要があるのか（第1032条第3項関係）。

A 第1032条第3項にいう「第三者」は、原則として配偶者以外の者をいうが、その該当性については、基本的には、使用貸借契約について類似の規律を定めた第594条第2項と同様の解釈がされることになると考えられる。

配偶者居住権は配偶者の居住を目的とする権利であるから、配偶者がその家族や家事使用人と同居することは当然に予定されており、また、これらの者は配偶者の占有補助者に過ぎず、独立の占有を有しないと考えられるため、同居させたとしても第三者に居住建物を使用収益させたことにはならないと考えられる。

したがって、配偶者がその家族や家事使用人を居住建物に住まわせて使用させるために、居住建物の所有者の承諾を得る必要はないものと考えられる。

Q17 居住建物の修繕が必要な場合には、配偶者と居住建物の所有者のどちらが修繕をすることになるのか（第1033条関係）。

A 居住建物の修繕が必要な場合には、まずは配偶者において修繕することができ（第1033条第1項）、居住建物の所有者は、配偶者が相当の期間内に必要な修繕をしないときに修繕をすることができることとしている（同条第2項）。居住建物の修繕について最も利害関係を有しているのは実際に居住建物を使用している配偶者であり、居住建物の所有者は配偶者に対して修繕義務を負わず、居住建物の通常の必要費となる修繕費用も配偶者の負担となることから（第1034条第1項。Q18参照）、配偶者に修繕の一次的な権限を付与することとし、居住建物の所有者には、配偶者が修繕をしない場合に限り、修繕権を付与することとしたものである。

また、配偶者が居住建物について必要な修繕をしない場合には、建物の保存のために居住建物の所有者において修繕をしたいという場合も多いと考えられるが、居住建物の所有者は、実際に居住建物を使用しておらず、修繕を要する状態になっていることに気付かないこともある。そこで、居住建物の所有者に修繕の機会を与えるために、賃貸借に関する第615条と同様に、居住建物が修繕を要し、又は居住建物について権利を主張する者があるときは、配偶者は、居住建物の所有者に対し、遅滞なくその旨の通知をしなければならないこととしている（第1033条第3項本文）。もっとも、居住建物の所有者が既に知っている場合や配偶者が自ら修繕をする場合には通知をする必要性に欠けることから、これらの場合には通知を要しないこととしている（同項）。

Q18
配偶者居住権が設定された場合には、居住建物の固定資産税は、誰が負担することになるのか（第1034条第1項関係）。

A 配偶者居住権が設定されている場合には、居住建物の通常の必要費は、配偶者が負担することとしている（第1034条第1項）。

同項に規定する「通常の必要費」は、使用貸借に関する第595条第1項に規定する「通常の必要費」と同一の概念であり、これには、居住建物の保存に必要な通常の修繕費のほか、居住建物やその敷地の固定資産税等が含まれるものと考えられる（最二判昭和36年1月27日集民48号179頁）(注)。

したがって、配偶者居住権が設定されている居住建物の固定資産税は配偶者が負担することになる。

この点に関し、固定資産税の納税義務者は固定資産の所有者とされているため、配偶者居住権が設定されている場合でも、居住建物の所有者が納税義務者になる。このため、居住建物の所有者は、固定資産税を納付した場合には、配偶者に対して求償することができることになる。

なお、配偶者が、居住建物の所有者の請求にもかかわらず固定資産税等の必要費を償還しない場合でも、居住建物の所有者は、配偶者居住権の消滅請求をすることはできない。これは、必要費の償還請求という付随的な義務の不履行によって配偶者居住権を消滅させる権限まで居住建物の所有者に認める必要性に乏しいと考えられること等を考慮したものである。もっとも、配偶者の不履行の程度が著しく、居住建物の所有者の負担において配偶者居住権を存続させることが相当でないと認められる場合には、居住建物の所有者の明渡請求等に対して、配偶者が配偶者居住権を抗弁として主張することが権利の濫用（第1条第3項）に当たる場合もあり得るものと考えられる。

(注) 最二判昭和36年1月27日集民48号179頁
「建物の占有者が建物の敷地の地代及び建物の固定資産税を支払つたとしても、右の如き地代及び固定資産税はいずれも建物の維持保存のために当然に支出ぜらる〔原文ママ〕べき費用ではあるが、右は民法五九五条一項の『通常の必要費』に属するものというべきであるから、上告人は右支出につき償還請求権を有しないことになり、従つて、原審が留置権を否定したのは結局相当であつて、論旨は採用できない。」

Q19 配偶者居住権は、遺産分割においてどのように財産評価をされることになるのか（第1028条第1項第1号関係）。

A 1 配偶者が遺産分割において配偶者居住権を取得する場合には、他の遺産を取得する場合と同様、自らの具体的相続分においてこれを取得することになるため、その財産的価値を評価することが必要となる。また、配偶者が遺贈や死因贈与によって配偶者居住権を取得した場合にも、他に遺産分割の対象となる財産があれば、特別受益（第903条）として配偶者の具体的相続分に影響を与える場合があるほか(注1)、他に遺産分割の対象となる財産がない場合にも、遺留分侵害の有無を算定する際には、その財産評価を行う必要が生ずる。

配偶者居住権の価額の算定方法（評価方法）については、以下のような方法によることが考えられる。

2 一般的に、不動産の鑑定評価には様々な方式があるのと同様に、配偶者居住権の価額の算定方法についても様々な方式が検討されており、例えば、公益社団法人日本不動産鑑定士協会連合会は、配偶者居住権の評価方法の１つの在り方として、配偶者居住権の価額は、「居住建物の賃料相当額」から「配偶者が負担する通常の必要費」を控除した価額に存続期間に対応する年金現価率を乗じた価額であるとする考え方(注2)を示している。専門家である不動産鑑定士によって考案されたものであり、共同相続人間で配偶者居住権の評価額について争いがある場合には、このような評価方法によることになるものと考えられる。

3 一方で、専門家以外の者には賃料相当額の算定や年金原価率の設定が困難であるため、特に共同相続人間の協議によって遺産分割をする場合には、より簡便な算定方法が必要になる。そこで、法制審議会民法（相続関係）部会においても、当事者が目安として利用する簡易な計算方法として、居住建物及びその敷地の価額から配偶者居住権の負担付きの各所有権の価額を引いた額を配偶者居住権の価額とする方法(注3)が検討された。

4 また、平成31年度の税制改正において相続税における配偶者居住権の価額の評価方法が定められたことから、当事者間の協議においても、これを用いて算定された評価額等を参考にして分割することがあり得るものと考えられる^{(注4)(注5)}。

　(注1) もっとも、配偶者居住権の遺贈又は死因贈与がされた場合には、第903条第4項の規定が準用されるため（第1028条第3項）、婚姻期間が20年以上の夫婦間において、配偶者居住権の遺贈又は死因贈与がされた場合には、これらの遺贈等は、原則として特別受益とは取り扱われないこととなる（第903条第4項の規定の詳細は、Q37参照）。
　(注2) 法制審議会民法（相続関係）部会第19回会議（平成29年3月28日開催）参考人（公益社団法人日本不動産鑑定士協会連合会）提出資料「『長期居住権についての具体例』についての意見」
　(注3) 法制審議会民法（相続関係）部会第19回会議（平成29年3月28日開催）部会資料19-2「長期居住権の簡易な評価方法について」
　(注4) この点は、遺産分割において、土地の所有権の価額について争いがある場合でも、共同相続人全員の同意がある場合には、専門家による鑑定評価等をせずに、固定資産税評価額等の税制上の評価額が用いられることがあるのと同様である。
　(注5) 本書末尾に掲載の参考資料2のとおり、平成30年12月に平成31年度税制改正大綱が閣議決定され、平成31年度税制改正において、相続税における配偶者居住権等の評価方法について措置がされた。
　具体的には、
　① 配偶者居住権（建物部分）の評価額は、

$$（建物の時価）-（建物の時価）\times \frac{残存耐用年数-存続年数}{残存耐用年数} \times （存続年数に応じた民法の法定利率による複利現価率）$$

により求めるものとされ、また、
　② 配偶者居住権に基づく居住建物の敷地の利用に関する権利の評価額は、

$$（土地等の時価）-（土地等の時価）\times （存続年数に応じた民法の法定利率による複利現価率）$$

により求めるものとされている（なお、「残存耐用年数」は、居住建物の所得税法に基づいて定められている耐用年数（住宅用）に1.5を乗じて計算した年数から居住建物の築後経過年数を控除した年数をいい、また、配偶者居住権が終身の間と設定された場合における「存続年数」については、配偶者の平均余命年数をいうという注記が付されている。)。上記①と②の合計が、配偶者が配偶者居住権の設定により享受する利益の合計であると考えられ、前掲（注3）において示した考え方と基本的には一致するといえる。

Q20 配偶者が配偶者居住権を取得した後、老人ホーム等に入居するために居住建物を使用する必要がなくなった場合には、どのようにしたらよいのか（第1032条第3項等関係）。

A 1 配偶者居住権の価値を回収する手段としては、配偶者居住権を放棄することを条件として、これによって利益を受ける居住建物の所有者から金銭の支払を受けるということが考えられ、居住建物の所有者との間でこのような合意が成立すれば、配偶者は、配偶者居住権を事実上換価することができることになる。居住建物の所有者が居住建物を売却したいという希望を持っている場合等には、このような合意が成立することも十分に考えられる。

2 また、配偶者は、居住建物の所有者の承諾を得て、居住建物を第三者に賃貸することで、賃料収入を得ることも考えられる（第1032条第3項）。

3 なお、この点に関し、法制審議会民法（相続関係）部会では、配偶者居住権を換価する手段として、配偶者に居住建物の所有者に対する買取請求権を認めること等も検討がされたが、配偶者にこのような権利を認めると、その分だけ配偶者居住権の財産的価値が高くなり、配偶者居住権のメリット（居住建物の所有権を取得するより廉価に居住の権利を確保することができること等）が減殺されることになるとの指摘や、配偶者居住権の制度が重くなって使いづらくなるとの指摘等がされたことを受けて、このような制度の導入は見送られた。

Q21　配偶者居住権は、どのような場合に消滅するのか（第1032条第4項、第1036条関係）。

A　1　総論

配偶者居住権の消滅原因としては、①存続期間の満了（第1036条において準用する第597条第1項）、②居住建物の所有者による消滅請求（第1032条第4項）、③配偶者の死亡（第1036条において準用する第597条第3項）、④居住建物の全部滅失等（第1036条において準用する第616条の2）等が挙げられる。

2　存続期間の満了

配偶者居住権の存続期間は、特段の定めがない場合には配偶者が死亡する時までであるが、配偶者居住権を設定する遺産分割の協議や審判において、又は遺贈等をするに際して存続期間を定めることもできるものとされている（第1030条ただし書）。配偶者居住権の存続期間が定められたときは、存続期間が満了した時に配偶者居住権は消滅する（第1036条において準用する第597条第1項）。

配偶者居住権の存続期間が定められた場合には、その延長や更新をすることはできない（もっとも、存続期間満了時に、当事者間で改めて使用貸借又は賃貸借契約を締結することは可能である。）。配偶者居住権は配偶者がその居住建物を無償で使用することができる権利であるから、その財産評価額は、基本的には、配偶者居住権の存続期間が長くなるに従って多額になると考えられるが、配偶者居住権の存続期間の延長や更新を認めることとすると、配偶者居住権の財産評価を適切に行うことが困難になるためである。

3　居住建物の所有者による消滅請求

配偶者が第1032条第1項又は第3項の規定に違反した場合（用法遵守義務や善管注意義務に違反した場合、居住建物の所有者の承諾を得ずに、第三者に使用収益をさせ、又は増改築をした場合）には、居住建物の所有者は、配偶者に対して相当の期間を定めて是正の催告を行い、その期間内に是正されないときは、配偶者に対する意思表示によって、配偶者居住権を消滅させることが

できる（第1032条第4項）。

　配偶者短期居住権の消滅請求（第1038条第3項）とは異なり、配偶者に対する是正の催告を必要的なものとし、是正の機会を与えることとしたのは、配偶者は自らの具体的相続分において配偶者居住権を取得しており、その意味では権利取得の対価を負担していることや、配偶者居住権は審判での設定も認められているなど、必ずしも当事者間の信頼関係に基づくものとはいえないこと等を考慮したものである。また、賃貸借契約の場合（第612条参照）と同様、配偶者居住権の譲渡禁止を定める第1032条第2項に違反しただけでは消滅請求をすることができず、第三者に使用又は収益をさせて初めて消滅請求をすることができることとしている。配偶者居住権の譲渡禁止に違反しただけで、第三者に使用収益をさせていない段階では、居住建物の所有者に実害は生じていないとも考えられ、消滅請求を認めるまでの必要性に乏しいこと等を考慮したものである。

　居住建物が共有である場合には、各共有者は、それぞれ単独で配偶者居住権の消滅請求をすることができるものと考えられる。配偶者居住権は、配偶者の居住の権利を保護するために特に認められた法定の権利であり、配偶者の義務違反による居住建物の価値の毀損を防ぐために配偶者居住権の消滅請求をすることは、保存行為（第252条ただし書）に当たると考えられるからである。

4　配偶者が死亡した場合

　配偶者が死亡した場合には、配偶者居住権は消滅する（第1036条において準用する第597条第3項）。配偶者居住権は、配偶者の居住の権利を保護するため政策的に設けられたものであり、配偶者が死亡した場合には、これを存続させる意義がなくなるからである。

Q22 配偶者居住権が消滅した場合には、配偶者と居住建物の所有者との間には、どのような法律関係が生ずるのか（第1035条関係）。

A 配偶者居住権が消滅した場合には、配偶者は、居住建物の所有者に対し、居住建物を返還する義務を負う（第1035条第1項本文）。もっとも、配偶者が居住建物の共有持分を有する場合には、配偶者は、共有持分に基づき居住建物を占有することができることから、配偶者居住権が消滅したことを理由とする返還義務は負わないこととし（同項ただし書）、この場合の処理は一般の共有法理に委ねることとしている。

また、配偶者が相続開始後に居住建物に附属させた物がある場合には、配偶者は、これを収去する権利を有し、義務を負う（第1035条第2項において準用する第599条第1項及び第2項）。

さらに、居住建物について、相続開始後に生じた損傷がある場合には、配偶者は、通常の使用によって生じた居住建物の損耗及び居住建物の経年劣化を除き、原状回復義務を負う（第1035条第2項において準用する第621条）。

Q23

配偶者の死亡により配偶者居住権が消滅した場合には、居住建物の所有者は、単独で配偶者居住権の設定の登記の抹消を申請することができるのか。

A 1 配偶者居住権の存続期間は、原則として配偶者の終身の間とされており（第1030条本文）、遺産分割等において別段の定めをした場合でも、存続期間中に配偶者が死亡したときは、その時点で常に終了することとしている（第1030条ただし書、第1036条において準用する第597条第3項）。

したがって、配偶者居住権の登記の登記事項であるその存続期間は、別段の定めがない場合には「存続期間　配偶者の死亡時まで」と、別段の定めがある場合には「存続期間　令和〇年〇月〇日から〇年（又は令和〇年〇月〇日から令和〇年〇月〇日まで）又は配偶者の死亡時までのうち、いずれか短い期間」と公示することが相当であると考えられる。

2 不動産登記法第69条は、権利が人の死亡によって消滅する旨が登記されている場合において、当該権利がその死亡によって消滅したときは、登記権利者が単独で当該権利に係る権利に関する登記の抹消を申請することができる旨を規定している。

配偶者居住権の登記においては、配偶者居住権の存続期間に関する別段の定めの有無にかかわらず、「配偶者の死亡時」が存続期間の終期として必ず登記記録に記録されており、配偶者居住権が配偶者の死亡によって消滅する旨が登記されている。

したがって、配偶者の死亡によって配偶者居住権が消滅した場合には、登記権利者である居住建物の所有者は、不動産登記法第69条に基づき、単独で、配偶者居住権の設定の登記の抹消を申請することができる[注]。

（注）配偶者の死亡以外の原因（居住建物の所有者との合意に基づく免除など）によって配偶者居住権が消滅した場合には、居住建物の所有者及び配偶者は、不動産登記法第60条に基づき、共同で、配偶者居住権の設定の登記の抹消を申請する。

[配偶者短期居住権]

Q24 配偶者短期居住権を創設した趣旨は何か(第1037条〜第1041条関係)。

A 1 配偶者が被相続人所有の建物に居住していた場合に、被相続人の死亡により、配偶者が直ちに住み慣れた居住建物を退去しなければならないとすると、精神的にも肉体的にも大きな負担となり、とりわけ配偶者が高齢者である場合にはその負担が大きいと考えられる。しかし、このような場合には、配偶者は、被相続人の占有補助者として居住建物を使用している場合が多いと考えられる。そうすると、配偶者は、相続開始により被相続人の占有補助者としての資格を失うことになるため、他の占有権原を新たに取得しない限り、居住建物を無償で使用する法的根拠を失うことになる。配偶者が居住建物について共有持分を有しているのであれば、配偶者が居住建物を直ちに明け渡さなければならないという事態は生じないが、配偶者が遺産共有持分に基づいて居住建物を使用する場合は、他の相続人に対して賃料相当額の不当利得返還義務等を負うことになる。

2 この点について、判例(最三判平成8年12月17日民集50巻10号2778頁。以下「平成8年判例」という。)は、相続人の1人が被相続人の許諾を得て被相続人所有の建物に同居していた場合には、特段の事情のない限り、被相続人とその相続人との間で、相続開始時を始期とし、遺産分割時を終期とする使用貸借契約が成立していたものと推認されるとしている[注]。このため、相続人である配偶者は、この要件に該当する限り、相続の開始により新たに占有権原を取得し、遺産分割が終了するまでの間は、被相続人の建物に無償で居住することができることとなる。しかし、平成8年判例による保護は、あくまでも当事者の意思の合理的解釈に基づくものであるため、被相続人が明確にこれとは異なる意思を表示していた場合等には、配偶者の居住権は、短期的にも保護されない。

3 そこで、新法では、平成8年判例では保護されない場合を含め、被相続人の意思にかかわらず配偶者の短期的な居住権を保護するため、配偶者が

従前居住していた建物に被相続人の死亡後も引き続き無償で居住することができる権利（配偶者短期居住権）を新たに創設することとしたものである。

（注）最三判平成 8 年 12 月 17 日民集 50 巻 10 号 2778 頁
「共同相続人の一人が相続開始前から被相続人の許諾を得て遺産である建物において被相続人と同居してきたときは、特段の事情のない限り、被相続人と右同居の相続人との間において、被相続人が死亡し相続が開始した後も、遺産分割により右建物の所有関係が最終的に確定するまでの間は、引き続き右同居の相続人にこれを無償で使用させる旨の合意があったものと推認されるのであって、被相続人が死亡した場合は、この時から少なくとも遺産分割終了までの間は、被相続人の地位を承継した他の相続人等が貸主となり、右同居の相続人を借主とする右建物の使用貸借契約関係が存続することになるものというべきである。けだし、建物が右同居の相続人の居住の場であり、同人の居住が被相続人の許諾に基づくものであったことからすると、遺産分割までは同居の相続人に建物全部の使用権原を与えて相続開始前と同一の態様における無償による使用を認めることが、被相続人及び同居の相続人の通常の意思に合致するといえるからである。」

> **Q25** 配偶者短期居住権は、どのような場合に発生するのか（第1037条第1項関係）。

A 1 配偶者短期居住権は、相続開始後の短期間、配偶者に従前の居住環境での生活を保障しようとするものである。したがって、配偶者が、「被相続人の財産に属した建物に相続開始の時に無償で居住していた」ことを成立要件（保護要件）としている。

2 第1037条の「配偶者」は、法律上被相続人と婚姻をしていた配偶者をいい、内縁の配偶者はこれに含まれない。内縁の配偶者を権利主体に含めることとすると、その該当性をめぐって紛争が複雑化、長期化するおそれがあること等を考慮したものである。

3 居住建物が「被相続人の財産に属した」とは、被相続人が居住建物の所有権又は共有持分（Q26参照）を有していたことを意味する。

4 配偶者短期居住権が成立するためには、配偶者が居住建物を無償で使用していたことが必要である。有償で使用している場合には、配偶者と被相続人との間に賃貸借等の契約関係があったと考えられ、被相続人の契約上の地位が相続人に引き継がれて契約関係が継続するため、新たな権利を創設する必要性が乏しいこと等を考慮したものである。

5 「居住していた」とは、生活の本拠として現に居住の用に供していたことを意味する。配偶者が相続開始の時点で入院等のために一時的に被相続人の建物以外の場所に滞在していたとしても、配偶者の家財道具がその建物に存在しており、退院後はそこに帰ることが予定されているなど、被相続人所有の建物が配偶者の生活の本拠としての実態を失っていないと認められる場合には、配偶者はなおその建物に居住していたということができ、配偶者短期居住権の成立を認めることができる。
 また、「建物に……居住していた」といえるためには、建物の全部を居住のために使用している必要はなく、建物の一部を居住のために使用していれ

ば足りる。なお、この場合に配偶者短期居住権が成立するのは、配偶者が無償で「使用」していた部分であり、居住部分に限られない（Q27参照）。

6　配偶者が相続開始時に居住建物の配偶者居住権を取得した場合には、配偶者短期居住権は成立しない（第1037条第1項ただし書）。配偶者居住権については、その登記を備えていない場合でも、配偶者短期居住権と同等ないしそれよりも強い効力が認められているため、これに加えて配偶者短期居住権による保護を与える必要がないためである。

　また、配偶者が相続を放棄した場合であっても、配偶者短期居住権は成立するが、配偶者が欠格事由に該当し又は廃除により相続人でなくなった場合には、配偶者短期居住権は成立しないこととしている（同項ただし書）。前者の場合には、配偶者の短期的な居住権を保護する必要性はなお存するのに対し、後者の場合には、居住建物取得者の所有権を制約してまで配偶者の居住を保護することを正当化するのが困難であること等を考慮したものである。

Q26 被相続人が第三者又は配偶者と居住建物を共有していた場合にも、配偶者は、配偶者短期居住権を取得することができるのか（第1037条関係）。

A 被相続人が居住建物の共有持分を有するに過ぎなかった場合にも配偶者短期居住権は成立し、配偶者は、被相続人の共有持分を相続又は遺贈等（注1）により取得した者（以下「持分取得者」という。）との関係では、その持分に応じた対価を支払うことなく、居住建物を使用することができる。

一方で、配偶者短期居住権は持分取得者に対してのみ主張することができる債権であるから、配偶者は、他の共有者には配偶者短期居住権を主張することはできない。もっとも、相続開始前に、被相続人と居住建物の他の共有者との間で、被相続人に居住建物の単独使用を認める旨の取決めがされており、この取決めが被相続人の死後も有効なものと解される場合には、持分取得者がこの取決めに基づく居住建物の利用権を取得することになるものと考えられる（大判大正8年12月11日民録25輯2244頁）（注2）。そうすると、配偶者は、持分取得者に対する配偶者短期居住権のほか、持分取得者が他の共有者に対して有する利用権を援用することによって、他の共有者との関係でも居住建物を使用することができることになるものと考えられる。

また、被相続人と他の共有者との間の上記取決めに際し、被相続人が他の共有者に対して居住建物の利用の対価を支払う旨の合意があった場合には、上記判例の趣旨に照らすと、持分取得者が上記対価の支払義務を承継することになるものと考えられる。もっとも、後述（Q33）のとおり、配偶者は居住建物の通常の必要費を負担することとしており（第1041条において準用する第1034条第1項）、居住建物を使用するために他の共有者に対して支払うべき対価は居住建物（被相続人が有していた持分）に係る通常の必要費に該当すると考えられるから、持分取得者が他の共有者に対して対価の支払をした場合には、配偶者は、持分取得者に対してこれを償還しなければならない（これに対し、配偶者が他の共有者に対してその支払をした場合には、求償関係は生じないことになる。）。

（注1）配偶者は、被相続人の共有持分を死因贈与により取得した者に対しても配偶者短期居住権を主張することができる（第554条）。

（注2）大判大正8年12月11日民録25輯2244頁（現代の仮名遣いに改めたもの）
「共有の持分を譲受けたる者は譲渡人の地位を承継して共有者となり共有物分割又は共有物管理に関する特約等総て共有と相分離すべからざる共有者間の権利関係を当然承継すべきものなり」

Q27 居住建物が店舗兼住宅であった場合にも、配偶者は、配偶者短期居住権を取得することはできるか。取得することができる場合には、その効力はどの範囲に及ぶのか（第1037条第1項関係）。

A 1 配偶者短期居住権の成立要件としての「建物に……居住していた」といえるためには、建物の全部を居住のために使用している必要はなく、建物の一部を居住のために使用していれば足りる（Q25参照）。

2 この場合に配偶者短期居住権が成立するのは、配偶者が無償で「使用」していた部分であり、配偶者が居住していた部分に限られない。例えば、居住建物の一部に居住し、他の部分で店舗を営んでいたが、いずれの部分も無償で使用していたという場合には、配偶者が居住していた部分及び店舗を営んでいた部分の全部について配偶者短期居住権が成立する。

配偶者短期居住権は、相続開始後の短期間、配偶者に従前の居住環境での生活を保障しようとするものであるから、例えば、配偶者が居住建物の一部において飲食店等を営んでいたような場合には、その営業も配偶者の生活の一部になっていると考えられるため、店舗部分にも配偶者短期居住権の効力を及ぼす必要性があるためである。

3 これに対し、配偶者短期居住権が成立するのは、配偶者が無償で使用していた部分についてのみであるから、配偶者が、居住建物のうち飲食店等を営んでいた部分の対価を被相続人に支払っていた場合には、その部分については、配偶者短期居住権は成立しない。この部分については、被相続人と配偶者との間に賃貸借契約等の契約関係が成立していたことになるから、配偶者は、引き続きその契約に基づいて有償でその部分を使用することになる。

Q28 配偶者短期居住権の存続期間については、どのように定められているか（第1037条第1項各号関係）。

A 配偶者短期居住権の存続期間については、①居住建物について配偶者を含む共同相続人間で遺産分割をすべき場合と、②それ以外の場合とで異なる期間が設けられている。

　まず、①の場合、すなわち配偶者が居住建物について遺産共有持分を有している場合には、遺産分割により居住建物の帰属が確定した日又は相続開始の時から6か月を経過する日のいずれか遅い日まで存続する（第1037条第1項第1号。詳細については Q29 参照）。

　これに対し、②の場合、すなわち配偶者が居住建物について遺産共有持分を有しない場合には、配偶者短期居住権は、居住建物取得者による配偶者短期居住権の消滅の申入れの日から6か月を経過する日まで存続する（第1037条第1項第2号。詳細については Q30 参照）。

Q29 居住建物が配偶者を含む相続人間で遺産分割の対象となる場合の配偶者短期居住権の存続期間について、遺産分割により居住建物の帰属が確定した日又は相続開始の時から6か月を経過する日のいずれか遅い日までの間としたのはなぜか(第1037条第1項第1号関係)。

A 居住建物について配偶者を含む共同相続人間で遺産分割をすべき場合、すなわち配偶者が居住建物について遺産共有持分を有している場合には、配偶者短期居住権は、原則として、相続開始時から居住建物についての遺産分割が終了した時まで存続する。したがって、遺産分割の協議又は調停による場合は協議又は調停の成立時、審判による場合は遺産分割の審判の確定時にそれぞれ存続期間が満了する。また、居住建物を含む遺産の一部について一部分割がされたときも、その時点で存続期間が満了する。

もっとも、遺産分割が早期に終了し、配偶者以外の相続人が居住建物を取得した場合には、配偶者において退去の準備ができているとは限らない。配偶者の生活環境の急激な変化を緩和しようという側面を有する配偶者短期居住権の制度趣旨に照らせば、このような場合にも、配偶者に退去までの一定の猶予期間を与えることが望ましい。

また、遺産分割の内容について共同相続人間で早期に合意ができる場合にも遺産分割協議の成立時までしか配偶者短期居住権が存続しないとすると、配偶者が、遺産分割の方法には異論がないにもかかわらず、転居の準備が整っていないがゆえに遺産分割協議の成立に応じないことにもなりかねない。

そこで、早期に遺産分割協議が成立した場合であっても、配偶者が転居するために必要な猶予期間を確保するため、少なくとも相続開始の時から6か月間は配偶者短期居住権が存続することとしている。

Q30 居住建物の遺贈等がされた場合の配偶者短期居住権の存続期間を、居住建物を遺贈等により取得した者による消滅の申入れがあった日から6か月を経過する日までとしたのは、なぜか（第1037条第1項第2号関係）。

A 1 配偶者以外の相続人や第三者に居住建物の遺贈がされた場合のように、配偶者が居住建物について遺産共有持分を有しない場合には、配偶者短期居住権は、相続開始の時を始期、居住建物の所有権を相続又は遺贈により取得した者（居住建物取得者）による配偶者短期居住権の消滅の申入れの日から6か月を経過する日を終期として存続する。配偶者が居住建物について遺産共有持分を有しない場合としては、上記の遺贈がされた場合のほか、被相続人が配偶者以外の者に居住建物の死因贈与をした場合や配偶者が相続放棄をした場合等がある。

　配偶者短期居住権の終期を、居住建物取得者の消滅の申入れの日から6か月を経過する日としているのは、居住建物取得者は本来であれば何らの負担なく居住建物を利用することができる地位にあり、過大な負担を課す合理性に欠ける一方で、退去を求められた配偶者には、一定の猶予期間を与える必要性があると考えられることから、両者の均衡を図ったものである。この場合の6か月間の起算時を相続開始の時ではなく居住建物取得者による配偶者短期居住権の消滅の申入れの日としているのは、相続開始の時から相当期間が経過した後に遺言が発見されたような場合に配偶者が予期せぬ出捐を強いられないよう、その間の使用利益の支払義務を免れさせる必要性が高いこと、他方で、居住建物取得者はもともと無償でその所有権を取得したものであって、そもそも遺言が発見されるまでの間は自らが居住建物の所有者であることを認識しておらず、これを使用する意思を有していなかったのであるから、その間の使用利益を回収することができないとしても不測の損害を受けることにはならないと考えられること等を考慮したものである。なお、居住建物取得者が複数いる場合（居住建物が複数の者に遺贈された場合など）には、各居住建物取得者は、その持分いかんにかかわらず単独で配偶者短期居住権の消滅の申入れをすることができ、配偶者短期居住権の消滅により配偶者の占有権原が喪失した場合には、各居住建物取得者は、単独で配偶者に対

して居住建物の明渡しを求めることができる。

　2　この点については、例えば、配偶者が相続放棄をした場合等には、居住建物について配偶者を除く共同相続人間で遺産分割が行われることから、配偶者が居住建物について遺産共有持分を有する場合（第1037条第1項第1号）と同様に、遺産分割により居住建物の帰属が確定した日まで配偶者短期居住権を存続させることも考えられる。しかしながら、配偶者が居住建物について遺産共有持分を有しない場合には、配偶者は遺産分割に関与することができないから、いつ遺産分割によって居住建物の帰属が確定するかを事前に知ることができず、予想外の時期に突然明渡しを求められることになりかねないため、このような考え方は採らなかったものである。

Q31 配偶者短期居住権の発生により、配偶者は、遺産分割までの間等の一定期間、居住建物の全部又は一部を無償で使用し続けられることになるが、配偶者がそれによって得た利益は遺産分割においてどのように取り扱われるのか。

A 1 配偶者短期居住権は、配偶者の居住の権利を政策的に保護する観点から設けられたものであり、存続期間も相続開始後の短期間に限られることから、配偶者居住権とは異なり（Q19参照）、配偶者が配偶者短期居住権を取得した場合でも、遺産分割において、配偶者の具体的相続分からその価値を控除することとはしていない。配偶者以外の相続人にとって負担となる面はあるものの、民法上、夫婦は相互に同居・協力・扶助義務を負うものとされていることからすれば（第752条）、被相続人は、自分の死後も、配偶者が直ちにその住居を失って生活に困窮することがないように配慮すべき義務があるということも可能であると考えられ、存続期間を短期間に限定すれば、その負担を配偶者以外の相続人に引き継がせることにも相応の合理性があると考えられる。また、旧法下においても、平成8年判例（Q24(注)参照）により使用貸借契約が成立したものと推認される場合に、配偶者が取得する使用利益は特別受益には当たらず、その具体的相続分から控除されることはなかったため、配偶者短期居住権による使用利益を配偶者の具体的相続分から控除することとすると、かえって配偶者に不利になることになる。

2 この点に関しては、配偶者短期居住権の原則的な存続期間を遺産分割により居住建物の帰属が確定した日までとすることにより、配偶者が居住建物に居住し続けたいがために遺産分割協議を意図的に引き延ばすという懸念もある。しかし、他の共同相続人としては、遺産分割の審判の申立てをして配偶者の同意を得ることなく遺産分割をする手段もあるほか、権利濫用等の一般条項によって配偶者短期居住権の主張を排斥することも考えられることから、存続期間に上限を設けるなど、配偶者短期居住権の濫用に対応するための措置は特段講じていない。

Q32 配偶者居住権とは異なり、配偶者短期居住権について対抗要件制度を設けることとしなかったのは、なぜか。

A 1 配偶者短期居住権は、平成8年判例（Q24(注)参照）を参考にしつつ、被相続人の意思にかかわらず成立する法定の債権として構成したものであり、配偶者を債権者、居住建物取得者を債務者とする使用借権類似の法定の債権としての性質を有する（第1037条第1項本文参照）。

このように、配偶者短期居住権は、あくまで債権であり、使用借権類似の性質を有する権利として構成していること、その存続期間は短期間に限定されるのが通常であること等を考慮して、配偶者居住権と異なり（Q13参照）、対抗要件制度を設けることとはしていない。したがって、居住建物取得者がその居住建物の所有権又は共有持分を第三者に譲渡した場合には、配偶者は、配偶者短期居住権をその譲受人に対抗することができない。

2 もっとも、居住建物取得者は、第三者に対する居住建物の譲渡等の方法によって配偶者による居住建物の使用を妨げてはならないという義務を負っている（第1037条第2項）。したがって、居住建物取得者が居住建物を第三者に譲渡したために、配偶者短期居住権を有する配偶者の居住建物における居住が妨害されたという場合には、居住建物取得者は、配偶者に対して債務不履行に基づく損害賠償義務を負うこととなる。

Q33
配偶者短期居住権が存続している間、配偶者と居住建物取得者との間にはどのような法律関係が生ずるのか（第1037条～第1041条関係）。

A

1 総論
配偶者は、配偶者短期居住権が存続している間、居住建物を相続又は遺贈等によって取得した者（居住建物取得者）に対し、居住建物を使用する権利を有するとともに、その使用方法等について法定の義務を負うことになる。

配偶者短期居住権は、平成8年判例（Q24（注）参照）を参考にして、配偶者が被相続人所有の建物に居住していた場合における配偶者の保護をより拡充しようとするものであるため、配偶者と居住建物取得者との間の法律関係は、使用貸借契約の借主と貸主との間の法律関係とほぼ同様のものとしている。

2 居住建物の使用
配偶者短期居住権については、居住建物の使用権限のみを認め、収益権限は認めないこととしている（第1037条第1項本文）。仮に、被相続人の生前に、被相続人が居住建物の一部から収益を得ていたのであれば、その収益については、相続分に従って各共同相続人に帰属させるのが相当であり、その収益まで配偶者に帰属させることとすれば、配偶者の居住権保護の目的を超えることになって相当でないためである。

また、使用貸借契約における貸主と同様、居住建物取得者は、配偶者に対し、建物を使用するのに適した状態にする義務（修繕義務等）までは負っておらず、配偶者が無償で居住建物を使用することを受忍する義務を負っているに過ぎない。配偶者短期居住権については、条文上、居住建物取得者は配偶者による居住建物の使用を妨げてはならない義務を負うことが明示されており（第1037条第2項）、居住建物取得者が居住建物を第三者に売却するなどしてこの義務に違反し、配偶者の使用を妨げた場合には、居住建物取得者は、配偶者に対して債務不履行責任を負うことになる。

3 用法遵守義務・善管注意義務

配偶者は、用法遵守義務及び善管注意義務を負い、従前の用法に従い、善良な管理者の注意をもって、居住建物を使用しなければならない（第1038条第1項）。配偶者短期居住権は、他人の建物を無償で使用することができる権利であり、使用借権と類似する性質を有することから、使用貸借に関する第594条第1項と同様の規律を設けることとしたものである。

4 無断で第三者に使用をさせることや無断増改築の禁止

配偶者は、居住建物取得者の承諾を得なければ、第三者に居住建物の使用をさせることはできない（第1038条第2項）。この点についても、使用貸借契約における借主と同様の規律を設けることとしたものである（第594条第2項参照。なお、第三者の範囲についてはQ16参照）。

また、第1038条第2項は、配偶者居住権に関する第1032条第3項と異なり、無断での増改築が禁止されることを明示していない。しかし、上記3のとおり、配偶者は用法遵守義務を負っており、居住建物を増改築することは従前の用法を変更することとなるから、居住建物取得者に無断で増改築をすることはできない（配偶者居住権について増改築の禁止を明示した理由についてはQ14の4参照）。

5 配偶者短期居住権の譲渡禁止

配偶者短期居住権は、譲渡することができない（第1041条において準用する第1032条第2項）。配偶者短期居住権は、配偶者の短期的な居住の権利を保護するために政策的に創設したものであり、配偶者が第三者に対して配偶者短期居住権を譲渡することを認める必要性に欠けるからである。

6 居住建物の修繕等

居住建物の修繕が必要な場合には、まずは配偶者において修繕することができ（第1041条において準用する第1033条第1項）、居住建物取得者は、配偶者が相当の期間内に必要な修繕をしないときに修繕をすることができる（同条第2項）。これは、居住建物の修繕について最も利害関係を有しているのは実際に居住建物を使用している配偶者であり、後記7のとおり、居住建物

の通常の必要費は配偶者の負担となることから、配偶者に修繕の一次的な権限を付与することとしたものである。

また、配偶者が居住建物について必要な修繕をしない場合には、建物の保存のために居住建物取得者において修繕をしたいという場合も多いと考えられるが、居住建物取得者は、実際に居住建物を使用しておらず、修繕を要する状態になっていることに気付かないこともある。そこで、居住建物の所有者に修繕の機会を与えるために、賃貸借に関する第615条と同様に、居住建物が修繕を要し、又は居住建物について権利を主張する者があるときは、配偶者は、居住建物取得者に対し、遅滞なくその旨の通知をしなければならないこととしている（第1041条において準用する第1033条第3項）。もっとも、所有者が既に知っている場合や配偶者が自ら修繕をする場合には通知をする必要性に欠けることから、これらの場合には通知を要しないこととしている（同項）。

7　費用負担

配偶者は、居住建物の通常の必要費を負担する（第1041条において準用する第1034条第1項）。同項に規定する「通常の必要費」は、使用貸借に関する第595条第1項に規定する「通常の必要費」と同一の概念であり、これには、居住建物の保存に必要な通常の修繕費のほか、居住建物やその敷地の固定資産税等が含まれるものと考えられる（最二判昭和36年1月27日集民48号179頁）。

8　居住建物取得者による消滅請求

配偶者が第1038条第1項又は第2項の義務に違反した場合（用法遵守義務や善管注意義務に違反した場合、居住建物取得者の承諾を得ずに、第三者に使用をさせた場合）には、居住建物取得者は、配偶者に対する意思表示によって、配偶者短期居住権を消滅させることができる（同条第3項。この点についての詳細は、Q34参照）。

9　損害賠償請求権及び費用償還請求権についての期間制限

配偶者の善管注意義務違反等による損害賠償請求権及び居住建物について

の費用償還請求権は、居住建物取得者が居住建物の返還を受けた時から1年以内に請求しなければならない（第1041条において準用する第600条第1項）。この点についても、配偶者居住権と同様の規律を設けることとしたものである。

Q34 配偶者短期居住権は、どのような場合に消滅するのか（第1037条第1項、第1038条第3項、第1039条、第1041条関係）。

A 1 配偶者短期居住権の消滅原因としては、①存続期間の満了（第1037条第1項）、②居住建物取得者による消滅請求（第1038条第3項）、③配偶者による配偶者居住権の取得（第1039条）、④配偶者の死亡（第1041条において準用する第597条第3項）、⑤居住建物の全部滅失等（第1041条において準用する第616条の2）等が挙げられる。

2 配偶者は用法遵守義務、善管注意義務、無断で第三者に居住建物を使用させない義務を負っており（Q33参照）、配偶者がこれらの義務に違反した場合には、居住建物取得者の意思表示により配偶者短期居住権を消滅させることができる（第1038条第3項）。この消滅請求については、使用貸借契約に関する第594条第3項と同様、無催告ですることができる。

居住建物が複数人によって共有されている場合には、各共有者は、それぞれ単独で配偶者短期居住権の消滅請求をすることができるものと考えられる。配偶者短期居住権は、配偶者の短期的な居住の権利を保護するために特に認められた法定の権利であり、配偶者の義務違反による居住建物の価値の毀損を防ぐために配偶者短期居住権の消滅請求をすることは、保存行為（第252条ただし書）に当たると考えられるからである。

3 配偶者短期居住権は、配偶者が配偶者居住権を取得したときは、消滅する（第1039条）。配偶者居住権は、その登記を備えていない場合でも、配偶者短期居住権と同等ないしそれよりも強い効力が認められているため、これに加えて配偶者短期居住権による保護を与える必要がないためである。なお、配偶者が遺贈によって配偶者居住権を取得した場合は配偶者短期居住権は成立せず（第1037条第1項ただし書）、遺産分割によって居住建物の帰属が確定した場合には配偶者短期居住権の存続期間が終了するから（同項第1号）、これらの場合には、第1039条によるまでもなく、配偶者短期居住権は発生しないか、他の消滅事由によっても消滅する。このため、同条により配

偶者短期居住権が消滅する場合としては、①配偶者が居住建物について遺産共有持分を有している場合に、相続開始から6か月以内に遺産分割がされ、これによって配偶者が配偶者居住権を取得したとき、②配偶者が居住建物について遺産共有持分を有している場合に、遺産の一部分割により配偶者が居住建物の配偶者居住権を取得することとされたが、居住建物の所有権自体については遺産分割がされなかったときなどが考えられ、このような場合に同条が独自の存在意義を有することになる。

4 配偶者が死亡した場合には、配偶者短期居住権は消滅する（第1041条において準用する第597条第3項）。配偶者短期居住権は、配偶者の短期的な居住権を保護するため政策的に設けられたものであり、配偶者が死亡した場合には、これを存続させる意義がなくなるからである（配偶者短期居住権も、配偶者居住権と同様、帰属上の一身専属権である。）。

Q35

配偶者短期居住権が消滅した場合には、配偶者と居住建物取得者との間にはどのような法律関係が生ずるのか(第1040条関係)。

A 1 配偶者短期居住権が消滅したときは、配偶者は、居住建物取得者に対し、居住建物を返還しなければならない(第1040条第1項本文)。居住建物取得者が複数いる場合には、居住建物取得者の有する各引渡請求権は不可分債権の関係にあるから、いずれかの居住建物取得者に返還すれば足りる。

もっとも、配偶者が配偶者居住権を取得した場合には、配偶者は配偶者居住権に基づいて居住建物を使用収益することができるから、返還義務を負わない(第1040条第1項本文)。また、配偶者が居住建物について共有持分を有する場合も、配偶者は共有持分に基づく占有権原を有するから、居住建物取得者は、配偶者に対し、配偶者短期居住権が消滅したことを理由としては、居住建物の返還を請求することができないこととしている(同項ただし書)。配偶者が居住建物について共有持分を有する場合としては、配偶者が被相続人の相続開始前から固有の共有持分を有していた場合と、相続や遺贈等により被相続人の所有権の一部を承継した場合の双方が含まれるが、いずれの場合であっても同項ただし書が適用される。この場合の居住建物の利用関係その他の法律関係は、一般の共有法理に委ねられる。

2 配偶者が相続開始後に居住建物に附属させた物がある場合には、配偶者は、これを収去する権利を有し、義務を負う(第1040条第2項において準用する第599条第1項及び第2項)。これも、使用貸借が終了した場合における使用借主の権利義務と同様の規律を定めるものである。

3 相続開始後に居住建物に損傷が生じた場合には、配偶者は、通常の使用によって生じた居住建物の損耗及び経年変化を除き、原状回復義務を負う(第1040条第2項において準用する第621条)。配偶者短期居住権についてはその存続期間が比較的短期間に限定されており、当事者の通常の意思としても、経年変化等については原状回復の対象に含めないという場合が多いと考

えられること、遺産分割においては、遺産の評価について2つの基準時が存在するが(注)、最終的な遺産の分割は分割時の評価額を前提として行うこととされており、相続開始時から遺産分割時までの間の経年変化により遺産の価値が減少した場合にもそれによる不利益は相続人全員の負担とされていることからすれば、配偶者短期居住権の目的である配偶者の居住建物についても、これと同様の取扱いをすることで足りるものと考えられること等を考慮したものである。

（注）遺産分割における現行の実務においても、遺産について相続開始時の評価額と遺産分割時の評価額とが異なる場合には、一般に、各共同相続人の具体的相続分の割合については、相続開始時の評価額を基準としてこれを算定するが、現実に遺産を分割する場合には、上記の具体的相続分の割合に従い、分割時の評価額を基準として分割を行っているものといわれている。

[その他]

Q36 配偶者短期居住権や配偶者居住権については、諸外国にも同様の制度があるのか。

A 1 配偶者短期居住権に類する制度(注1)としては、例えば、フランスの「1年間の無償の居住権」や、ドイツの「30日権」が挙げられる。

フランスの「1年間の無償の居住権」は、生存配偶者に、相続開始から1年間、住宅及びそこに備え付けられた動産を無償で利用する権利を認めるものである。この権利は、相続上の権利ではなく、婚姻の直接の効果とみなされ、配偶者が取得すべき相続財産の価額から控除されることはない。

ドイツの「30日権」は、被相続人の世帯に属して同人から扶養を受けていた配偶者ら家族(注2)に、相続人に対して、相続開始から30日間、住居及び家財道具を利用する権利を認めるものである。

2 配偶者居住権に類する制度としては、例えば、フランスの「終身の居住権」や、ドイツの「先位・後位相続制度」等が挙げられる。

フランスの「終身の居住権」は、生存配偶者に、終身の間、住居に対する居住権及びそこに備え付けられた動産の使用権を認めるものである。この権利は、配偶者が取得すべき相続財産の価額から控除すべきものとされているが、居住権及び使用権の価額が配偶者の取得すべき相続財産の価額を超える場合であっても、配偶者は差額の償還義務を負わないこととされている。また、配偶者及び相続人は、全員の合意によって、居住権及び使用権を終身定期金又は元本に転換することができることとされている。

ドイツの「先位・後位相続制度」は、例えば、被相続人が、配偶者を先位相続人に指定し、子を後位相続人に指定することができるようにするものである。この場合、先位相続人である配偶者は、相続財産の使用及び収益の権限のみを有し処分権を有しないこととなるため、相続財産は処分されることなく後位相続人に相続されることとなる。つまり、配偶者に配偶者居住権を遺贈し、子に居住建物の所有権を遺贈した場合と類似の法律効果が生じることとなる。

(注1) 配偶者居住権に類する制度も含め各制度の詳細については、公益社団法人商事法務研究会「各国の相続法制に関する調査研究業務報告書」(平成26年10月) (http://www.moj.go.jp/content/001128517.pdf) 参照

　(注2) 30日権の主体になり得る「家族」には、配偶者や子のほか、同性パートナーシップ法上の同性パートナーや事実婚の配偶者も含まれる。

第3章 遺産分割等に関する見直し

[持戻し免除の意思表示推定規定]

Q37 婚姻期間が20年以上の夫婦間でされた居住用不動産の贈与等について、いわゆる持戻し免除の意思表示を推定する規定を設けることとしたのはなぜか（第903条第4項関係）。

A 1 現行法上、相続人に対する贈与や遺贈がある場合には特別受益として取り扱われ、被相続人から遺産の先渡しを受けたものとして遺産分割における取り分を計算することとされている。すなわち、その贈与等の目的財産の価額を遺産の価額に持ち戻した上で、遺産の総額に各相続人の相続分を乗じ、贈与等を受けた相続人についてはその贈与等の目的財産の価額を差し引いて、遺産分割における各自の取得額を計算することとされている（第903条第1項）(注1)。

このような処理（持戻し計算）を行うと、贈与等があったとしても、贈与等を受けた相続人の最終的な取得額は、いわゆる超過特別受益が存在する場合を除き、変わらないこととなる(注2)。

一方で、被相続人が、ある特定の贈与等について、その財産の価額を遺産の価額に含めない旨の意思を示していた場合（いわゆる持戻し免除の意思表示がされた場合）については、このような計算をすることが不要とされており（第903条第3項）、その結果、贈与等を受けた相続人は、最終的により多くの財産を取得することができることになる(注3)。

2 そして、旧法の下でも、第903条第4項の要件を満たすような場合、すなわち、婚姻期間が20年以上の夫婦の一方が他の一方に対して居住用不動産の贈与等をする場合には、その贈与等は、通常相手方配偶者の長年の貢献に報いるとともに、相手方配偶者の老後の生活保障を厚くする趣旨でされたものと考えられる。そうすると、被相続人の意思としても、遺産分割における配偶者の取得額を算定するに当たり、その価額を控除して遺産分割にお

ける取り分を減らす意図は有していない場合が多いものと考えられる[注4]。

そこで、新法においては、婚姻期間が20年以上の夫婦の一方が他の一方に対して居住用不動産の贈与等をした場合については、持戻し免除の意思表示があったものと推定することとし（第903条第4項）、旧法における取扱いの原則と例外を逆転させることとしている。

これにより、被相続人の通常の意思に合致した遺産分割が可能となり、また、配偶者の死亡により残された他方配偶者の生活について配慮することができることとなる。

（注1）遺産分割における取得額についての計算式
① 具体的相続分を求める計算式（第903条第1項）
（被相続人が相続開始の時に有した財産の価額＋贈与の価額）×（当該相続人の相続分の割合）－（特別受益の額）
＝当該相続人の具体的相続分（＊）
＊寄与分は考慮していない。
② 遺産分割における取得額を求める一般的な計算式

（遺産分割時の対象財産の価額）× $\dfrac{当該相続人の具体的相続分}{全ての相続人の具体的相続分の総和}$

＝当該相続人の遺産分割における取得額

（注2）持戻し計算の具体例
［事例］

相続人　　　　配偶者Xと子ども2人（Y、Z）

遺産　　　　　居住用不動産持分 $\dfrac{1}{2}$　2000万円（評価額）
　　　　　　　その他の不動産　　3000万円（評価額）
　　　　　　　預貯金　　　　　　3000万円

Xに対する贈与　居住用不動産持分 $\dfrac{1}{2}$　2000万円（評価額）

［検討］
被相続人死亡時点においては、遺産は8000万円分しかないが、贈与された不動産が、遺産に持ち戻されて計算されるとなると、Xの遺産分割における相続分は、

$$(8000万＋2000万)\times\dfrac{1}{2}－2000万＝3000万円$$

となり、Xの最終的な取得額は、

3000万＋2000万＝<u>5000万円分</u>

となる。結局、贈与があった場合となかった場合とで、最終的な取得額に差異がないこ

ととなる。
　(注3) 持戻し免除の具体例
　前記（注2）の事例において、前記贈与について持戻し免除の意思表示が認められた場合、Xの遺産分割における取得額は、

$$8000万 \times \frac{1}{2} = 4000万円分$$

となり、Xの最終的な取得額は、
　4000万＋2000万＝<u>6000万円分</u>
となり、贈与がなかった場合と比べ、<u>より多くの財産を最終的に取得することができることとなる。</u>
　(注4) 贈与税の特例について
　現行法上、配偶者に対する贈与に対して特別な配慮をしているものとして相続税法上の贈与税の特例という制度がある。これは、婚姻期間が20年以上の夫婦間で居住用不動産の贈与等が行われた場合に、基礎控除に加え最高2000万円の控除を認めるという税制上の特例を認めるものであるが（相続税法第21条の6）、居住用不動産は夫婦の協力によって形成された場合が多く、夫婦の一方が他方にこれを贈与する場合にも、一般に贈与という認識が薄いこと、居住用不動産の贈与は配偶者の老後の生活保障を意図してされる場合が多いこと等を考慮し、一生に一度に限り、その居住用財産の課税価格から2000万円を限度として控除することを認めることとしたものであるとの説明がされている。
　なお、この贈与税の特例については、平成28年は1万1261人、平成27年は1万3959人、平成26年は1万6660人、平成25年は1万5474人、平成24年は1万3538人の適用があった（国税庁統計年報）。

Q38 持戻し免除の意思表示があったと推定される遺贈又は贈与の対象財産を居住用不動産に限定したのはなぜか（第903条第4項関係）。

A 1 一般に、婚姻期間が長期間にわたる夫婦間でされた居住用不動産の贈与等については、相手方配偶者の老後の生活保障のために行われる場合が多いと考えられ、被相続人の意思としても、遺産分割における配偶者の取り分を計算するに当たり、配偶者の取り分から贈与等の価額を差し引いて、その取り分を減らすという意図は有していないのが通常であると考えられる（Q37参照）。

その意味で、婚姻期間が長期間にわたる夫婦間における居住用不動産の贈与等については、社会実態として、特別受益とは取り扱わない、すなわち贈与等の対象財産について持戻し免除の意思表示をしたと法律上推定する規定を設ける基礎があると考えられる。

2 もっとも、居住用不動産は、相手方配偶者の老後の生活保障の観点から特に重要であるといえるとしても、このような観点から行われる贈与等はこれに限られないとも考えられる。

しかし、居住用不動産は生活の基盤となるものであることから、民法上も特別の取扱いがされているのに対し（第859条の3参照）、それ以外の財産をこの制度の対象に含めることについては、その制度趣旨に照らして対象財産の範囲を合理的なものに限定することが困難であると考えられる。一方、全ての財産をこの規律の対象とすると、必ずしも相手方配偶者の老後の生活保障を意図して行われたわけではない贈与等についてもこの規律の対象となり、配偶者以外の相続人が受ける不利益が過大なものとなるおそれがある。

このため、新法では、持戻し免除の意思表示をしたと法律上推定される贈与等の対象財産を居住用不動産に限定することとしている（第903条第4項）。

Q39 持戻し免除の意思表示があったと推定されるためには、いつの時点で贈与等に係る建物に居住している必要があるのか（第903条第4項関係）。

A 第903条第4項は、贈与又は遺贈がされた時点の被相続人の意思を推定するものである（Q37参照）。したがって、同項の規定の適用を受けるためには、原則として、贈与又は遺贈がされた時点で対象となる不動産が居住の用に供されている必要があると考えられる。

もっとも、贈与又は遺贈が行われた時点で、現に居住の用に供していなかったとしても、贈与等の時点で近い将来居住の用に供する目的があったと認められる場合には、「居住の用に供する」という要件に該当するとの解釈をすることができる場合も多いように思われる（第859条の3の解釈についても、現に居住の用に供していなくても、近い将来居住の用に供する予定があれば足りると解されている。）。

なお、居住用要件の判断の基準時を贈与又は遺贈がされた時とすると、転居を繰り返すことによって、複数の不動産が第903条第4項の適用の対象となり得ることになるが、贈与税の特例（Q37（注4）参照）は一生に1回しか使うことができないこととされており、二度目以降の居住用不動産の贈与については通常の贈与税が課されることになるから、同一の当事者間で、頻繁に居住用不動産の贈与が行われるということは通常想定しがたいように思われる。

（参考）贈与税の税率等

基礎控除後の課税価格	200万円以下	300万円以下	400万円以下	600万円以下	1,000万円以下	1,500万円以下	3,000万円以下	3,000万円超
税率	10%	15%	20%	30%	40%	45%	50%	55%
控除額	—	10万円	25万円	65万円	125万円	175万円	250万円	400万円

Q40
居住用不動産について特定財産承継遺言（いわゆる相続させる旨の遺言）がされた場合についても、第903条第4項の規定は適用されるのか（第903条第4項関係）。

A 1 旧法の下で相続人の一部の者に特定の財産を承継させる旨の遺言（いわゆる相続させる旨の遺言）がされた場合については、原則として、遺贈ではなく遺産分割方法の指定（第908条）がされたものと取り扱われてきた（最二判平成3年4月19日民集45巻4号477頁参照）が、第903条第4項の規定は、遺贈又は贈与がされた場合を対象としており、遺産分割方法の指定がされた場合にその規律を直接適用することはできないと考えられる。

2 ところで、遺産の一部について遺産分割方法の指定がされ、残余の遺産について共同相続人間で遺産分割がされることになる場合に、その遺産分割において、遺産分割方法の指定がされた財産を考慮に入れ、その遺産を取得した相続人の具体的相続分からその遺産の額を控除することとするのか、遺産分割方法の指定がされた財産については別枠として取り扱い、残余の遺産分割においてはこれを考慮しないこととするのかは、最終的には遺言者の意思解釈の問題になると考えられる。後者の考え方をとる場合には、遺言者は、遺産分割方法の指定だけでなく、これと併せて相続分の指定をしたものと取り扱われることになる(注1)。

そして、第903条第4項の規定は、婚姻期間が20年以上となる夫婦の一方が他方に対して居住用不動産の贈与等をした場合には、これによって、遺産分割における配偶者の取り分をその分減らす意図は有していない場合が多いこと等を考慮して法律上の推定規定を設けたものであるが、居住用不動産について遺産分割方法の指定がされた場合についても、そのような遺言をした遺言者の意図は、基本的には同じであるものと考えられる。したがって、この場合についても、同項の規定の趣旨に照らせば、特段の事情がない限り、遺産分割方法の指定と併せて相続分の指定がされたものとして取り扱い、残余の遺産における分割協議等では、居住用不動産については別枠として取り扱うべき場合が多いのではないかと考えられる(注2)。

このように考えてみると、居住用不動産について特定財産承継遺言がされた場合については、同項の規定を直接適用することはできないものの、結果的には、同項の規定を適用したのと同様の結果になる場合が多いものと考えられる。

　（注1）前者の考え方をとる場合であっても、相続させる旨の遺言の対象となった財産の価額が当該財産を取得する相続人の法定相続分を超える場合には、相続分の指定を伴う場合が多いものと考えられる。

　（注2）例えば、相続財産1億円（居住用不動産5000万円、その他の財産5000万円）を有する被相続人が、配偶者（法定相続分2分の1）に対して、居住用不動産を相続させる旨の遺言をした場合については、本文のような考え方に従えば、被相続人は、配偶者の相続分を4分の3と指定していた（居住用不動産については別枠として計算し、その他の財産については、遺産分割において法定相続分に応じて取得させる意思を有していたと認定する。）と考えることになる。

Q41 店舗兼住宅について贈与等がされた場合についても、第903条第4項の規定は適用されるのか（第903条第4項関係）。

A 1 第903条第4項は、遺贈又は贈与がされた時点における被相続人の意思を推定する規定であるが、店舗兼住宅となっている建物全体を配偶者に贈与した場合等に、被相続人において、その一部については特別受益として取り扱うが、その余の部分は特別受益としては取り扱わないという意思を有している場合は稀であると考えられる。そうすると、店舗部分と住宅部分を分けて、店舗部分については持戻し免除をしない旨の意思表示をしたと認められるといった特段の事情のない限りは、建物全体について、同項の規定による法律上の推定を及ぼすことができるかどうかを検討すべきものと考えられる。

2 店舗兼住宅については、様々な形態のものがあり得るが、第903条第4項の規定の適用があるかどうかは、その不動産の構造や形態によっても異なり得るものと考えられる。例えば、構造上一体となっている3階建ての建物の1階部分の一部でたばこ屋を営んでいるが、その余の部分は居住の用に供しているといったケースでは、同項の規定を適用することができる場合が多いものと考えられる。

一方で、構造上居住用部分と店舗部分が分離されており、居住用部分がいわゆる離れのような形態となっているケースや、構造上建物は一体となっているがその大部分を店舗が占めているといったケースでは、建物全体を居住用不動産とみることはできず、建物全体について同項の規定を適用することができない場合が多いものと考えられる（なお、前者のケースについては居住用部分に限って同項の規定が適用されることもあり得るものと思われる。）。もっとも、同項の規定の適用がない場合であっても、個別具体的な事案に応じて、持戻し免除の意思表示が黙示にされたとの認定をすることができる場合もあるものと考えられる。

Q42 被相続人が第903条第4項の規定と異なる意思表示をすることは可能か。また、その意思表示は遺言でする必要があるのか（第903条第4項関係）。

A 1 第903条第4項は、婚姻期間が20年以上の夫婦間において居住用不動産の贈与等が行われた場合に、被相続人が居住用不動産の贈与等を特別受益として取り扱わないという、いわゆる持戻し免除の意思を有していることを法律上推定した規定である。したがって、被相続人が、特別受益として取り扱うかどうかについて、明示又は黙示の意思を表示した場合には、その意思に従うことになる。

2 また、被相続人が第903条第4項の規定の適用を排除する意思表示の形式については法律上特段の限定を設けていないから、遺言の中で行う必要はなく、遺言以外の方法によりその意思を表示することも可能である(注)。

(注) なお、旧法の解釈として、遺贈についての持戻し免除の意思表示については、遺言が要式行為であることを理由に、遺言の中でしなければならないという考え方も有力であり、遺贈が行われた場合の持戻し免除の意思表示を法律上推定することができるのか、といった理論的な問題もあり得る。もっとも、近時の裁判例（大阪高決平成25年7月26日判時2208号60頁）においても、必ずしも遺言の中で持戻し免除の意思表示をすることを要しないとの立場を採用したものもあり、実務上もその扱いが固まっているとはいい難い状況にある。また、民法上、例えば第999条や第1001条のように、一定の場合に遺贈が行われた際の遺言者の意思を推定する規定を設けているものがあり、遺言が要式行為であるからといって、遺贈が行われた場合の遺言者の意思を法律上推定することができないということにはならないものと考えられる。

Q43 持戻し免除の意思表示の推定規定は、法制審議会民法（相続関係）部会において、配偶者の相続分の引上げに代わって提案されたものであると聞いているが、この規定はどのような経緯で設けられることになったのか（第903条第4項関係）。

A 1 高齢化の進展等の社会経済情勢の変化に伴い、配偶者の死亡により残された他方配偶者の生活への配慮をすべき必要性が高くなってきていると考えられるが、配偶者の保護のためにどのような手段を講ずるかについては様々な手段が考えられるところである。

法制審議会民法（相続関係）部会（以下「部会」ともいう。）においては、①配偶者の生活を保障するためには、生活の拠点となる「住居」を確保することが重要であるという問題意識のもとに、配偶者居住権及び配偶者短期居住権という新たな権利を創設するとともに、②配偶者の長年の貢献をより実質的に評価するために、一定の条件の下で配偶者の相続分を現行法よりも引き上げることが検討された。

上記①の考え方は、法制審議会においても成案を得て、民法上も新たな権利として位置付けられることとなったが、上記②の考え方については、昭和55年の民法改正において配偶者の法定相続分を引き上げたという経緯もあり、部会が取りまとめた中間試案(注1)に対するパブリックコメントでは、これに反対する意見が多数を占め、部会においても異論が多かったことから、採用されなかった。

2 もっとも、上記パブリックコメントの後に再開された部会においては、配偶者の相続分の引上げについて指摘されている問題点を解消することは困難であるものの、配偶者保護のための方策を検討するという方向性自体は必要かつ有益であり、配偶者の相続分の引上げに代わる別の方策を含めて検討すべきであるという指摘が相次いでされた。また、配偶者の貢献を相続の場面で評価することには限界があるため、贈与や遺贈を促進する方向での検討もされるべきではないかとの指摘もされた。

このような検討経緯を経て、最終的には、婚姻期間が20年以上の夫婦間において居住用不動産の贈与等がされた場合については、持戻し免除の意思

表示を推定する規定を設けることとし、これにより配偶者の相続における取得額を事実上増やすことが可能となった。

　なお、配偶者の相続分の引上げに代わり、第903条第4項の規定を設けることについては、部会において改めて追加試案(注2)として取りまとめを行い、パブリックコメントに付して国民各層の意見を聴取しているが、これに賛成する意見が多数を占めた。

　（注1）「民法（相続関係）等の改正に関する中間試案」は、平成28年6月に開催された法制審議会民法（相続関係）部会第13回会議において取りまとめられ、同年7月12日から同年9月末までの間、パブリックコメントに付された。

　（注2）「中間試案後に追加された民法（相続関係）等の改正に関する試案（追加試案）」は、平成29年7月に開催された法制審議会民法（相続関係）部会第23回会議において取りまとめられ、同年8月1日から同年9月22日までの間、パブリックコメントに付された。

[遺産分割前の預貯金の払戻し制度]

Q44 預貯金債権について、遺産分割前の払戻し制度を創設し、また、仮分割の仮処分の要件を緩和したのはなぜか（第909条の2、家事事件手続法第200条第3項関係）。

A 1　最大決平成28年12月19日民集70巻8号2121頁（以下「本決定」という。）は、従前の判例を変更し、預貯金債権が遺産分割の対象に含まれるとの判断を示した。預貯金債権については、本決定前は、相続開始と同時に各共同相続人の相続分に従って当然に分割され、これにより、各共同相続人は自己に帰属した債権を単独で行使することができることとされていたが、本決定後は、遺産分割までの間は、共同相続人全員の同意を得た上で行使しなければならないこととなった。これにより、本決定の共同補足意見（大谷剛彦裁判官、小貫芳信裁判官、山﨑敏充裁判官、小池裕裁判官、木澤克之裁判官によるもの）においても指摘されているとおり、共同相続人において被相続人が負っていた債務の弁済をする必要がある、あるいは、被相続人から扶養を受けていた共同相続人の当面の生活費を支出する必要があるなどの事情により、被相続人が有していた預貯金を遺産分割前に払い戻す必要がある場合であっても、共同相続人全員の同意を得ることができない場合には払い戻すことができないという不都合が生ずることとなった。

また、被相続人が負担していた金銭債務など、相続財産が引当てとなるものについては、遺産分割の円滑な進行のためにも、早期にその弁済を認める必要性が認められるが、特に預貯金債権は換価が確実かつ容易であるため、債務の弁済をしないと相続債権者等から差押え等の権利行使をされる可能性が高く、そのような事態となれば、遺産分割の円滑な進行の妨げになるものと考えられる。さらに、預貯金債権は、現金類似の性質を有しており、簡易かつ確実に換価可能な財産であるため、通常は、その取得を希望する者が多いものと考えられ、遺産分割前に、共同相続人の全員について一定の範囲でその権利行使を認めたとしても、これにより、一部の共同相続人が不利益を受けるおそれは少ないものと考えられる。

2　そこで、新法では、共同相続人の各種の資金需要に迅速に対応するこ

とを可能とするため、各共同相続人が、遺産分割前に、裁判所の判断を経ることなく、一定の範囲で遺産に含まれる預貯金債権を行使することができる制度を設けることとしている（第909条の2）。

　もっとも、この制度は、遺産分割前であるにもかかわらず、裁判所の判断を経ずに当然に預貯金の払戻しを認める制度であるため、相続人間の公平な遺産分割の実現を阻害しないように、権利行使可能な範囲については一定の限定を設ける必要がある。このため、この制度では対応することができない資金需要については、家事事件手続法第200条第2項の仮分割の仮処分を活用することが考えられるが、同項では共同相続人の「急迫の危険を防止」する必要があることという厳格な要件が設けられているため、前記の資金需要に柔軟に対応することは困難であると考えられる。

　そこで、新法では、当然の払戻し請求を認める制度に加え、預貯金債権の仮分割の仮処分についても同項の要件を緩和することとし、相続開始後の資金需要に柔軟に対応できるようにすることとしている（家事事件手続法第200条第3項）。

　なお、第909条の2の規定による預貯金の払戻し制度については限度額が定められていることから、通常は、小口の資金需要については上記制度が、これを超える資金需要がある場合については家事事件手続法第200条第3項の仮分割の仮処分が用いられることになるものと考えられる。

Q45 第909条の2の規定によって払戻しをすることができる金額については、どのような限定が設けられているのか（第909条の2関係）。

A 1 第909条の2では、各共同相続人は、原則として、遺産に属する預貯金債権のうち、その相続開始時の債権額の3分の1に、当該払戻しを求める共同相続人の法定相続分を乗じた額については、単独でその権利を行使することができることとしている。

また、同条の規定によって権利行使をすることができる預貯金債権の割合及び額については、個々の預貯金債権ごとに判断されることになる。例えば、遺産のうち、A銀行の普通預金に300万円、A銀行の定期預金に240万円あった場合には、法定相続分が2分の1である相続人が単独で権利行使をすることができるのは、普通預金のうちの50万円、定期預金のうちの40万円（ただし、満期が到来していることが前提。以下同じ。）となり、その範囲内で払戻しを受けることはできるが、普通預金だけから90万円の払戻しを受けることはできないことになる。

2 また、第909条の2では、上記の割合による上限だけでなく、1つの金融機関に払戻しを請求することができる金額についても上限を設けることとし、その金額については法務省令に委任しているため、同一の金融機関に複数の口座がある場合でも、その金融機関から払戻しを受けることができる額は法務省令で定める額が限度となる。この上限額については、平成30年11月、150万円と定められた（民法第九百九条の二に規定する法務省令で定める額を定める省令（平成30年法務省令第29号））。

したがって、例えば、A銀行の普通預金に600万円、A銀行の定期預金に1200万円、B銀行の普通預金に720万円あった場合には、法定相続分が2分の1の相続人が第909条の2の規定によって払戻しを得られる金額は、A銀行から150万円、B銀行から120万円ということになる。なお、A銀行からの払戻しについては、普通預金口座からは最大100万円の払戻しを、定期預金口座からは最大150万円の払戻しを得ることができる（いずれも上記割合及び上限額を前提としたもの）が、法務省令で定められた上限額である

150万円に満つるまで、どの口座からいくら払戻しを得るかについては、その請求をする相続人の判断に委ねられる（上記事例では、普通預金から80万円、定期預金から70万円の払戻しを求めてもよいし、普通預金から100万円、定期預金から50万円の払戻しを求めてもよいが、普通預金から150万円の払戻しを求めることはできない。）。

Q46 第909条の2の規定によって払戻しをすることができる金額について、金融機関ごとの上限額を設けたのはなぜか(第909条の2関係)。

A 1 第909条の2前段は、権利行使な可能な額について、①相続開始の時における預貯金債権の額の3分の1に、②払戻しを求める各相続人の法定相続分を乗じた額としているが(Q45参照)、この計算式を単純に当てはめると、多額の預貯金がある場合には、各共同相続人が権利行使可能な額も相当高額となる。そうすると、例えば、共同相続人の中に被相続人から多額の生前贈与を受けていた者がおり、本来であれば遺産分割においてほとんど財産を取得することができない場合でも、高額の払戻しを請求することができることになる。

この制度を利用して預貯金の払戻しがされた場合には、遺産の一部分割により取得したものとみなされることにより(第909条の2後段)、遺産分割において事後的に清算することとされているが、その者が十分な資力を有していない場合には、事後的な清算を行うことができず、他の共同相続人の利益を害することになる(注)。

また、預貯金を遺産分割の対象として公平な遺産分割を実現するという最高裁判所の判例変更(最大決平成28年12月19日、Q44参照)の趣旨に照らすと、立法により各共同相続人単独での権利行使により預貯金の払戻しを認めるとしても、類型的に預貯金の払戻しの必要性が認められる額に限定するのが相当であると考えられる。

そこで、第909条の2の規定によって払戻しをすることができる金額について、別途上限額を設けることとしたものである。

2 また、このような観点から上限額を設ける場合には、(i)預貯金債権ごとに定めるという考え方(複数の口座があればその分上限額が増えることになる。)、(ii)金融機関ごとに定めるという考え方(同一の金融機関に複数の口座があっても上限額は変わらないが、複数の金融機関に口座がある場合はその分上限額が増えることになる。)、(iii)被相続人が有している預貯金債権全体を基準に定めるという考え方(複数の金融機関に口座があったとしても上限額は変わらな

いことになる。）があり得るが、第909条の2では、上述の金額による上限額を設け、他の共同相続人の利益を害さないようにするという要請と、簡易かつ迅速に一部の預貯金の払戻しを受けられるようにするという要請の両者を満たすものとして、(ii)の考え方を採用したものである。

（注）金額による上限額を設ける必要性について
　以下の事例からも明らかなとおり、他の共同相続人の利益を害しないよう、適切な金額による上限額を定める必要があると考えられる。
［事例］
相続人　　　A、Bの2名（法定相続分は各2分の1）
相続財産　　6000万円（預金）のみ
特別受益　　Aに対する生前贈与　6000万円
　Aが、相続開始後、新法の規律によって預金債権の一部の払戻しを求めたものとする。
(1)　預金全てが遺産分割の対象と考えた場合

　　Aの具体的相続分　$(6000万+6000万)\times\frac{1}{2}-6000万=0円$

　　Bの具体的相続分　$(6000万+6000万)\times\frac{1}{2}=6000万円$

(2)　上限額（150万円）を設けた場合
　　Aは、新法の規律により150万円の払戻しを受けることができる。
　　清算の仕組を設けたとしても、Aが無資力であれば、Bは150万円の損失を被ることになる。
(3)　上限額を設けない場合
　　Aは、新法の規律により1000万円の払戻しを受けることができる。
　　清算の仕組を設けたとしても、Aが無資力であれば、Bは1000万円の損失を被ることになり、上限額を設けないとBが被る可能性のある損失が大きくなるという問題がある。

Q47 第909条の2の規定により預貯金の払戻しを受けるためには、金融機関にどのような資料を提示する必要があるか（第909条の2関係）。

A 第909条の2の規定の適用を受けるに際し、金融機関にどのような資料を提示する必要があるかについては、法律上規定を設けていない。

もっとも、同条では、相続開始時の預貯金債権の額の3分の1に払戻しを求める者の法定相続分を乗じた額の範囲内で払戻しを認めることとしていることから、①被相続人が死亡した事実、②相続人の範囲及び③払戻しを求める者の法定相続分が分かる資料の提示が必要になるものと考えられ、具体的には、これらの事実を証する戸籍（全部事項証明書等）や法定相続情報一覧図（法務局における認証を受けたもの）がこれに該当することになるものと考えられる。

このように、この制度は、金融機関において、払戻し可能な金額の範囲内にあるかどうかを確認した上で弁済をすることを前提とするものであるため、金融機関においては、(i)誰に、(ii)いつ、(iii)いくら払戻しを行ったのか正確に記録をしておくことが求められることになる。

Q48

第909条の2の規定により、共同相続人が預貯金の払戻しをした場合には、その後の遺産分割においてどのように取り扱われることになるのか（第909条の2関係）。

A 1　第909条の2後段では、同条前段の規定に基づき権利行使がされた預貯金債権については、その権利行使をした共同相続人が遺産の一部分割によりこれを取得したものとみなすこととしている。これにより、仮に共同相続人の一部の者が同条前段の規定に基づき払い戻した預貯金の額がその者の具体的相続分を超過する場合でも、当該共同相続人はその超過部分を清算すべき義務を負うことになる[注]。

2　このような清算義務を課すことにより、預貯金債権全体を遺産分割の対象とすることができ、共同相続人間の公平を確保することができることになる。また、本来は共同相続された預貯金債権は遺産分割の対象財産となっており、各共同相続人の単独での権利行使は認められないところ、第909条の2前段は、その例外として、各共同相続人の小口の資金需要に対応できるよう預貯金債権の一部について単独での権利行使を認めることとしたものであり、専ら権利行使をする相続人のための規定であるから、そのような権利行使をした者に遺産分割において清算の義務を課したとしても、当該相続人に特段過大な負担を課すとか、不利益を課すことにはならないものと考えられる。

（注）具体例（清算について）
例えば、以下の事例においては、下記のような結論になるものと思われる。
［事例］
相続人　　　　　　　　　　A、Bの2名（法定相続分は各2分の1）
積極財産　　　　　　　　　1000万円（預金）のみ
Aに対する特別受益（生前贈与）　1000万円
　Aが、新法の規律により、上記預金から50万円の払戻しを受けたものとする。
［結論］
　遺産分割の対象財産　950万（残余財産）＋50万（一部分割により取得したとみなされる財産）＝1000万円

Aの具体的相続分　　（1000万 + 1000万）× $\frac{1}{2}$ − 1000万 = 0

Bの具体的相続分　　（1000万 + 1000万）× $\frac{1}{2}$ = 1000万

　しかし、実際には遺産分割時の相続財産は950万円しかないので、Bは、預金債権950万とAに対する代償金請求権50万を取得することになる。そうすると、遺産分割審判においては、下記のような主文になると思われる。
　「Bに、預金債権（950万円）を取得させる。
　　Aは、（代償金として）Bに対して50万円を支払え。」

Q49

今回の改正により、遺産分割前に遺産に属する財産が処分された場合の遺産の範囲に関する規律（第906条の2）が設けられたが、相続開始後に預貯金債権が払い戻された場合には、第909条の2と第906条の2のいずれの規定が適用されることになるのか（第909条の2、第906条の2関係）。

A

1　第906条の2の規定は、相続開始後の処分がされた場合一般に関する規定であるのに対し（Q60参照）、第909条の2の規定は、そのうち、遺産に属する預貯金債権について各共同相続人に単独での権利行使を認めた（同条前段）上で、その権利行使がされた場合に関する特則を設ける（同条後段）ものである。

したがって、第906条の2の規定は、その特則である第909条の2後段の規定が適用されない場合にのみ適用されることとなる。

また、第909条の2前段の規定に基づき各共同相続人が預貯金の払戻しを求めてきた場合には、預貯金債権の債務者である金融機関において、同条前段の規定による権利行使可能な範囲内にあるかどうかを判断することが予定されている。

そうすると、例えば、共同相続人の1人が、債務者である金融機関に対し、自らが相続人であることを主張して被相続人の預貯金債権の一部について払戻しを求めてきた場合には、金融機関において上記の判断をすることが可能であるから、この場合については第909条の2の規定が適用されることになる。

2　これに対し、共同相続人の1人が、被相続人名義のキャッシュカードを用いてATMから預金を払い戻した場合や、自らが被相続人であると偽って被相続人名義の払戻請求書を作成し、銀行窓口で払戻しを受けた場合については、金融機関はこれらの払戻しが第909条の2の規定に基づくものであるかを判断し得ないから、同条の規定は適用されないものと考えられる。

したがって、これらの場合については第906条の2の規定が適用される。

Q50 今回の改正により各共同相続人は、第909条の2に基づき、遺産分割前であっても預貯金債権のうち一定額については単独で払戻し請求をすることができることになったが、各共同相続人は、同条に基づく払戻し請求権を第三者に譲渡することができるか。また、各共同相続人の債権者は、同条に基づく払戻し請求権を差し押さえ、取立てをすることができるか（第909条の2関係）。

A 前述のとおり（Q44参照）、第909条の2の規律は、最高裁による判例変更を踏まえ、新たに規定を設けて預貯金債権のうち一定額については各共同相続人単独での権利行使を可能とするものであって、同条によって性質の異なる複数の預貯金債権を創設するものではない。

したがって、相続開始により準共有となったものと解される預貯金債権の準共有持分を譲渡し、又はこれを差し押さえることは可能であるが、同条の規定による払戻し請求権それ自体を独自に観念することはできず、これを譲渡し、又は差し押さえることはできないものと考えられる。もっとも、預貯金債権の準共有持分を譲渡することにより、同条の規定によって払戻しを請求することができる地位も第三者に移転することになるかについてはさらに問題となるが、同条が、遺産分割までの間は預貯金債権の単独での権利行使が否定されることにより類型的に相続人に生じ得る不都合を解消するために特に設けられた制度であることからすれば、当該持分の譲渡を受け、又は差押えをした第三者が同条に基づき権利行使をすることはできないと考えられる（なお、当該持分を譲り受けた第三者としては、(準) 共有物分割を経るなどして、換価する手段は残されている。）(注)。

（注）なお、第909条の2は、あくまでも共有法理の例外を設けたものであるから、第三者が共同相続人の1人の共有持分を差し押さえた場合には、その相続人は、差押えによる処分禁止効により、同条の規定による払戻しを受けることもできなくなるものと考えられる。

Q51 預貯金債権が遺贈又は特定財産承継遺言（いわゆる相続させる旨の遺言）の対象となっている場合には、第909条の2の規定に基づき預貯金の払戻し請求権を行使することができるか（第909条の2関係）。

A 第909条の2は、その文言上、「遺産に属する預貯金債権」を対象としている。

したがって、ある預貯金債権が遺贈や特定財産承継遺言の対象となった場合には、遺産に属しないこととなるから、同条の規定による払戻しの対象とはならないのが原則である。

もっとも、新法の下では、遺贈だけでなく、特定財産承継遺言についても対抗要件主義が適用されることとなったから（第899条の2）、金融機関としては所定の債務者対抗要件（遺贈については第467条、特定財産承継遺言については第899条の2第2項参照（Q104参照））が具備されるまでは、当該預貯金債権が遺産に属していることを前提に処理をすれば足り、その後に債務者対抗要件が具備されたとしても、既にされた第909条の2の規定による払戻しが無効になることはないものと考えられる。

Q52 預貯金債権について仮分割の仮処分を得るためには、どのような要件を満たす必要があるか（家事事件手続法第200条第3項関係）。

A

1 総論

家事事件手続法第200条第3項では、家庭裁判所が、①遺産の分割の審判又は調停の申立てがあった場合において、②相続財産に属する債務の弁済、相続人の生活費の支弁その他の事情により遺産に属する預貯金債権を行使する必要があるときは、③他の共同相続人の利益を害しない限り、④相続人の申立てにより、⑤遺産に属する特定の預貯金債権の全部又は一部を申立人に仮に取得させることができるものとしている。

相続人において遺産に属する預貯金債権を行使する必要性があり、かつ、これにより他の共同相続人の利益を害しないと認められる場合には、預貯金債権の仮分割の仮処分を認めることとするものであり、同条第2項の要件を緩和するものである。

2 権利行使の必要性

預貯金債権の仮分割の仮処分は、相続財産に属する債務の弁済、相続人の生活費の支弁など家庭裁判所が遺産に属する預貯金債権を行使する必要があると認める場合に認められる。

家事事件手続法第200条第3項本文では、相続財産に属する債務の弁済、相続人の生活費の支弁といった事情を例示として掲げているが、これに限る趣旨ではなく、必要性の判断については、家庭裁判所の裁量に委ねることとしている。

3 他の共同相続人の利益を害しないこと

家事事件手続法第200条第3項ただし書では、同項本文の規定により預貯金の仮払いを行うことにより、「他の共同相続人の利益を害するときは」仮分割の仮処分をすることができない旨を定めている。すなわち、仮分割の仮処分をすることにより、その後に行われる遺産分割において、他の共同相続人に対してその具体的相続分に相当する財産を現実に取得させることが困難

となるなど、適切に遺産の分配を行うことができなくなる場合には、「他の共同相続人の利益を害するとき」に該当することとなる（この点の詳細については Q53 参照）。

4　本案係属要件

なお、新法では、家事事件手続法第 200 条第 3 項の規定による保全処分を申し立てるに当たっては、遺産分割の調停又は審判の本案が家庭裁判所に係属していることを要するという、いわゆる本案係属要件を要求している。

法制審議会民法（相続関係）部会における議論では、同項の規定に基づく申立てについては、本案係属要件を外すことも検討されたが、このような考え方については、他の家事事件の保全処分とは異なり、なぜ預貯金債権の仮分割の仮処分に限り本案係属要件を外すことができるのか、理論的な説明が困難であるとの指摘がされた。また、遺産分割の調停の申立て自体は簡易かつ廉価ですることができ（書式は裁判所のホームページに掲載されており、申立費用も 1200 円と低額である。）、また、提出すべき添付書類という観点でみても審判前の保全処分と本案とでさほど差異はなく、本案係属要件を要求したとしても当事者に過大な負担を課すわけではないと考えられる。このため、同項の保全処分においても、本案係属要件を外すこととはしていない。

Q53

家事事件手続法第200条第3項ただし書では、「他の共同相続人の利益を害するときは」仮分割の仮処分が認められないこととされているが、具体的には、どのような場合がこれに当たるのか（家事事件手続法第200条第3項関係）。

A 家事事件手続法第200条第3項ただし書の「他の共同相続人の利益を害するとき」に当たるか否かについては、個別具体的な事件を担当する裁判官の判断に委ねられるが、一般に、預貯金債権についてはその取得を希望する共同相続人が多いと考えられるから、当該預貯金債権の額に申立人の法定相続分を乗じた額の範囲内に限定するのが相当な場合も多いと考えられる。また、仮処分の申立てをした者に多額の特別受益がある場合には、他の共同相続人の具体的相続分を侵害することがないよう、さらにその額を限定すべきことになるものと考えられる。他方で、他の共同相続人が特に預貯金債権の取得を希望していないような場合には、遺産の総額に申立人の法定相続分を乗じた額の範囲内（相手方から特別受益の主張がある場合には具体的相続分の範囲内）で仮分割の仮処分を認めることも可能であり、さらには、被相続人の債務の弁済を行う場合など事後的な清算も含めると相続人間の公平が担保され得る場合には、一定の条件の下で更なる増額を認めることもあり得るものと考えられる(注)。

（注）具体例（主文例）
　例えば、相続人がA、B、Cの3名（法定相続分は各3分の1）で、積極財産が900万円（預金）、弁済期が到来した相続債務が360万円存在する事例においては、Aの積極財産における取り分は300万円であるが、Aの申立てにより、相続債務全額の弁済のため、預金のうち360万円をAに仮分割することも、場合によっては許容され得るものと思われる（なお、Aが360万円の相続債務を現に弁済する蓋然性が認められる場合でなければ、B及びCの利益を害することになるから、法定相続分を超えての仮分割を認めることはできないものと考えられる。）。
　このような処理がされた場合における本案における遺産分割審判等（以下「本分割」という。）のあり方については、最終的な清算も見据えて本分割において代償金の支払を命ずる方法（[方法1]）と、積極財産を法定相続分で割り付け、代償金による清算が生じないようにする方法（[方法2]）があり得るが、事案に応じていずれの処理も許容され得る

ものと思われる。
［方法1］
① 本分割において
「Aに、預金債権（900万円）のうち540万円を取得させる
（実際は、仮分割の分を除き、180万円を取得させる。）、
Bに、預金債権のうち180万円を取得させる、
Cに、預金債権のうち180万円を取得させる、
Aは、代償金として、Bに対して120万円を支払え、
Aは、代償金として、Cに対して120万円を支払え。」
との遺産分割審判を行い、
② AがBの債務を第三者弁済したことによって取得した求償債権（120万円）をもって、BがAに対して本分割により取得した代償金債権と相殺することで（AC間も同じ。）、清算処理を行うことができる。

［方法2］
① 本分割において、
「Aに、預金債権のうち300万円を取得させる
（実際は、仮分割で360万円もらっているので、本分割では0円。）、
Bに、預金債権のうち300万円を取得させる
（実際は270万円しかもらえない。）、
Cに、預金債権のうち300万円を取得する
（実際は270万円しかもらえない。）。」
との遺産分割審判を行い、
② 本分割の結果、Aに対する過払い分（60万円）については、B及びCが各30万円の不当利得返還請求権を有している、また、Aは、B及びCに対して各120万円の求償債権を有していると整理することができるので、結局、Aが、B及びCに対して、相殺の上、各90万円の求償債権の行使をすることができる。

Q54 家事事件手続法第200条第3項の規定により払戻しがされた預貯金については、本案である遺産分割の審判においてどのように取り扱われるのか（家事事件手続法第200条第3項関係）。

A 1 家事事件手続法第200条第3項の規定による預貯金債権の取得は仮分割の仮処分（保全処分）の一種であり、本案である遺産分割審判等（以下「本分割」という。）との関係については、民事事件における保全処分（仮地位仮処分）と本案訴訟との関係と同様に解することができるものと考えられ（最三判昭和54年4月17日民集33巻3号366頁参照）、仮分割の仮処分により申立人に預貯金債権の一部を仮に取得させることにしたとしても、本分割においては原則としてその事実を考慮すべきではなく、改めて仮分割された預貯金債権を含めて遺産分割の調停又は審判をすべきものと考えられる。

2 例えば、相続人がA、B、Cの3名（法定相続分は各3分の1）で、相続財産として預金200万円、甲不動産（200万円分）、乙不動産（200万円分）があり、Aの生活費のために上記預金200万円を仮に取得させる旨の仮分割の仮処分をした場合には、本案である遺産分割の審判においては、上記預金債権も含めて改めて遺産分割する旨の審判をすることになり、その主文は、例えば、次のようなものになるものと考えられる。

「被相続人の遺産を次のとおり分割する。
 1 Aに、預金債権（200万円）を取得させる。
 2 Bに、甲不動産を取得させる。
 3 Cに、乙不動産を取得させる。」

Q55 家事事件手続法第200条第3項の規定による仮分割の仮処分の申立てをするには、どのような資料を準備する必要があるのか。また、その申立てをした場合には、どの程度の期間で裁判所の決定を得ることができるのか（家事事件手続法第200条第3項関係）。

A 1 家事事件手続法第200条第3項の規定による預貯金債権の取得は、審判前の保全処分（仮分割の仮処分）の一種であるから、その申立てに当たっては、申立書のほか、戸籍関係書類、住所関係書類及び遺産関係書類等の本案において提出すべき書類も提出が必要になるものと考えられる（もっとも、原本を本案において提出済の場合は、写しを提出することで足りるものと考えられる。）。そして、遺産関係書類としては、遺産の全体像を明らかにする書面のほか、仮に取得させるべき預貯金債権の範囲を判断するため、原則として直近の残高証明の提出が必要になるものと考えられる。さらに、仮分割の仮処分の必要性を判断するために、申立人の収入状況のほか、仮払いを必要とする費目及びその金額を裏付ける資料（請求書、陳述書等）等の提出が必要になるものと考えられる。

2 また、家事事件手続法第200条第3項の規定による仮分割の仮処分については、仮の地位を定める仮処分という法的性質を有することから、原則として、審判を受ける者となるべき者の陳述を聴かなければ、審判をすることができない（同法第107条）。このため、家庭裁判所が仮分割の仮処分を求める申立てを受けた場合には、共同相続人全員に対してその陳述を聴取する期日を通知し、その陳述を現実に聴取したり、照会書を送付することにより陳述を聴取するなどの手続を経た上で審判をする必要があり、仮分割の仮処分の審判を得るまでには、相応の日数を要することになるものと考えられる。

3 なお、家事事件手続法第200条第3項は、「遺産に属する特定の預貯金債権の全部又は一部を」仮に取得させることができるとしていることから、その主文においては、預貯金債権の特定とともに、その一部を取得させる場合にはその金額の明示が必要になると考えられる。また、申立人に、金

融機関から払戻しを受ける権限がある旨を明示する必要があるかどうかは考え方が分かれ得るところであるが、これを明示しておけば、金融機関としては安心して払戻しに応じることができるといったメリットがあるものと考えられる。具体的には、下記のような主文とすることが考えられる。

「主文
1　被相続人○○（令和○年○月○日死亡）の遺産である別紙債権目録記載1の預金債権を、同目録記載2の申立人取得額のとおり申立人に仮に取得させる。
2　申立人は、別紙債権目録記載1の金融機関から前項の取得額の払戻しを受けることができる。
3　手続費用は、○○の負担とする。
〔別紙〕債権目録
1　預金債権
　　○○銀行○支店普通預金　口座番号　1234567（名義人○○）
2　申立人の取得額
　　上記1の預金債権のうち○○円」

[遺産の一部分割]

Q56 遺産の一部分割の規定を設けることとしたのはなぜか。また、どのような場合に遺産の一部分割をすることができるのか（第907条関係）。

A 1 遺産分割事件を早期に解決するためには、争いのない遺産について先行して一部分割を行うことが有益な場合があり、また、旧法下の実務においても、一定の要件の下で一部分割が許されるとする見解が一般的であったが、法文上、一部分割が許容されているか否かは必ずしも明確でなかった。

そこで、第907条では、いかなる場合に一部分割をすることができるのかについて、明文の規定を設けることとした。

2 具体的には、まず、新法では、第907条第1項の文言を「遺産の全部又は一部の分割をすることができる」と改めることにより、共同相続人間の協議による一部分割が可能であることを明示することとしている。共同相続人は、遺産についての処分権限があることから、いつでも、遺産の一部を残余の遺産から分離独立させて、確定的に分割をすることができると考えられるためである。

3 次に、第907条第2項本文において、遺産分割について共同相続人間の協議が調わない場合には、共同相続人が、遺産の全部分割のみならず、その一部のみの分割を家庭裁判所に求めることができることを明らかにしている。

これは、遺産分割の範囲について、一次的に共同相続人の処分権限を認めるものである。なお、申立人以外の共同相続人が、遺産の全部分割や当初の申立てとは異なる範囲の一部分割を求めた場合には、遺産分割の対象は、遺産の全部又は拡張された一部の遺産（当初の申立部分に加え、追加された申立部分を含むもの）ということになる[注1][注2]。

また、遺産の一部分割をすることにより他の共同相続人の利益を害するおそれがある場合には、一部分割の請求を認めないこととしている（同項ただ

し書)。このような場合には、一部分割の請求は不適法となり、家庭裁判所は、その請求を却下しなければならないことになる(この点の詳細については、Q58参照)。

　(注1)　一部分割の申立てと全部分割の申立てが重複した場合に申立ての利益についてどのように考えるべきかという問題はあるが、いずれにしても、遺産の全部が審判の対象になるものと考えられる。なお、例えば、相続人Aが遺産甲の分割を、相続人Bが遺産乙の分割をそれぞれ求めた場合には、包含関係にないことから、いずれの申立ても適法として、裁判所は、遺産甲及び乙の分割をそれぞれ行うことになるものと考えられる(通常は併合して審理することになるものと思われる。)。

　(注2)　なお、申立人以外の共同相続人が、当初の申立てとは異なる範囲の一部分割を求める場合には、その旨の新たな申立てが必要になるものと考えられる。また、一部分割の申立てをした申立人が当初の申立てとは異なる範囲の分割を求める場合についても、申立ての趣旨の拡張が必要になるものと考えられる。

Q57 遺産の一部分割の規定は、具体的にどのような場合を想定して設けられたものか（第907条関係）。

A 旧法下の実務において、「一部分割」といわれていた審判の中には、①家事事件手続法第73条第2項に規定する一部審判として行われる一部分割（残余遺産について審判事件が引き続き係属するもの）と、②全部審判として行われている一部分割（残余遺産については審判事件が係属せず、事件が終了するもの）の2類型があり、後者は、さらに、審判時点において、分割の対象となる残余遺産が存在しないか、裁判所（及び当事者）に判明していない場合（②-1）と、残余遺産が存在するが、当事者が現時点では残余遺産の分割を希望していないこと等を理由としてその一部のみの分割が行われる場合（②-2）の2種類に分けることができたものと考えられる。

そして、①の一部分割については、家庭裁判所が遺産分割の一部について審判をするのに熟していると判断をしたときに、一部分割の審判をすることができるが、その審判の成熟性の判断の中で、一部分割をする必要性と相当性の審査が行われているものと考えられ、特に①の場合を規律するルールを別途設ける必要性は乏しいといえる。また、②-1の場合については、少なくとも裁判所は他に分割の対象となる遺産はないものと認識をして全部分割の審判をしているのであるから、このような場合を対象として規律を設けることは困難といえる。

そこで、新法においては、②-2の場合を念頭に置いて規定を設けることとしている。

具体的には、遺産の範囲について相続人間で訴訟が提起されるなど争いがあるが、相続人間で争いのない遺産については先に分割をしたいという希望がある場合や、遺産のうち不動産の帰属については相続人間で意見の相違があり調整に時間を要するが、預貯金については法定相続分で分割したいという希望がある場合などに、新法の規定による遺産の一部分割が用いられることになると考えられる。

Q58 第907条第2項ただし書では、「遺産の一部を分割することにより他の共同相続人の利益を害するおそれがある場合」には、一部分割をすることができないこととされているが、具体的にはどのような場合がこれに当たるか（第907条第2項ただし書関係）。

A 1 新法においては、遺産の一部分割をすることにより他の共同相続人の利益を害するおそれがある場合には、一部分割の請求を認めないこととしている（第907条第2項ただし書）。

具体的には、当事者に対する生前贈与の有無及び額などの特別受益の内容や、代償金の支払による解決の可能性やその資力の有無などの事情を総合して、遺産の一部分割をすることにより、最終的に適正な分割を達成し得るという明確な見通しが立たない場合には、「遺産の一部を分割することにより他の共同相続人の利益を害するおそれがある場合」に当たるものと考えられる(注)。

2 例えば、相続人が配偶者と長男、次男の3名であり、遺産として居住用不動産（1000万円）のほか、田畑等の不動産が複数あり（総額2000万円）、配偶者に対する生前贈与が2000万円あるといった事例において、配偶者に居住用不動産を取得させる旨の一部分割をすることができるかを考えることにする。この事例において、配偶者と長男は、配偶者が代償金等を支払うことなく、居住用不動産を取得することに異論はないが、次男がこれに反対しており、また、配偶者が次男に対して代償金250万円を支払う資力がないとする。このような場合にまで配偶者に居住用不動産を取得させる旨の一部分割を認めると、次男に配偶者の無資力の負担を負わせることとなり、他の共同相続人の利益を害するおそれがあるものと考えられる。家庭裁判所は、このような場合には、遺産の一部分割の申立ては不適法であるとして、却下することになる。

(注) 旧法の下でも、実務上しばしば遺産の一部分割が行われることがあったが、その際の基準として、「遺産の一部の分割をするとすれば、民法906条の分割基準による適正

妥当な分割の実現が不可能となるような場合でない限り、遺産の一部の分割も許されると解するのを相当とする」と判示した裁判例もあった（大阪高決昭和46年12月7日家月25巻1号42頁）。新法の基準は、これまでの実務の扱いを明文化するものである。

Q59 遺産の一部分割の申立てをするには、どのような資料を準備する必要があるか（第907条関係）。

A 遺産の一部分割の申立てについても、遺産分割の申立ての一類型であることから、一部分割の申立てに当たっては、遺産分割の申立てに必要となる書面を家庭裁判所に提出する必要がある。

具体的には、遺産の一部分割の審判等の申立書のほか、共同相続人の範囲を明らかにする戸籍関係書類及び住所関係書類、また遺産の範囲を明らかにする遺産関係書類等を提出する必要があるものと考えられる。

ところで、家事審判の申立てにおいては、申立ての趣旨及び理由を特定して申立てをする必要があるが（家事事件手続法第49条第2項第2号）、審判を求める事項の特定について、具体的にどの程度の詳細さが求められるかは、条文上明らかにされておらず、解釈に委ねられている。一般に、遺産分割については、「遺産分割を求める。」という記載があれば申立ての趣旨の特定性は満たされていると考えられているが、一部分割の申立てをする場合には、「別紙遺産全体目録中、○番及び○番の遺産の分割を求める。」というように、分割を求める遺産の範囲を特定すべきものと考えられる（なお、遺産の全部について分割を求める場合は、これまでどおり「遺産分割を求める。」ということのみで、申立てとしては特定していると考えられる。）。

[遺産分割前に遺産に属する財産が処分された場合の遺産の範囲]

Q60 遺産分割前に遺産に属する財産が処分された場合の遺産の範囲に関する規律を設けることとしたのはなぜか（第906条の2関係）。

A 1 共同相続された相続財産は、原則として遺産共有となるが（第898条）、その共有状態の解消については、遺産分割の手続によることとされており（第907条）、遺産分割の手続においては、第903条及び第904条の2の規定によって算定される具体的相続分を基準として各相続人に遺産を分割することとされている。

一方、共同相続人が遺産分割前にその共有持分を処分することは禁じられていないが、旧法の下では、当該処分がされた場合に遺産分割においてどのような処理をすべきかについて明文の規定はなく、また、明確にこれに言及した判例も見当たらなかった。実務においては、遺産分割は遺産分割の時に実際に存在する財産を共同相続人間で分配する手続であるという伝統的な考え方に従い、共同相続人の1人が遺産分割の前に遺産の一部を処分した場合には、その時点で実際に存在する財産（当該処分された財産を除いた遺産）を基準に遺産分割を行い、当該処分によって当該共同相続人が得た利益も遺産分割においては特段考慮しないという取扱いがされていた(注1)。そうすると、当該処分をした者の最終的な取得額が当該処分を行わなかった場合と比べると大きくなり、その反面、他の共同相続人の遺産分割における取得額が小さくなるという計算上の不公平が生じ得ることとなっていた(注2)。

2 また、新法では、各共同相続人が家庭裁判所の判断を経ないで相続された預貯金の払戻しを認める制度を設けることとしているが（第909条の2）、この方策に基づく適法な払戻しであれば、遺産分割においてその清算が義務付けられるのに対し、この方策に基づかずに違法に払戻しを受けた場合には清算が義務付けられないということになれば、違法行為を助長することにもなりかねず、具体的妥当性等の観点からも極めて不当な結果となる(注3)。

3　そこで、第906条の2では、遺産分割前に遺産に属する特定の財産を共同相続人の1人が処分した場合に、処分をしなかった場合と比べて利得をすることがないようにするため、遺産分割においてこれを調整することを容易にする規律を設けることとしている。

具体的には、同条第1項で、共同相続人全員の同意によって遺産分割前に処分された財産についても、遺産分割の対象財産とすることを認めることとした上、同条第2項で、共同相続人の1人が遺産分割前に当該処分をした場合には、当該処分をした共同相続人の同意を得ることを要しないこととしている。これにより、当該処分を行ったのが共同相続人の1人である場合には、遺産分割時に当該処分した財産を遺産に含めることについて他の共同相続人の同意さえあれば、これを遺産分割の対象として含めることができることとなり、公平な遺産分割を実現することができることとなる。

（注1）もっとも、旧法下の実務においても、例外的に、遺産分割の当事者の間で当該処分された財産を遺産分割の対象とする旨の合意が成立した場合等には、その財産を遺産分割の対象とする取扱いがされていた。この点について、判タ1418号5頁以下の小田正二ほか「東京家庭裁判所家事第五部における遺産分割事件の運用――家事事件手続法の趣旨を踏まえ、法的枠組みの説明をわかりやすく行い、適正な解決に導く手続進行――」(2015年)によれば、全当事者の合意があることを前提として、①ある当事者が預金を既に取得したものとして相続分・具体的取得金額を計算する、②ある当事者が（払い戻した預金である）一定額の現金を保管しているとして、これを分割対象財産とする、③払い戻した預金が被相続人からの贈与と認められるとして、当該当事者に同額の特別受益があるとの前提で具体的相続分を計算する、などの方法がとられていたようである。このうち、②の考え方は、計算上、新法の規定を適用したのと同じ結果になる一方、③の考え方によると、当該当事者が既に本来の具体的相続分を超過する利益を受けている場合には対応することができないことになる。①の考え方については、上記超過利益が生じている場合にその超過分を返還させる（代償金債務を負わせる）場合には②の考え方と同じ帰結になり、そうでない場合には③の考え方と同じ帰結になる。

（注2）具体例

［事例］

相続人　　A、Bの2名（法定相続分は各2分の1）

遺産　　　1400万円分(1000万(預金)＋400万円分(不動産))

特別受益　Aに対する生前贈与1000万円

　Aが相続開始後に密かに500万円を払い戻した場合（受領権者としての外観を有する

者に対する弁済として有効であることを前提とする。）における、A及びBの遺産分割等における取得額を考えることにする。

[計算]
① Aの出金がなかったとした場合の計算

Aの具体的相続分　$(1400万+1000万) \times \frac{1}{2} - 1000万 = 200万$

Bの具体的相続分　$(1400万+1000万) \times \frac{1}{2} = 1200万$

したがって、遺産分割において、Aは200万円分の財産（特別受益を含めると1200万円分）、Bは1200万円分の財産を取得することができる。

② 旧法の考え方

具体的相続分の計算は①と同じ。したがって、Aの具体的相続分は200万円分、Bの具体的相続分は1200万円分となる。

遺産分割時の遺産（900万円分）を具体的相続分で割付けをする（1万円未満四捨五入）と、

Aは、$900万 \times \dfrac{200万}{1200万+200万} = 129万$

Bは、$900万 \times \dfrac{1200万}{1200万+200万} = 771万$

となり、結局、最終的な取得分は、

　A　$1000万+500万+129万=1629万円分$
　B　$771万円分$

となり、不当な払戻しをしたAが払戻しをしなかった場合と比べて得をすることになる。

なお、Aの500万円の払戻しについては、1000万円の預金のうち法定相続分に相当する額の払戻しに過ぎないが、遺産分割の対象となる信託受益権について当該相続人の法定相続分以内の処分であっても当該処分のうち他の共同相続人の法定相続分に相当する額については不当利得が成立する旨判示をした最一判平成26年9月25日廣瀬孝＝市原義孝「最高裁民事破棄判決等の実情（上）――平成二六年度――」判時2258号30頁（2015年）の趣旨からすると、Bは、Aに対して法定相続分に従って250万円の損害賠償請求又は不当利得返還請求をすることができると考えることができる。

もっとも、仮に民事訴訟によってこの権利を行使したとしても、最終的な取得額は、

　A　$1629万-250万=1379万円$
　B　$771万+250万=1021万円$

となり、依然として不当な払戻しをしたAが払戻しをしなかった場合と比べて得をすることになる。

（注3）なお、預貯金債権については、最大決平成28年12月19日（Q44参照）により遺産分割の対象財産となるとともに、各共同相続人による単独での権利行使も禁じられる

ことになった。そうすると、共同相続人の1人によって預貯金の払戻しが行われることは違法であり、他の共同相続人は不法行為に基づく損害賠償請求又は不当利得返還請求をすることができるものと解し得る。この場合にも、具体的相続分を前提として損害額又は損失額の算定がされるのであれば結果的に計算上の不公平を是正することができるが、具体的相続分については権利性がないという判例（最一判平成12年2月24日民集54巻2号523頁）の解釈を前提とすれば、不法行為又は不当利得の解釈においても、法定相続分を前提として損害額又は損失額の算定がされることになる可能性が高いものと考えられる。

Q61 遺産分割前に遺産に属する財産が全て処分された場合には、第906条の2の規定は適用されるのか（第906条の2関係）。

A 第906条の2は、遺産分割前に遺産に属する財産が処分された場合には、当該処分された財産はもはや遺産ではないことを前提としつつ、処分をした者以外の共同相続人の全員の同意を条件として、遺産分割時に当該処分された財産を遺産として存在するものとみなすことができることとするものである。もっとも、遺産分割は、一般に、相続開始時に存在し、かつ、分割時にも存在する相続財産を分割する手続であるとされており、このような考え方を前提とすれば、遺産分割前に遺産に属する財産が全て処分され、遺産分割の対象となる財産が存在しない場合には、そもそも遺産分割を行うことができないことになる。同条の規定は、あくまでも遺産分割が行われる場合であることを前提として、処分された財産を遺産とみなすことができるという規定であるから、遺産分割をすることができない場合については、適用の対象とならないものと考えられる。

以上のとおり、遺産分割前に遺産に属する財産が全て処分された場合又は先行する遺産分割手続において処分された財産以外の全財産について全て分割が終了している場合については、そもそも遺産分割がされるべき場合でないため、同条の適用はないものと考えられる。

もっとも、動産等も含めれば、遺産分割前に遺産に属する財産全てが処分されてしまい、何も分割すべき遺産がないといったケースはかなり稀ではないかと思われる。

Q62 遺産分割前に遺産に属する財産を処分したのが共同相続人以外の第三者である場合には、第906条の2の規定は適用されるのか（第906条の2関係）。

A 1 第906条の2第1項は、「遺産の分割前に遺産に属する財産が処分された場合であっても、共同相続人は、その全員の同意により、当該処分された財産が遺産の分割時に遺産として存在するものとみなすことができる。」としており、その文言上、当該処分が共同相続人によるものか、それ以外の第三者によるものかで区別をしていないことから、同項については、遺産分割前に遺産に属する財産を処分したのが共同相続人以外の第三者である場合にも適用がある。

これは、第三者が遺産を処分した場合であっても、第三者に対する損害賠償請求権や処分された財産に関する保険金請求権を遺産分割の対象とするために、全共同相続人の同意により処分された財産を遺産分割の対象とするということも考えられ、旧法における実務上も、全共同相続人の同意によりいわゆる代償財産を遺産分割の対象とするという取扱いがされていたことから、同項においては、第三者により処分された場合を含め、当該処分された財産が遺産として存在するものとみなすことができることとしている。

2 これに対し、第906条の2第2項は、遺産分割前の遺産に属する財産の処分が共同相続人の1人又は数人により行われた場合にその処分者の同意を要しないとするものであるから、第三者がその処分を行った場合には適用されない。同項の規定は、遺産に属する財産を処分した共同相続人が同条第1項の同意をしないことにより、処分がなかった場合と比べて利得をするという不公平が生じないようにするものであるが、当該処分を行った者が共同相続人以外の第三者である場合には、当該処分により共同相続人の誰かが利得をするという関係にはないため、同条第2項の規定の適用を行う必要はないためである。

もっとも、当然のことではあるが、第三者が遺産に属する財産を不当に処分した場合には、各共同相続人は、当該第三者に対して、不法行為に基づく損害賠償請求権又は不当利得返還請求権を行使することができる。

Q63 第906条の2第1項の共同相続人の同意については、撤回することができるのか（第906条の2第1項関係）。

A 第906条の2第1項は、「遺産の分割前に遺産に属する財産が処分された場合であっても、共同相続人は、その全員の同意により、当該処分された財産が遺産の分割時に遺産として存在するものとみなすことができる。」としており、共同相続人全員の合意が成立した時点で、処分財産を遺産とみなすという実体法上の効果を生じさせるものであるが、このような効果は共同相続人の意思に沿ったものであるから、各共同相続人の同意は意思表示に当たる。

そして、新法においても、同意の撤回について特段の措置は設けていないから、第906条の2第1項の「同意」については、他の意思表示と同様、原則として撤回することができないものと考えられる。

もっとも、共同相続人の同意の一部又は全部が錯誤、詐欺又は強迫によってされたものである場合については、その同意の意思表示は取り消し得ることになる（第95条、第96条）。

Q64

遺産分割前に遺産に属する財産が処分されたが、共同相続人間で、誰が処分したのか争いがある場合には、どうしたらよいのか（第906条の2関係）。

A 共同相続人間において遺産に属する財産の処分者が争われている場合でも、遺産分割事件を取り扱う家庭裁判所において、遺産分割の前提問題としてその処分者について事実認定をした上で、遺産分割の審判をすることは可能である。

もっとも、家庭裁判所が遺産分割の審判の中でした事実認定については既判力等の拘束力が生じないため、後にその事実認定が既判力のある確定判決等に抵触することとなった場合には、遺産分割の審判の全部又は一部の効力が否定されるおそれがある。

そこで、遺産分割の当事者としては、このような事態が生じないようにするため、遺産分割の前提問題として、当該処分された財産が第906条の2の規律により遺産に含まれることの確認を求める民事訴訟を提起することができるものと考えられる（最一判昭和61年3月13日民集40巻2号389頁参照）。

例えば、相続人がA、Bの2人おり、Aが遺産に属する財産を処分したとして、Bが第906条の2の規定により遺産とみなすべきであると主張している場合において、Aが自分は当該処分をしていないとして争っている事例を想定する。この場合に、Bは、①当該処分された財産が相続開始時に被相続人の遺産に属していたこと、②処分された財産の処分者はAであること、③Bは、処分された財産を遺産分割の対象に含めることに同意をしていることを主張して、処分された財産が遺産に含まれることの確認を求める訴えを地方裁判所等に提起することができるものと考えられる。

そして、その民事訴訟において、①から③までの事実がいずれも存在するものと認定され、その判決が確定した場合には、その判断に既判力が生ずるため、遺産分割手続を行う家庭裁判所は、その事実を前提として遺産分割の審判を行うことになる。

第4章 遺言制度に関する見直し

［自筆証書遺言の方式緩和］

Q65 自筆証書遺言の方式を緩和したのはなぜか。方式を緩和すると、偽造、変造が容易になってしまうのではないか（第968条第2項関係）。

A 1 旧法の下では、自筆証書遺言はその全文を自書しなければならないものとされていたが（改正前の第968条第1項）、このような厳格な方式が遺言者の負担となって自筆証書遺言の利用が阻害されているとの指摘がされていた。また、財産目録は対象財産を特定するだけの形式的な事項であるため、この部分については自書を要求する必要性が類型的に低いと考えられる。

　そこで、自筆証書遺言をより使いやすいものとすることによってその利用を促進する観点から、自筆証書に遺産や遺贈の対象となる財産の目録（以下「財産目録」という。）を添付する場合には、その目録については自書を要しないこととして、自筆証書遺言の方式を緩和することとしたものである。

2　もっとも、自筆証書遺言の方式を緩和した場合には、旧法の規律によるよりも遺言書の偽造・変造が容易になるおそれがあることから、第968条第2項において、自筆証書に自書によらない財産目録を添付する場合には、その目録の「毎葉」（注）に署名及び押印をしなければならないこととしている。これによって、遺言者以外の者が作成した目録が添付されることを防止することとしている。また、自書によらない財産目録の記載が両面に及ぶ場合にはその両面に署名及び押印をしなければならないこととしている。これは、財産目録の裏面が白紙であるような場合に、裏面に他の財産を記載する方法で遺言書を変造することを防止しようとするものである。

　（注）ここで「毎葉」とは、財産目録の全ての用紙という意味であるが、第968条第2

項では、「毎葉」の後に、括弧書きで、「自書によらない記載がその両面にある場合にあっては、その両面」と規定しているため、「各頁」という文言を用いるのと実際上の差異はほとんど生じない。もっとも、厳密には、同項の規律によれば、自書によらない記載が用紙の片面にしかない場合には、その裏面に署名及び押印をすることでも要件を満たすことになる点で違いがある。

Q66 自筆によらない財産目録を添付して遺言書を作成する場合には、自筆証書と財産目録にそれぞれどのような事項を記載する必要があるか（第968条第2項関係）。

A 1　自筆証書に財産目録を添付して遺言をする場合であっても、本文を記載する自筆証書は第968条第1項に定める方式を満たすものでなければならない。したがって、その全文、日付及び氏名を自書するとともに、押印をする必要がある。また、本文が記載されている自筆証書の一部に自書によらない財産目録を記載することは認めていないこと（Q69参照）からすると、日付の記載や自筆証書にすべき署名押印を財産目録が記載された用紙にすることはできないものと考えられる。

したがって、自書によらない財産目録を添付して自筆証書遺言をする場合には、第968条第1項の署名押印と同条第2項の署名押印とを1個の署名押印で兼ねることはできず、自筆証書遺言の本文に同条第1項の署名押印をするとともに、財産目録の各頁（Q65(注)参照）にも署名押印しなければならないこととなる。

2　第968条第2項は、基本的には、相続財産について財産目録を添付する場合の規律であるが、遺贈の場合には、相続財産に属しない権利を目的とするもの（いわゆる他人物遺贈）も認められていることから（第997条第1項）、第968条第2項では、その目的となる権利についても自書によらない財産目録を作成することができることを明らかにするために、「相続財産（第997条第1項に規定する場合における同項に規定する権利を含む。）」と規定している。

財産目録には、通常、対象財産が不動産である場合にはその地番、地積等又は不動産番号（不動産登記規則第90条）が、対象財産が預貯金債権である場合には金融機関名、口座番号等が記載されることになるものと考えられる。財産目録の記載内容については、特段の規定はないため、財産を特定することができれば有効なものとして取り扱われることになると考えられるが、事後の紛争を防止する観点からも、財産の特定について疑義が生じないような記載をする必要がある。

財産目録については、各頁に署名押印を要求する以外には、特段の方式を定めていない。したがって、遺言者本人がパソコン等を用いて作成した財産目録を添付することはもとより、遺言者以外の者が作成した財産目録を添付し、又は不動産の登記事項証明書や預貯金通帳の写し等を財産目録として添付することも許される（本書巻末の参考資料1も参照されたい。）。

Q67 財産目録の添付の方式について特別の定めはあるか（第968条第2項関係）。

A 　第968条第2項は、財産目録の添付の方法について自筆証書遺言との一体性を要求するほかは特段の方式を定めていない(注)。したがって、自筆証書と財産目録とを編綴したり、契印をしたりする必要はない。

　旧法の下でも、自書した財産目録を添付して自筆証書遺言を作成することはできたが、その場合であっても、本文の記載がある書面と財産目録との間に契印等を要することとはされていなかった。このため、自書によらない財産目録を添付する場合に、旧法下で要求されていなかった契印等の要件を新たに設けることにすると、この点の法的知識がなかったり、あるいは契印を失念したりするなどして、契印の要件を満たさずに遺言が無効となる事案が増加するおそれがある。そのため、自書によらない財産目録を添付する場合にも、契印を必要的なものとすることとはしなかったものである。

　なお、遺言者において、財産目録の署名押印の他にも遺言書全体の一体性を確保する手段を講じたい場合には、契印をする方法のほか、同一の封筒に入れて封緘することや、遺言書全体を編綴するといった方法が考えられ、遺言者において適切な方法を選択することができる。

（注）第968条第2項では、「自筆証書にこれと一体のものとして相続財産……の全部又は一部の目録を添付する場合には」と規定しているが、ここでの一体性は、遺言書の保管状況等に照らし、本文の記載がある書面と財産目録の記載がある書面とが一体の文書であると認められれば足り、契印、封緘又は編綴をするなど、物理的に一体となっていることまで要求する趣旨ではない。

Q68 財産目録に署名押印をする場合には、どのような点に注意すべきか（第968条第2項関係）。

A 1 自書によらない財産目録を添付して自筆証書遺言をする場合には、遺言者は、自書によらない目録の「毎葉」に署名押印をしなければならず、特に自書によらない記載がその両面にある場合には、財産目録の両面に署名押印をしなければならない。「毎葉」とは財産目録の全ての用紙という意味であり、表裏は問わないため、自書によらない記載が財産目録の片面にしかない場合には、遺言者は、財産目録の用紙のいずれかの面に署名押印をすれば足りる（Q65(注)参照）。したがって、例えば、不動産の登記事項証明書を財産目録として添付する場合には、裏面にも自書によらない記載がされている場合を除き、遺言者は、証明書が記載された印刷面を避けて裏面に署名押印をすることもできる。

財産目録の「毎葉」に署名押印をすることを要件としたのは、自筆証書遺言の要件を緩和した場合には、旧法下よりも遺言書の偽造・変造が容易になるおそれがあるためである。単に財産目録については自書によらなくてもよいこととするだけでは、受遺者や特定財産承継遺言の受益者が、遺贈等の目的物を自己に有利なものにするために自書によらない財産目録を差し替えたり、自己に対する遺贈等の目的物が記載された財産目録の裏面に他の財産を記載することにより遺贈等の目的物を増やしたりすることによって、遺言書を偽造・変造することが容易になり得ると考えられる。そこで、前者については財産目録の「毎葉」に署名押印を求めることにより差替えを防止し、また、後者については、財産目録の記載が両面にある場合にはその両面に署名押印を求めることにより裏面に事後的に記載がされることを防止することとしたものである。

2 財産目録への押印に用いる印については、作成者の印であること以外に特段の要件はない。したがって、本文が記載された自筆証書に押された印と同一のものである必要はなく、また、いわゆる認印であっても差し支えない。

この点に関し、法制審議会民法（相続関係）部会では、本文が記載されて

いる自筆証書に押された印と同一のものであることを要求することも検討されたが、これにより偽造・変造の防止に一定の効果があるとしても、その効果は限定的であると考えられるのに対し、この点の方式違反により無効とされる遺言が増えるおそれがあることから、このような考え方は採用されなかったものである。

Q69 遺言書の本文が記載されているページに、財産目録を印刷して遺言書を作成することはできるのか（第968条第2項関係）。

A 第968条第2項では、自筆証書に相続財産の全部又は一部の目録を添付する場合には、当該目録については自書することを要しないこととしている。

「添付する」とは、文字どおり、書類などに他のものを付け加えることを意味するものであり、自筆証書に添付する財産目録についても、本文の記載がされた用紙とは別の用紙を用いて財産目録を作成する必要がある。したがって、遺言書の本文が記載された自筆証書と同一の用紙の一部に財産目録を印刷して遺言書を作成することは認められない。

これは、同一の用紙の中に自書による部分と印刷による部分とを混在させて遺言書を作成することを認める必要性に乏しい一方で、自筆による遺言書の本文と同一の用紙に財産目録を印刷して遺言書を作成することを認めた場合には、完成した遺言書の余白部分に第三者が財産目録を印刷するなどして遺言書の変造を容易にするおそれがあることや、許される方式とそうでない方式との区別が曖昧になるおそれがあること等を考慮したものである。

Q70 自書によらない財産目録を訂正する場合には、どのようにしたらよいのか（第968条第3項関係）。

A 1　第968条第3項は、改正前の第968条第2項と同様の規定であるが、自書によらない財産目録の加除その他の変更についても、自筆証書の変更と同様に、遺言者が、その場所を指示し、これを変更した旨を付記して特にこれに署名し、かつ、その変更の場所に印を押さなければ、その効力を生じないこととしている。したがって、財産目録中の記載の一部を訂正する場合には、適宜の方法で訂正をした上で、例えば、「本目録第三行目中、二文字削除、二文字追加」等と訂正場所を指示した上でそれを訂正する旨文言を付記した上で署名し、さらに訂正箇所に押印する必要がある（本書巻末の参考資料1も参照されたい）。

2　また、財産目録を差し替える方法で遺言書を変更することも可能であるが、そのような変更をする場合にも、第968条第3項に定める方式で行う必要がある。例えば、旧目録を斜線等で抹消した上でその斜線上に抹消印を押し、新目録の紙面上に追加印を押した上でこれを添付し、さらに、本文が記載された紙面上に訂正文言（例えば「旧目録を削除し、新目録を追加した。」等）を記載し、遺言者自ら署名することが必要である。

3　なお、このような財産目録の差替えに関しては、遺言作成時に有していた効果意思とは異なるような、全く異なる内容の財産目録に差し替えることができるのかという問題が生じ得る。この点については、旧法の下でも、自筆の財産目録を添付して遺言書を作成していた場合に、財産目録を全く異なる内容のものと差し替えることができるのかという類似の問題が生じ得るところであり、最終的には裁判所の解釈に委ねられることになるが、一般論としては、第968条第3項の規定に則って差替えが行われている以上、適式な変更として許されることになるのではないかと考えられる。

第4章 遺言制度に関する見直し

[遺贈の担保責任]

Q71 遺贈の担保責任に関する規律を見直したのはなぜか（第998条関係）。

A 1 旧法の下では、遺贈の担保責任について、特定物と不特定物とを区別した上でそれぞれに異なる規律が設けられていたが（改正前の第998条、第1000条）、平成29年5月に成立した民法の一部を改正する法律（平成29年法律第44号。いわゆる債権法改正法）では、贈与の担保責任に関する規律の見直しが行われ、贈与者は、特定物と不特定物とを問わず、契約内容に適合する物又は権利を引き渡し、又は移転する義務を負うことを前提とした上で、その無償性に鑑み、贈与の目的として特定した時の状態で引き渡し、又は移転することを約したものと推定するとの規定が設けられた（第551条第1項）。

2 新法では、贈与と同じく無償行為である遺贈についても、贈与に関する規定の内容を踏まえ、遺贈義務者は、原則として、遺贈の目的である物又は権利を、相続開始の時の状態で引き渡し、又は移転する義務を負うこととした上で（第998条本文）、遺言者がその遺言において別段の意思を表示したときは、その意思に従うこととしている（同条ただし書）[注]。なお、贈与と異なり、別段の意思を表示する方法を遺言に限定したのは、遺贈の場合にはその効力が生ずる時点で遺言者は既に死亡していることから、死者の意思をめぐる紛争を可及的に防止するためである。

（注）これにより、改正前の第1000条が定めていた内容（遺贈の目的である不動産に抵当権が設定されている場合のように、遺贈の目的である物又は権利が遺言者の死亡の時において第三者の権利の目的である場合には、受遺者は、原則として、遺贈義務者に対し、その権利を消滅させるよう請求することができないこと）も明らかになるため、第998条の改正に併せて改正前の第1000条を削除することとしている。

[遺言執行者の権限の明確化]

Q72 遺言執行者の権限を明確化することとしたのはなぜか（第1007条第2項、第1012条～第1015条関係）。

A 1　旧法には、遺言執行者の権利義務等に関する一般的・抽象的な規定はあったものの（第1012条）、遺言執行者は誰の利益のために職務を遂行すべきかといった点や、例えば、相続させる旨の遺言や遺贈がされた場合に、遺言執行者が具体的にどのような権限を有するかといった点は、規定上必ずしも明確でなく、判例等によってその規律の明確化が図られてきた。

2　近年、遺言の件数が増加している中で、遺言を円滑に執行し、相続をめぐる紛争をできる限り防止するためには、遺言執行者の果たす役割がさらに重要になるものと考えられる。

そこで、新法では、遺言執行者の権限の内容をめぐる紛争を防止し、円滑な遺言の執行を促進する観点から、相続させる旨の遺言等がされた場合の遺言執行者の具体的な権限の内容等について、新たに規律を設けることとしている（詳細は、Q73～Q77参照）。

Q73 遺言執行者が任務を開始したときに、相続人に対して遅滞なく通知する旨の規定を設けたのはなぜか（第1007条第2項関係）。

A 旧法の下では、遺言執行者には、相続財産の目録を作成してこれを相続人に交付すべき義務はあった（第1011条）が、自らが就職した事実や遺言の内容を相続人に通知する義務についての規定は存在しなかった。

　もっとも、遺言の内容の実現は、原則として、遺言執行者がある場合には遺言執行者が、遺言執行者がない場合には相続人がすべきことになるため、相続人としては、遺言の内容及び遺言執行者の存否については重大な利害関係を有することになる。

　また、今後、遺言の利用がますます促進されることが予想され、相続人の手続保障の観点から、相続人がこれらの情報を知る手段を確保する必要があること等に鑑み、新法では、遺言執行者が就職した場合には、遅滞なく、遺言の内容を相続人に通知しなければならないこととしたものである（第1007条第2項）。

Q74 改正前の第1012条第1項や第1015条の規定を見直したのはなぜか（第1012条第1項、第1015条関係）。

A 1 改正前の第1012条第1項では、遺言執行者の一般的な権利義務として、相続財産の管理その他遺言の執行に必要な一切の行為をする権利義務を有する旨が定められていたが、遺言執行者の権限についてはこのような包括的規定しかなく、その法的地位が不明確であるとの指摘がされていた。また、改正前の第1015条では、「遺言執行者は、相続人の代理人とみなす」と規定されていたことから、遺留分に関する権利行使がされた場合等、遺言者の意思と相続人の利益とが対立する場合に、遺言執行者は、相続人のために職務を行うべき義務がある等と主張され、遺言執行者と相続人との間でトラブルになることが少なくないといわれていた。

2 そこで、新法では、まず第1015条について、遺言執行者と相続人との間で無用の紛争が生ずるのを防止する観点から、「相続人の代理人とみなす」という表現を改めるとともに、第1012条第1項において、遺言執行者の職務は、遺言の内容を実現することにあるとする規定を設け、その法的地位を明確化することとしている(注)。

（注）遺言執行者の法的地位について、判例は、「遺言執行者の任務は、遺言者の真実の意思を実現するにあるから、民法1015条が、遺言執行者は相続人の代理人とみなす旨規定しているからといつて、必ずしも相続人の利益のためにのみ行為すべき責務を負うものとは解されない。」と判示していた（最三判昭和30年5月10日民集9巻6号657頁）。

Q75

遺言執行者がある場合には、遺贈の履行は遺言執行者のみが行うことができることとしたのはなぜか。また、第1012条第2項の「遺贈」には包括遺贈も含まれるのか（第1012条第2項関係）。

A

1 旧法の下では、遺贈義務者の定義規定は置かれていた（第987条）ものの、遺贈義務者と遺言執行者の権限との関係等が規定上必ずしも明確でないとの指摘がされていた。

この点に関し、判例は、特定遺贈がされた場合において、遺言執行者があるときは、遺言執行者のみが遺贈義務者となると判示していた（最二判昭和43年5月31日民集22巻5号1137頁）。

そこで、新法では、上記判例を明文化する観点から、「遺言執行者がある場合には、遺贈の履行は、遺言執行者のみが行うことができる」とする規定を設けることとしている（第1012条第2項）。

2 なお、民法では、包括遺贈がされた場合には、受遺者は、相続人と同一の権利義務を有することとされている（第990条）。

もっとも、これはあくまでも包括遺贈がされた場合の効果を定めるものであり、包括遺贈がされた場合の遺言の執行方法について、相続分の指定がされた場合等、相続を原因とするものと同じにすることまで意図したものではないと考えられる。現に、不動産登記の申請に当たっては、実務上、包括遺贈による権利の移転の登記は、特定遺贈の場合と同様、遺言執行者又は相続人と受遺者との共同申請によることとされており、相続による権利の移転の登記のように単独申請をすることは認められていない。このため、包括遺贈の受遺者は、遺言執行者又は相続人に対して、その遺贈の履行を求めることができるものと解されている[注1][注2]。

このように、遺言の執行方法については、特定遺贈と包括遺贈とで異なるところはないと考えるべきであり、遺言執行者がある場合には、遺言執行者に対して遺贈の履行を請求させるのが相当であることから、第1012条第2項では、特定遺贈と包括遺贈とを区別することなく、遺言執行者のみが遺贈義務者となることを明らかにしている。

（注1）包括遺贈による所有権の移転の登記は、登記権利者として受遺者、登記義務者として遺言執行者又は相続人との共同申請によるべきものとされている（昭和33年4月28日付け民事甲第779号民事局長心得通達）。

（注2）例えば、相続人がAしかいない場合において、被相続人が第三者Bに対してその財産の2分の1を包括遺贈するという遺言をした場合には、Bは、相続財産に含まれる不動産の共有持分2分の1を取得することになり、Bは、Aに対して当該不動産の共有持分の移転登記手続を求めることができる。なお、遺言執行者がある場合には、Bは、遺言執行者に対して共有持分の移転登記手続を求めることができる。

Q76

特定財産承継遺言（いわゆる相続させる旨の遺言）がされた場合に、遺言執行者に対抗要件の具備に必要な行為をする権限を付与したのはなぜか（第1014条第2項関係）。

A 1 旧法の下で特定の相続人に不動産を相続させる旨の遺言がされた場合について、判例は、不動産取引における登記の重要性に鑑みると、相続させる旨の遺言による権利移転について対抗要件を必要とすると解するか否かを問わず、当該相続人に当該不動産の所有権移転登記を取得させることは遺言執行者の職務権限に属するとした上で、相続させる旨の遺言については、不動産登記法上、権利を承継した相続人が単独で登記申請をすることができるとされていることから、当該不動産が被相続人名義である限りは、遺言執行者の職務は顕在化せず、遺言執行者は登記手続をすべき権利も義務も有しないと判示していた（最一判平成11年12月16日民集53巻9号1989頁）(注1)。そして、旧法の下では、判例上、相続させる旨の遺言によって承継された権利については、登記なくして第三者に対抗することができるとされていたことから（Q100参照）、遺言執行者が受益相続人のために速やかに対抗要件を具備する必要性もさほど高くなかったといえる。

2 しかしながら、新法では、特定財産承継遺言がされた場合についても、取引の安全等を図る観点から、遺贈や遺産分割と同様に対抗要件主義を導入し、法定相続分を超える権利の承継については、対抗要件の具備なくして第三者に権利の取得を対抗することができないこととしており（第899条の2第1項）、遺言執行者において、遺言の内容を実現するためにも、速やかに対抗要件の具備をさせる必要性が高まったといえる。また、対抗要件の具備を遺言執行者の権限とすることにより、相続登記の促進を図る効果も期待される。

3 そこで、新法では、特定財産承継遺言がされた場合(注2)について、遺言執行者は、その遺言によって財産を承継する受益相続人のために対抗要件を具備する権限を有することを明確化することとしている（第1014条第2項）。

4 この改正に伴い、不動産登記の実務においても、不動産を目的とする特定財産承継遺言がされた場合には、遺言執行者は、単独で、相続による権利の移転の登記を申請することができるようになると考えられる。なお、受益相続人が対抗要件である登記を備えることは、第1013条第1項の「その他遺言の執行を妨げるべき行為」に該当しないことから、新法の下でも、受益相続人が単独で相続による権利の移転の登記を申請することができることに変わりはない。

(注1) 相続させる旨の遺言がされた場合には、登記実務上、不動産登記法第63条第2項に基づき、受益の相続人が単独で相続登記をすることができるため、従来は、この登記実務の取扱いを根拠に、相続させる旨の遺言についてはおよそ遺言執行の余地がなく、ひいては、遺言執行者の指定も無効であるとの見解も有力に主張されていた。

しかし、河邉義典「判解」法曹会編『最高裁判所判例解説民事篇 平成11年度(下)』1009頁(法曹会、1965年)によれば、本文1の判決は、上記のような考え方は採らず、民法の解釈としては、受益相続人に当該不動産の所有権移転登記を取得させることが、改正前の第1012条第1項所定の「遺言の執行に必要な……行為」に当たり、遺言執行者の本来的な職務権限に含まれるものと判断したとの解説がされている。その意味では、第1014条第2項は、この判例を明文化したものということができる。

(注2) 新法では、「特定財産承継遺言」とは、「遺産の分割の方法の指定として遺産に属する特定の財産を共同相続人の一人又は数人に承継させる旨の遺言」をいうものとしている(第1014条第2項)。他方で、相続させる旨の遺言については、「遺言書の記載から、その趣旨が遺贈であることが明らかであるか又は遺贈と解すべき特段の事情のない限り、……遺産の分割の方法を定めた遺言であり、……当該遺言において相続による承継を当該相続人の受諾の意思表示にかからせたなどの特段の事情のない限り、何らの行為を要せずして、被相続人の死亡の時(遺言の効力の生じた時)に直ちに当該遺産が当該相続人に相続により承継されるものと解すべき」とされている(最二判平成3年4月19日民集45巻4号477頁)。したがって、相続させる旨の遺言については、厳密にいうと、特定財産承継遺言(遺産分割方法の指定がされたと解すべきもの)と遺贈(遺贈と解すべき特段の事情があるもの等)の2つに分かれるといえるが、基本的には特定財産承継遺言に該当するといえることから、本書では厳密な記載分けをしていない。

Q77 預貯金債権について特定財産承継遺言（いわゆる相続させる旨の遺言）がされた場合に、遺言執行者に預貯金の払戻しや預貯金契約の解約権限を付与したのはなぜか。預貯金以外の金融商品については、どうなるのか（第1014条第3項関係）。

A 1 旧法では、特定の相続人に預貯金債権を相続させる旨の遺言がされた場合に、遺言執行者が当然に預貯金の払戻しや預貯金契約の解約の申入れをすることができるかについては、明文の規定がなく、必ずしも明らかではなかった。そのため、遺言執行者から預貯金の払戻し等の請求があった場合に、遺言執行者と金融機関との間で遺言の解釈等をめぐってトラブルになるおそれがあるなどとして、遺言執行者に預貯金の払戻し等の権限があることを規定上明確にすべきであるとの指摘がされていた。

　また、遺言者としても、特定の相続人に預貯金債権を承継させ、かつ、遺言執行者を指定している場合には、遺言執行者に預貯金の払戻し等の権限を付与する意思を有していた場合が多いものと考えられる。

　そこで、改正法では、特定の相続人に預貯金債権を相続させる旨の特定財産承継遺言がされた場合には、原則として、遺言執行者に預貯金の払戻しや預貯金契約の解約の申入れをする権限があることを規定上明確にすることとしている（第1014条第3項本文、第4項）^(注)。もっとも、預貯金債権の一部が特定財産承継遺言の目的となっているに過ぎない場合に、遺言執行者に預貯金債権全部の払戻しを認めることとすると、受益相続人以外の相続人の利益を害するおそれがあること等に鑑み、預貯金契約の解約権限については、預貯金債権の全部が特定財産承継遺言の目的となっている場合に限定することとしている（同条第3項ただし書）。

2 これに対し、預貯金以外の金融商品については、様々なものが考えられ、一律に遺言執行者に同様の権限を付与するのは相当でないと考えられることから、新法では、預貯金以外の金融商品について、遺言執行者の権限の内容を具体化する規定を設けることとはしていない。例えば、委託者指図型投資信託受益権のようにその価額が大きく上下する可能性があるものについては、遺言執行者の解約権の行使時期によって受益者に不利益が生ずること

も想定され、遺言者としても、このような場合に解約権の行使時期を遺言執行者の判断に委ねる意思までは有していない場合が多いものと考えられる。

　このため、預貯金以外の金融商品に係る権利を特定の相続人に相続させる旨の遺言がされた場合に、遺言執行者に解約権限があるかどうかについては、これまでどおり解釈に委ねられることになるが、遺言者が明示又は黙示に意思表示をして遺言執行者に解約権限等を付与することは、当然に可能である。

（注）第1014条第3項は、預貯金債権を目的とする特定財産承継遺言がされた場合における遺言執行者の権限を定めた規定であり、預貯金債権の遺贈がされた場合については適用されない。これは、次のような理由による。

　すなわち、旧法の下では、特定財産承継遺言と遺贈とでは、遺言執行者がない場合に相続人が遺言の内容を実現する義務を負うか否かで異なるものと解されており、特定財産承継遺言の場合には遺言執行者がなくとも相続人はその義務を負わないが、遺贈の場合には遺言執行者がなければ相続人がその義務を負うこととされていた。このように、遺贈の場合には、遺贈を実現する義務を負う者が遺言執行者に限られないため、遺贈がされた場合における遺言執行者の権限を明らかにしようとすれば、遺言執行者の権限としてこれを規定するのではなく、遺贈義務の具体的内容を定める規定を設ける必要があると考えられる。もっとも、遺贈と類似の性質を有する贈与についてはこのような規定は設けられておらず、遺贈についてのみこのような規定を設けることは法制的に困難な面がある。また、預貯金債権の遺贈がされ、遺言執行者が指定されていない場合に、各相続人に預貯金の払戻し権限を認めることは、遺贈義務者である各相続人と受遺者との利害が対立すること等に鑑みると、必ずしも相当ではなく、預貯金債権の遺贈がされた場合に遺言執行者がどのような権限を有するかについては、これまでどおり解釈に委ねるのが相当であると考えられる。

　なお、遺言者がその遺言において遺言執行者に預貯金の払戻し権限等を付与することは当然に可能であり、その場合には、遺言執行者は預貯金の払戻し等を請求することができることになる。

Q78 遺言執行者の復任権に関する規律を見直したのはなぜか（第1016条関係）。

A 1 改正前の第1016条は、遺言執行者は、原則として、やむを得ない事由がなければ第三者にその任務を行わせることができないとして、その復任権を制限していた。これは、一般に、遺言執行者は法定代理人であると解されているが、他の法定代理人とは異なり、遺言者との信頼関係に基づいて選任される場合が多く、任意代理人に近い関係があることを考慮したものであるといわれていた。

2 しかし、遺言者が遺言執行者を指定しない場合には、家庭裁判所がこれを選任することになるのであるから、その意味では、一概に任意代理人に近い関係があるとはいい難い。また、任意代理人の場合に復任権が制限されているのは、本人の意思に従った処理をすべき要請が高く、復任の必要がある場合には本人の同意を得た上で任意代行者を選任すれば足りると考えられるためである。これに対し、遺言執行者の場合には、遺言者は既に死亡しているため、任務代行者の選任について相続人全員の同意を得ることが必要となるが、それが困難な場合も多いものと考えられ、その意味では、一般の任意代理の場合よりも復任の自由を認める必要性が高いと考えられる。さらに、遺言者の意思としても、自らが選任した遺言執行者がその任務を行うのが困難な場合には、その代行者の選任については、遺言執行者の判断に委ねる趣旨である場合が多いものと考えられる。

他方で、法定代理人は、原則としてその責任において復代理人を選任することができるとされており（第105条）、これは、法定代理人の職務は広範に及ぶため単独では処理し得ない場合も多く、復代理人を選任する必要性が一般的に高いこと、また、法定代理人が選任される場合の本人は制限行為能力者や不在者等、復代理人を選任することについての許諾能力に欠ける場合が多いこと等を考慮したものであるといわれている。

そして、遺言執行者についても、遺言の内容によっては、その職務が非常に広範に及ぶこともあり得ること、また、上記のとおり、遺言執行者が任務代行者を選任する際に相続人全員の同意を得るのは困難な場合が多いこと等

の事情が存在し、法定代理一般の場合と状況が類似しているものと考えられる。

3　新法では、以上の点を考慮して、遺言執行者についても、他の法定代理人と同様の要件で復任権を認めることとしたものである。具体的には、自己の責任で第三者にその任務を行わせることができることとし、また、復任権を行使した場合の責任についても、他の法定代理人の場合と同様に、第三者に任務を負わせることについてやむを得ない事由があるときは、遺言執行者は相続人に対してその選任及び監督についての責任のみを負うこととして、その責任の範囲を明確にしている（第1016条）。

第5章 遺留分制度に関する見直し

[金銭債権化]

Q79 遺留分権利者の権利行使によって生ずる権利を金銭債権化したのはなぜか（第1046条第1項関係）。

A 1 旧法においては、遺留分に関する権利を行使すると、当然に物権的効果が生じ、遺贈又は贈与の一部が無効となるものとされていたため、遺贈等の目的財産は遺留分権利者と遺贈等を受けた者との間で、共有になることが多かった。

しかしながら、このような帰結は、遺贈等の目的財産が事業用財産であった場合には円滑な事業承継を困難にするものであり、また、共有関係の解消をめぐって新たな紛争を生じさせることになるとの指摘がされていた(注1)。

また、現在の遺留分制度は、遺留分権利者の生活保障や遺産の形成に貢献した遺留分権利者の潜在的持分の清算等を目的とする制度となっており、このような制度趣旨に照らしても、遺留分権利者に遺留分侵害額に相当する価値を返還させることで十分であるとの指摘がされていた(注2)。

2 そこで、新法においては、遺留分に関する権利行使により遺贈又は贈与の一部が当然に無効となり、共有状態が生ずるという旧法の規律を見直すこととし、遺留分に関する権利を行使することにより、金銭債権が発生することとしたものである（第1046条第1項）。

（注1）例えば、被相続人が特定の相続人に家業を継がせるため、株式や店舗等の事業用財産について遺贈等をするなどしても、遺留分減殺請求により株式や事業用の財産が他の相続人との共有となる結果これらの財産の処分が困難になるなど、事業承継後の経営の支障になる場合があるとの指摘がされていた。

（注2）明治民法が採用していた家督相続制度の下では、遺留分制度は家産の維持を目的とする制度であり、家督を相続する遺留分権利者に遺贈又は贈与の目的財産の所有権等を帰属させる必要があったため、物権的効果を認める必要性が高かったが、現在の遺留分

制度は、遺留分権利者の生活保障や遺産の形成に貢献した遺留分権利者の潜在的持分の清算等を目的とする制度となっており、その目的を達成するために、必ずしも物権的効果まで認める必要性はなく、遺留分権利者に遺留分侵害額に相当する価値を返還させることで十分であるとの指摘がされていた。

> **Q80** 遺留分権利者の権利行使によって生じた金銭債権に係る債務については、いつから遅延損害金が発生するのか（第1046条第1項関係）。

A 1 新法においては、遺留分権利者の権利行使により、遺留分権利者と受遺者又は受贈者との間に、遺留分侵害額に相当する金銭債権が生ずることとしているが（第1046条第1項）、遺留分権利者が受遺者等に対して最初に行うこととなる遺留分に関する権利を行使する旨の意思表示は、形成権の行使であり(注)、その時点では、必ずしも金額を明示して行う必要はないものと考えられる。

そして、その形成権の行使によって発生した金銭債務については、期限の定めのない債務となり、遺留分権利者が受遺者等に対して具体的な金額を示してその履行を請求した時点で初めて履行遅滞に陥るものと考えられる（第412条第3項）。

2 もっとも、遺留分に関する権利を行使する旨の形成権の行使と、金銭債務の履行請求とを同時に行うことは可能であるから、遺留分権利者が受遺者等に対して形成権を行使する際に、併せて具体的な金額を示して金銭の支払を求めた場合には、その時点から金銭債務は履行遅滞に陥ることになる。

(注) 形成権の行使としての遺留分に関する権利行使については、旧法においては、遺留分減殺請求権の行使と定義していたが（改正前の第1031条、第1042条）、新法においては、遺留分侵害額請求権の行使と定義している（第1046条第1項、第1048条）。

そして、遺留分権利者が有する形成権としての遺留分侵害額請求権については、旧法と同様、短期の期間制限にかかるものとしており、遺留分権利者が相続の開始及び遺留分を侵害する贈与又は遺贈を知った時から1年間行使しないときは時効により、相続開始の時から10年間を経過したときは除斥期間の満了により、それぞれ消滅することとしている（第1048条）。

Q81 遺留分権利者の権利行使によって生じた金銭債権については、何年で時効にかかることになるのか（第1046条第1項関係）。

A 遺留分に関する権利行使によって生じた金銭債権については、通常の金銭債権と同様に消滅時効にかかる。

したがって、債権法改正法施行前においては10年間の（債権法改正前の第167条第1項）、その施行後においては5年間の消滅時効にかかることになる（債権法改正後の第166条第1項第1号）^(注)。

（注）相続開始が改正法の施行日後かつ債権法改正法の施行日前で、遺留分侵害額請求権（形成権）の行使が同施行日後にされた場合については、時効期間が10年となるのか、それとも5年間となるかが問題となり得る。債権法改正法附則第10条第4項では、「施行日前に債権が生じた場合におけるその債権の消滅時効の期間については、なお従前の例による。」とされているが、同項の「施行日前に債権が生じた場合」には、「施行日以後に債権が生じた場合であって、その原因である法律行為が施行日前にされたときを含む」こととされている（同条第1項）ので、債権法改正法施行日前に相続が開始し、遺留分侵害額請求権の行使が同施行日以後にされた場合についても、「施行日以後に債権が生じた場合であって、その原因である法律行為が施行日前にされたとき」に該当するかどうかが問題となる。この点については、相続開始により客観的には遺留分の侵害の有無は確定するとしても、相続開始前に法律行為に相当するものは何らされていないから、相続開始の時点では遺留分侵害額請求権の「原因である法律行為が……された」とはいえないものと考えられる。したがって、相続開始が債権法改正法の施行日前であっても、遺留分侵害額請求権（形成権）の行使が同施行日後にされた場合には、債権法改正法による改正後の規律が適用され、時効期間が5年となるものと考えられる。

Q82 遺留分権利者から金銭請求を受けた受遺者又は受贈者が直ちに金銭を準備することができない場合にはどうしたらよいのか（第1047条第5項関係）。

A 遺留分権利者から金銭請求を受けた受遺者又は受贈者が直ちには金銭を準備することができない場合があり得る。例えば、被相続人から受けた遺贈の対象財産が換価困難な不動産や動産である場合や、被相続人から金銭の贈与を受けたが、遺留分侵害額請求を受けた時点では相当期間経過しており十分な資金がない場合等が考えられるが、遺留分権利者が遺留分に関する権利行使をするか否かは同人の自由な意思に委ねられていること等を考慮すると、このような場合にも、遺留分権利者の権利行使により金銭請求がされ、これに直ちに応じなければ常に履行遅滞に陥ることとすると、受遺者又は受贈者に酷な場合があり得るものと考えられる。

そこで、新法では、上記のような場合に受遺者又は受贈者の負担が過大なものにならないようにするため、裁判所は、受遺者又は受贈者の請求により、金銭債務の全部又は一部の支払につき相当の期限を許与することができることとしている（第1047条第5項）(注)。

(注) 裁判所が期限を許与した場合には、当該期限の許与がされた金銭債務の全部又は一部について、遡及的にその弁済期が変更されたことになる。したがって、例えば、裁判所が、令和2年7月13日までという形で期限を許与した場合には、遅延損害金が発生するのはその翌日の同月14日午前零時からになる。

Q83 受遺者又は受贈者による期限の許与の請求はどのようにするのか。遺留分権利者が提起した金銭請求訴訟の中で抗弁として主張すれば足りるのか、それとも独立の訴えを提起する必要があるのか（第1047条第5項関係）。

A 1 まず、遺留分権利者と受遺者等との間で、金銭債務の額については争いがなく、遺留分権利者が金銭請求訴訟を提起していない場合には、受遺者等が遺留分権利者を被告として訴えを提起して、期限の許与のみの裁判（形成の訴え）を求めることができるものと考えられる。

2 次に、遺留分権利者が提起した金銭請求訴訟が既に係属している場合に、受遺者等が期限の許与を求めるときは、抗弁として主張すれば足りるのか、それとも別訴又は反訴といった独立の訴えの提起が必要なのかが問題となる。当事者の請求により、裁判所が相当の期限を許与することができるとされている制度は、この制度のほかにも、有益費償還請求がされた場合などいくつか例が存在するが（第196条第2項ただし書、第583条第2項ただし書、借地借家法第13条第2項、建物の区分所有等に関する法律第63条第5項など）、この問題は、既に存在するこれらの制度における解釈と同様に解すべきことになるものと考えられる。

この点について、裁判例は必ずしも多くはないものの、当事者の期限の許与の請求を抗弁として位置付けている例（大阪高判平成24年5月31日判時2157号19頁、函館地判昭和27年4月16日下民集3巻4号516頁）も複数ある一方で、独立の訴えの提起が必要であると判示した例（大阪高判平成14年6月21日判時1812号101頁。なお、別訴提起が必要と判示した部分は傍論である。）もあり、必ずしも解釈は固まっていないように思われる[注]。

（注）なお、第1047条第5項と同様の規律を有する建物の区分所有等に関する法律第63条第5項（建替え決議がされた場合における区分所有権等の売渡し請求があった場合について、建物の明渡しについて相当の期限を許与することができる旨の規定）について、当時の政府の担当者は、国会において、「この期限の許与という制度は、区分所有法で初めて採用された制度かと申しますとそうではございませんで、もともとは民法に規定

があるわけでございます。たとえば民法の百九十六条の二項のただし書きで、占有者の有益費償還請求の場合、回復者の請求によって期限を許与する。それから、民法の二百九十九条の二項のただし書きでございますが、これは留置権者の有益費償還請求の場合に、所有者の請求によって期限を許与することができるということになっております。ただいま申しました期限の許与は、いずれも金銭の支払い請求に対する期限の許与でありまして、ただいまお尋ねになっております六十三条の五項の期限の許与は、建物の明け渡し請求に対する期限の許与ということで、その点違いがありますけれども、この期限の許与が裁判手続によるのかどうかとか、あるいはそれが通常の裁判手続であるかどうかとか、裁判の性質はどう考えるのかというような点につきましては、両者全く同じであるというふうに考えておるわけであります。したがって、この期限の許与は、六十三条の五項に定めるものが形成の訴えによって求むべきものであるというふうに解しております。ただ、通常の場合を考えてみますと、期限の許与が問題になるのは、期限の許与だけを求めるという場合に限りませんで、その他にも考えられるわけでありまして、一つは、買い主が明け渡し訴訟を提起いたしました場合に、その手続内で売り主が期限の許与を求める場合、もう一つは、売り主が代金請求の訴訟を起こしまして、それに対して買い主の方が明け渡しと同時履行の抗弁権を提出した。それに対して、売り主の方で期限の許与を申し立てる場合というような場合が考えられるわけでありまして、通常の場合ですと、ただいま申しました後の二つの方がむしろケースとしては多いのではないかというふうに考えるわけであります。その場合に、独立の訴えか、あるいは攻撃防御の方法でよいのかという点についても、ただいまお尋ねがあったわけでありますけれども、やはりこの場合でも、期限の許与ということは、独立の訴訟物とする必要があるということを考えますと、攻撃防御の方法としてではなくて、訴えまたは反訴という形で、独立の訴訟として提起しなければならないものというふうに考えております。」と答弁をしている（昭和58年5月12日参議院法務委員会における中島一郎政府委員の説明）。

Q84 遺留分権利者が提起した金銭請求訴訟において、裁判所が許与した期限が口頭弁論終結後に到来する場合には、判決主文はどうなるのか（第1047条第5項関係）。

A 1 裁判所が新法の規定により期限を許与した場合には、当該期限を許与した債務の全部又は一部については、弁済期が到来していないことになるので、遺留分権利者の請求をそのまま認容することはできない(注1)。

もっとも、遺留分権利者の無条件の給付請求に対して、裁判所が期限を許与する場合でも、その猶予期間は受遺者等が通常その資金調達をするのに必要な期間となり、それほど長期間とはならないものと考えられることからすれば、通常は民事訴訟法第135条の要件を満たし、将来の給付判決をすることが許されることになるものと考えられる。また、遺留分権利者の請求には、通常、裁判所が期限を許与した場合にはその期限到来時の給付を求める請求も包含されていると解することができるから、裁判所が将来の給付判決をするのに訴えの変更は要しないものと思われる(注2)。

2 裁判所が将来の給付判決をする場合で、例えば、遺留分侵害額が1000万円であり、その期限を令和2年10月1日まで許与したときには、

「(1) 被告は、原告に対し、令和2年10月1日が到来したときは1000万円及びこれに対する令和2年10月2日から支払済みまで年5分の割合による金員を支払え。
(2) 原告のその余の請求を棄却する。」

といった主文になるものと思われる(注3)(注4)。

(注1) 仮に、期限の許与の申立てにつき、独立の訴えが必要であるとする立場を採用した場合（Q83参照）には、判決の確定により形成的効力が生ずることになるが、裁判所は、期限の許与の申立てに係る自らの判断が確定することを前提にして、その余の請求の当否についても判断をすることになるものと考えられるから、上記の立場をとった場合にも、遺留分権利者の金銭請求を全部認容することは相当でないものと考えられる。

(注2) 最三判平成23年3月1日判時2114号52頁も、場面は異なるが、原告の無条件の給付請求について、裁判所が期限を許与した場合にはその期限到来時の給付を求める請

求も包含されていると解することができる旨の判示をしている。

（注3）なお、期限の許与の申立てにつき、独立の訴えが必要であるとする立場を採用した場合（Q83参照）には、その申立てに対する判断を主文で掲げる必要があるものと考えられる。

（注4）金銭債務の一部について期限を許与する場合（遺留分の額1000万円のうち、400万円については期限の許与を付す場合で、かつ、金銭請求の日が令和2年4月1日で、裁判所が定めた期限が令和3年4月1日である場合）には、下記のような判決主文になるものと思われる。

「(1) 被告は、原告に対し、600万円及びこれに対する令和2年4月2日から支払済みまで年5分の割合による金員を支払え。

(2) 被告は、原告に対し、令和3年4月1日が到来したときは400万円及びこれに対する令和3年4月2日から支払済みまで年5分の割合による金員を支払え。

(3) 原告のその余の請求を棄却する。」

Q85 金銭請求を受けた受遺者又は受贈者が直ちに金銭を準備することができない場合に対処するための方策として、法制審議会民法（相続関係）部会における検討過程においては、金銭債務の支払に代えて遺贈又は贈与の目的財産を給付することができる制度を検討していたとのことであるが、どうして採用されなかったのか。

A 1 法制審議会民法（相続関係）部会（以下「部会」という。）においては、金銭請求を受けた受遺者又は受贈者が直ちに金銭を準備することができない場合に対処するための方策として、金銭債務の支払に代えて遺贈又は贈与の目的物を給付することができるという制度を検討し、「民法（相続関係）等の改正に関する中間試案」や「中間試案後に追加された民法（相続関係）等の改正に関する試案（追加試案）」においてそれぞれ一定の考え方を示したが、いずれも問題があるとして、結局、このような制度は設けられなかった。

中間試案及び追加試案の考え方の概要及びその問題点については、以下のとおりである。

2 中間試案においては、金銭請求を受けた受遺者又は受贈者が、遺贈又は贈与の目的財産による現物給付をすることができるとしつつ、その給付する財産の内容を裁判所が定めるという案（甲案）と、現物給付の主張がされた場合には旧法と同様の規律で物権的効果が生ずるという案（乙案）の両案を提示し、これらの案をパブリックコメントに付した。

もっとも、パブリックコメントにおいては、甲案と乙案で比較すると甲案を支持する意見が多かったものの、いずれの案にも反対するとの意見も相当数寄せられた。部会においては、パブリックコメントの後は甲案を中心に検討を行ったが、裁判所の裁量的判断により現物給付の内容を定めることとすると、裁判所が当事者の予期せぬ財産を指定するおそれもあって予測可能性を欠くとの意見が強く、結局、採用されなかった。

3 次に、部会においては、現物給付の指定権を裁判所に委ねるのではな

く、受遺者又は受贈者に付与するという案について検討を行い、これを追加試案に掲げることとした。

　もっとも、追加試案をパブリックコメントに付したところ、受遺者等に指定権を与えると、遺留分権利者に不要な財産を押しつけることになり、遺留分権利者の権利を不当に弱めることになるとの意見が多く寄せられたことから、その後の会議においては、追加試案の規律を修正し、受遺者等の裁量権を限定する方向で検討を行ったものの、完全にはその懸念を払拭するには至らず、追加試案の考え方も採用されなかった。

　4　もっとも、遺留分に関する権利の行使により生ずる権利を金銭債権化することにより、金銭を直ちに準備することが困難な受遺者等の利益を考慮し、その負担が過大なものとならないように配慮すべき必要性はなお存在するものと考えられることから、新法においては、受遺者又は受贈者の請求により、裁判所が金銭債務の全部又は一部の支払につき相当の期限を許与することができるという規律を採用することとしたものである（**Q82**参照）。

[算定方法の見直し等]

Q86 遺留分や遺留分侵害額はどのように算定するのか（第1042条、第1046条第2項関係）。

A 1 遺留分制度は、兄弟姉妹以外の相続人について、その生活保障を図るなどの観点から、被相続人の意思にかかわらず被相続人の財産から最低限の取り分を確保する制度であり、遺留分とは、その相続人の最低限の取り分を示す概念である。

そして、遺留分の具体的金額については、遺留分を算定するための財産の価額に、遺留分割合（原則2分の1）を乗じ、さらに遺留分権利者の法定相続分を乗じて、これを求めることとされている(注1)。

2 次に、遺留分侵害額は、遺留分権利者が被相続人の財産（遺産に限らず、贈与等の目的財産を含む。）から遺留分に相当する財産を受け取ることができない場合に、その不足額を意味する概念である。このため、遺留分権利者が被相続人から生前贈与を受けている場合や、遺産分割における取得額がある場合には、遺留分侵害額を算定する際に、遺留分の額からこれらの取得額を控除することとされている。

また、遺留分の額は、遺留分権利者の手元に最終的に残る額を意味するものであるため、被相続人に債務があり遺留分権利者がその債務を承継する場合には、遺留分権利者がその債務を弁済した後に遺留分に相当する財産が残るようにする必要がある。このため、遺留分権利者が被相続人の債務を相続により承継した場合には、遺留分額にその承継した債務の額を加算することとされている。

以上のとおり、遺留分侵害額は、遺留分の額から、①遺留分権利者が生前贈与等を受けている場合には、その価額を控除し、また、②遺産分割の対象財産がある場合には、遺留分権利者が遺産分割において取得すべき財産の価額を控除し、さらに、③相続債務がある場合には、遺留分権利者が相続によって負担する債務の額を加算することにより、求めることとされている（最三判平成8年11月26日民集50巻10号2747頁参照）(注2)(注3)。

3 もっとも、旧法ではこれらの規律が明確に規定されておらず、一般国民からみて極めて分かりにくいという問題があったことから、新法においては、遺留分の額（第1042条）や遺留分侵害額（第1046条第2項）の算定方法を明確化することとしたものである。

（注1）遺留分を求める計算式
遺留分＝（遺留分を算定するための財産の価額）×$\frac{1}{2}$（＊）
　　　　×（遺留分権利者の法定相続分）
＊直系尊属のみが相続人である場合には、$\frac{1}{3}$
（注2）遺留分侵害額を求める計算式
遺留分侵害額＝（遺留分）－（遺留分権利者の特別受益の額）
　　　　　　－（遺留分権利者が遺産分割において取得すべき財産の価額）
　　　　　　＋（遺留分権利者が相続によって負担する債務の額）
（注3）第1046条第2項と上記判例の関係
本文2の判例では、「遺留分の侵害額は、このようにして算定した遺留分の額から、遺留分権利者が相続によって得た財産がある場合はその額を控除し、同人が負担すべき相続債務がある場合はその額を加算して算定する」こととされており、厳密には、遺留分権利者の特別受益の額の取扱いが第1046条第2項の規律とは異なる（上記判例では、遺留分額の算定の中で、この額を予め控除しているものと考えられる。）。もっとも、いずれの整理をしたとしても最終的に算出される遺留分侵害額に変わりはないことに加え、上記判例後にいわゆる遺留分超過額説を採用した判例（最一判平成10年2月26日民集52巻1号274頁）では、「遺留分」の概念について第1046条第2項と同様の理解をしているのでないかと考えられること等を踏まえ、新法では、遺留分権利者の特別受益の額についても、遺留分侵害額の算定の中でこれを取り扱うこととしている。

Q87 遺留分を算定するための財産の価額に算入する贈与については、どのような改正が行われたのか（第1043条第1項、第1044条関係）。

A 1 改正前の第1029条は、その見出しが「遺留分の算定」とされており、第1項において「遺留分は、被相続人が相続開始の時において有した財産の価額にその贈与した財産の価額を加えた額から債務の全額を控除して、これを算定する」と規定され、「遺留分」という文言が多義的に用いられていたが[注1]、同条の「遺留分」が「遺留分を算定するための財産の価額」（遺留分算定の基礎となる財産）を意味するものであることは、学説上も争いがないところであった。

そこで、改正前の第1029条に対応する第1043条の見出しを「遺留分を算定するための財産の価額」に改めた上、同条第1項を「遺留分を算定するための財産の価額は、被相続人が相続開始の時において有した財産の価額にその贈与した財産の価額を加えた額から債務の全額を控除した額とする」と改めることにより、その実質を明確にしている。

2 また、改正前の第1030条では、遺留分を算定するための財産の価額に含める生前贈与については、「相続開始前の一年間にしたものに限り」その価額を算入するものと規定されていたが、判例（最三判平成10年3月24日民集52巻2号433頁）及び実務は、同条の規定は、相続人以外の第三者に対して贈与がされた場合に適用されるものであり、相続人に対して生前贈与がされた場合には、改正前の第1044条において第903条が準用されていること等を根拠に、その時期を問わず原則としてその全てが遺留分を算定するための財産の価額に算入されるとの立場を採用していた。

しかしながら、このような考え方によると、被相続人が相続開始時の何十年も前にした相続人に対する贈与の存在によって、第三者である受遺者又は受贈者が受ける減殺の範囲が大きく変わることになり得るが、第三者である受遺者又は受贈者は、相続人に対する古い贈与の存在を知り得ないのが通常であるため、第三者である受遺者又は受贈者に不測の損害を与え、その法的安定性を害するおそれがあった[注2]。

他方で、上述の判例が相続人の特別受益について改正前の第1030条の適用を否定した実質的根拠は、このような解釈をとらないと、各相続人が被相続人から受けた財産の額に大きな格差がある場合にも特別受益の時期いかんによってこれを是正することができなくなることを考慮したものであると考えられ、このような考え方にも相応の理由があるものと考えられる。

そこで、新法においては、受遺者等の法的安定性と相続人間の実質的公平という相反する2つの要請の調和の観点から、相続人に対する生前贈与の範囲に関する規律を新たに設け、相続開始前の10年間にされたものに限り、遺留分を算定するための財産の価額に含めることとしている（第1044条第3項において読み替えて適用される同条第1項前段）。

（注1）遺留分を算定するための財産の価額を求める計算式（第1043条第1項、第1044条関係）
遺留分を算定するための財産の価額
＝（相続開始時における被相続人の積極財産の額）
　＋（相続人に対する生前贈与の額（原則10年以内））
　＋（第三者に対する生前贈与の額（原則1年以内））
　－（被相続人の債務の額）

（注2）具体的には、以下のような事例が考えられる。

［事例］
相続人は、X（法定相続分2分の1）、Y（法定相続分4分の1）、Z（法定相続分4分の1）の3名で、被相続人が相続開始時に有していた財産（遺贈分については除く。）は0円、相続人Yに対する30年前の生前贈与が1億円、第三者Aに対する遺贈が6000万円あったものとする。

［検討］
① 旧法による帰結
（遺産分割）
なし
（遺留分）

・Xの遺留分侵害額＝（6000万円＋1億円）×$\frac{1}{2}$×$\frac{1}{2}$＝4000万円

・Yの遺留分侵害額＝（6000万円＋1億円）×$\frac{1}{2}$×$\frac{1}{4}$－1億円＝－8000万円

・Zの遺留分侵害額＝（6000万円＋1億円）×$\frac{1}{2}$×$\frac{1}{4}$＝2000万円

(まとめ)
　Xの最終的な取得額（＊）＝4000万円
　Yの最終的な取得額＝1億円（減殺なし）
　Zの最終的な取得額＝2000万円
　Aの最終的な取得額＝0円（全て減殺）
　＊なお、ここでいう「最終的な取得額」とは、遺産分割で取得することのできる額、遺贈又は贈与によって取得した額、遺留分減殺請求（又は遺留分侵害額請求）によって取得することのできる又は負担することとなる額を合算（又は控除）した額をいう。以下同じ。

② 新法による帰結（相続人Yに対する生前贈与を遺留分を算定するための財産の価額に算入しない場合）

(遺産分割)
　なし

(遺留分)

・Xの遺留分侵害額 $= 6000\text{万円} \times \dfrac{1}{2} \times \dfrac{1}{2} = 1500\text{万円}$

・Yの遺留分侵害額 $= 6000\text{万円} \times \dfrac{1}{2} \times \dfrac{1}{4} - 1\text{億円} = -9250\text{万円}$

・Zの遺留分侵害額 $= 6000\text{万円} \times \dfrac{1}{2} \times \dfrac{1}{4} = 750\text{万円}$

(まとめ)
　Xの最終的な取得額＝1500万円
　Yの最終的な取得額＝1億円
　Zの最終的な取得額＝750万円
　Aの最終的な取得額＝3750万円

138　第5章　遺留分制度に関する見直し

Q88　負担付贈与がされた場合には、遺留分を算定するための財産の価額はどのように算定されるのか（第1045条第1項関係）。

A　1　旧法においては、負担付贈与がされた場合については、その目的財産の価額から負担の価額を控除したものについて減殺を請求することができることとされていたが（改正前の第1038条）、この規定が遺留分を算定するための財産の価額を算定するに当たっても同様の取扱いをすることを意図したものなのか（一部算入説）、それとも、遺留分を算定するための財産の価額を算定する際には、その目的財産の価額を全額算入しつつ、減殺の対象をその控除後の残額に限定した趣旨なのか（全額算入説）については、学説上見解が分かれていた。

しかしながら、全額算入説を採用すると、贈与を受けている者の方が最終的な取得額が少ないという逆転現象が生ずるなどの問題点があった(注)。

2　そこで、新法においては、負担付贈与がされた場合に「遺留分を算定するための財産の価額」に加算する贈与の価額は、贈与の目的財産の価額から負担の価額を控除した額とすることを明らかにすることとし（第1045条第1項）、負担付贈与がされた場合における規律を合理化、明確化することとしている。

(注)　具体例及び計算例
［事例］
　相続人がX、Yの2名（法定相続分各2分の1）であり、被相続人が第三者Aに対して6000万円を遺贈し（その余の遺産はない。）、相続人Xに対して相続開始の5年前に被相続人の債務2000万円を引き受ける代わりに（重畳的債務引受）4000万円を交付し（Xは相続開始時までに債務を完済）、Yが遺留分侵害額請求権を行使したとする。
［全額算入説の問題点］
　上記事例において、全額算入説には以下のような問題があった。
　すなわち、前記事例では、Xに対する4000万円の交付の法的性質が問題となるが、仮にこれが負担付贈与であるとすると、全額算入説によれば、Yは、Aに対しては2500万円を請求できることになる結果、贈与を受けたXの最終的な取得額の方が、贈与を受けていないYの最終的な取得額よりも少ないという逆転現象が生ずることにな

る。これに対し、一部算入説においては、YはAに対して2000万円請求できるにとどまり、前記のような逆転現象は生じない（計算1）。

他方、Xに対する4000万円の交付のうち、2000万円の部分は費用の前払であり、その残り（2000万円）が贈与であるとすると、いずれの説を前提としても、YはAに対して2000万円請求することができることになる（計算2）。

このように、全額算入説を採用すると、贈与を受けている者の方が最終的な取得額が少ないという逆転現象が生ずることがあるほか、Xに対する4000万円の交付のうち2000万円の部分を負担付贈与の負担部分とみるか費用の前払とみるかで大きく結論が変わることになるが、実際の事案においてはそのいずれに当たるか微妙なケースも多く、その認定いかんによって大きく結論が変わるという問題があった。

（計算1）負担付贈与とみた場合における計算
① 全部算入説を採用した場合
　　遺留分を算定するための財産の価額　6000万円＋4000万円＝1億円
　　Yの遺留分侵害額　$1億円 \times \frac{1}{2} \times \frac{1}{2} = 2500万円$
　　最終的な取得額　A　6000万円－2500万円＝3500万円
　　　　　　　　　　X　4000万円－2000万円＝2000万円
　　　　　　　　　　Y　2500万円
② 一部算入説を採用した場合
　　遺留分を算定するための財産の価額　6000万円＋（4000万円－2000万円）
　　　　　　　　　　　　　　　　　　　＝8000万円
　　Yの遺留分侵害額　$8000万円 \times \frac{1}{2} \times \frac{1}{2} = 2000万円$
　　最終的な取得額　A　6000万円－2000万円＝4000万円
　　　　　　　　　　X　4000万円－2000万円＝2000万円
　　　　　　　　　　Y　2000万円

（計算2）費用の前払とみた場合における計算
　　遺留分を算定するための財産の価額　6000万円＋2000万円＝8000万円
　　Yの遺留分侵害額　$8000万円 \times \frac{1}{2} \times \frac{1}{2} = 2000万円$
　　最終的な取得額　A　6000万円－2000万円＝4000万円
　　　　　　　　　　X　4000万円－2000万円＝2000万円
　　　　　　　　　　Y　2000万円

Q89 不相当な対価をもってした有償行為については、遺留分を算定するための財産の価額はどのように算定されるのか（第1045条第2項関係）。

A 1 旧法においては、不相当な対価をもってした有償行為がある場合については、当事者双方が遺留分権利者に損害を加えることを知ってしたものに限り、これを贈与とみなし、また、遺留分権利者が減殺請求をしたときは、その対価を償還しなければならないこととしていた（改正前の第1039条）。この規定については、一般に、遺留分を算定するための財産の価額を計算する際には対価を控除した残額部分が加算されるが、減殺の対象となる行為はその全体であることを前提としたものであると解されていた(注1)。

2 もっとも、今回の改正では、遺留分に関する権利の行使によって生ずる権利を金銭債権化することとしたため、このような複雑な処理をする必要性、合理性はなくなったものと考えられる。

そこで、新法においては、不相当な対価をもってした有償行為が行われた場合には、①その対価を負担の価額とする負担付贈与とみなすこととし、その目的の価額から対価の価額を控除したものを遺留分を算定するための財産の価額に加算することとした上（第1045条第2項。なお、この点は旧法と変わらない。）、②遺留分侵害額の負担割合の基準においても、その目的の価額から対価の価額を控除したものを贈与の目的の価額とみなすこととしている（第1047条第2項において準用する第1045条第2項）(注2)。

（注1）このような解釈を前提とすると、例えば、相続人がX、Yの2名の子であり、被相続人が、第三者Aに対して死亡半年前に1000万円の価値がある土地（以下「本件土地」という。）を代金200万円で売却し、相続人Xに対して死亡3年前に3200万円贈与したという事例（相続開始時の財産はないものとする）において、Yが減殺請求をした場合を想定すると、Yの遺留分侵害額は1000万円となるから、①YはまずAに対して本件土地全部の減殺を請求できるが、200万円は償還しなければならないこととなり、②YはAに200万円償還した結果、遺留分侵害額につき200万円（1000万円－（1000万円－200万円）＝200万円）は満足を得られていないから、次にXに対して、さらに200万円を減殺

請求することができることとなる。

（注2）新法における帰結について

（注1）の事例について、新法の下においては、Yは、遺留分侵害額である1000万円について、Aに対して800万円の支払を、Xに対して200万円の支払を求めることができることになる。

その結果、最終的な財産の帰属は、

A　本件土地全部 − 800万円

X　3000万円（3200万円 − 200万円）

Y　800万円（Aからの取得額）＋200万円（Xからの取得額）

となる。

Q90 特定財産承継遺言（いわゆる相続させる旨の遺言）により財産を承継した相続人や相続分の指定を受けた相続人も、遺留分侵害額の請求の相手方になるのか（第1046条第1項関係）。

A 1　第1046条第1項は、遺留分権利者が受遺者等に対し遺留分侵害額に相当する金銭の支払を請求することができることを明らかにするとともに、ここでいう受遺者の定義として、「特定財産承継遺言により財産を承継し又は相続分の指定を受けた相続人を含む」こととしているから、特定財産承継遺言により財産を取得した相続人又は相続分の指定を受けた相続人も、遺留分侵害額の請求の相手方となる。

2　旧法においては、特定財産承継遺言については、規定上の根拠が必ずしも明確ではなく、また、相続分の指定と遺留分との関係については、改正前の第902条第1項ただし書に規定があるものの、その趣旨は必ずしも明確ではなかった(注)ことから、新法においては、同項ただし書の規定を削除するとともに（Q98参照）、第1046条第1項において、特定財産承継遺言や相続分の指定がされた場合に、これによって利益を受ける相続人が遺留分侵害額の請求の相手方となる旨を明確にすることとしている。

（注）改正前の第902条第1項ただし書は、「ただし、被相続人又は第三者は、遺留分に関する規定に違反することができない。」と規定しており、その意味について学説上争いがあった。すなわち、遺留分を侵害する限度において相続分の指定が無効になるとする見解（当然無効説）と、遺留分を侵害する相続分の指定は遺留分減殺請求の対象となるとする見解（減殺説）があるところ、旧法下における通説は、後者であるとされていた。

Q91 遺産分割の対象となる財産が残されている場合には、遺留分侵害額はどのように算定されるのか（第1046条第2項第2号関係）。

A 1 遺留分制度は、被相続人の財産について遺留分権利者に最低限の取り分を確保する制度であるから、被相続人が相続財産の大半を遺贈するなどして遺留分の侵害がある場合でも、一部の財産が残されており、それについて遺産分割が行われるときは、遺留分侵害額の計算をするに当たり、遺留分の額から、遺留分権利者が遺産分割において取得すべき財産の価額を控除すべきことになる(注1)（Q86参照）。

しかし、遺産分割が未了である場合には、遺留分権利者が遺産分割においてどの程度の財産を取得するのか明らかでないことから、遺留分侵害額の算定をどのようにすべきかという問題が生ずる。この点については、旧法の下においても、遺留分権利者の法定相続分を前提に計算をするという考え方（法定相続分説）と具体的相続分を前提に計算をするという考え方（具体的相続分説）とがあり、実務上もその取扱いが分かれていた。

2 もっとも、遺留分の侵害が問題となる事案においては、通常生前贈与等の特別受益がある場合が多いにもかかわらず、「遺留分権利者が遺産分割において取得すべき財産の価額」を算定する際に特別受益の存在を考慮しない考え方（法定相続分説）を採用すると、その後に行われる遺産分割の結果との乖離が大きくなり、事案によっては、遺贈を受けている相続人が、遺贈を受けていない相続人に比して最終的な取得額が少ないという逆転現象が生ずる場合があり、相当でないと考えられる(注2)。

3 また、旧法下における実務では、遺産分割が終了している場合の取扱いについては、現実に分割された内容を前提に控除すべきという考え方も存在したが、このような考え方によると、遺産分割手続の進行状況いかんによって遺留分侵害額が変動し、これにより遺留分権利者に帰属した権利の内容が変動することになって相当でないものと考えられる。

4 そこで、新法においては、相続人間の公平を図る観点から、遺産分割の対象財産がある場合に遺留分額から控除すべき額は、「第900条から第902条まで、第903条及び第904条の規定により算定した相続分」、すなわち、遺産分割が既に終了しているか否かを問わず、具体的相続分に応じて遺留分権利者が取得すべき財産の価額（ただし、寄与分については考慮しない。）であることを明らかにし、解釈上の争いを立法的に解決することとしている（第1046条第2項第2号）(注3)。

(注1) 遺留分侵害額を求める計算式
遺留分侵害額＝（遺留分）－（遺留分権利者の特別受益の額）
　　　　　　－（遺留分権利者が遺産分割において取得すべき財産の価額）
　　　　　　＋（遺留分権利者が相続によって負担する債務の額）

(注2) 具体例
具体的には、以下のような事例において逆転現象が生ずることとなる。
[事例]
　相続人は、X（法定相続分2分の1）、Y（法定相続分4分の1）、Z（法定相続分4分の1）の3名で、被相続人が相続開始時に有していた財産（遺贈分については除く。）が1000万円、相続人Yに対する遺贈が1000万円、第三者Aに対する遺贈が8000万円あったものとする。
[検討]
① 法定相続分説を採用した場合
（遺産分割）

・Xの具体的相続分＝（1000万円＋1000万円）×$\frac{1}{2}$＝1000万円

・Yの具体的相続分＝（1000万円＋1000万円）×$\frac{1}{4}$－1000万＝－500万円

・Zの具体的相続分＝（1000万円＋1000万円）×$\frac{1}{4}$＝500万円

・Xの取得額＝1000万円×$\frac{1000万}{500万＋1000万}$≒666万6667円

・Yの取得額＝0円

・Zの取得額＝1000万円×$\frac{500万}{500万＋1000万}$≒333万3333円

（遺留分）

- Xの遺留分侵害額 = $(1000\,\text{万円} + 1000\,\text{万円} + 8000\,\text{万円}) \times \frac{1}{2} \times \frac{1}{2}$
  $\underline{-1000\,\text{万円} \times \frac{1}{2}\,(\text{遺産分割の対象残余財産のうちXの法定相続分})}$
  $= 2000\,\text{万円}$

- Yの遺留分侵害額 = $(1000\,\text{万円} + 1000\,\text{万円} + 8000\,\text{万円}) \times \frac{1}{2} \times \frac{1}{4} - 1000\,\text{万円} \times \frac{1}{4}$
  $- 1000\,\text{万円} = 0\,\text{円}$

- Zの遺留分侵害額 = $(1000\,\text{万円} + 1000\,\text{万円} + 8000\,\text{万円}) \times \frac{1}{2} \times \frac{1}{4} - 1000\,\text{万円} \times \frac{1}{4}$
  $= 1000\,\text{万円}$

- Yの遺贈については、Yの遺留分の範囲内なので、0円として計算。
- したがって、XはAに対して2000万円、ZはAに対して1000万円、それぞれ請求することができる。

(まとめ)
- Xの最終的な取得額 = 2000万円 + 666万6667円 = 2666万6667円
- Yの最終的な取得額 = 1000万円
- Zの最終的な取得額 = 1000万円 + 333万3333円 = 1333万3333円
- Aの最終的な取得額 = 8000万円 − 2000万円 − 1000万円 = 5000万円

このように、遺贈を受けたYの最終的な取得額の方が、遺贈を受けていないZの最終的な取得額よりも少ないという逆転現象が生ずる。

② 具体的相続分説を採用した場合

(遺産分割)

遺産分割の計算は同じ。

(遺留分)

- Xの遺留分侵害額 = $(1000\,\text{万円} + 1000\,\text{万円} + 8000\,\text{万円}) \times \frac{1}{2} \times \frac{1}{2}$
  $\underline{-666\,\text{万}\,6667\,\text{円}\,(\text{遺産分割の対象残余財産のうちXの具体的相続分})}$
  $= 1833\,\text{万}\,3333\,\text{円}$

- Yの遺留分侵害額 = $(1000\,\text{万円} + 1000\,\text{万円} + 8000\,\text{万円}) \times \frac{1}{2} \times \frac{1}{4} - 0\,\text{円} - 1000\,\text{万円}$
  $= 250\,\text{万円}$

- Zの遺留分侵害額 = $(1000\,\text{万円} + 1000\,\text{万円} + 8000\,\text{万円}) \times \frac{1}{2} \times \frac{1}{4} - 333\,\text{万}\,3333\,\text{円}$
  $= 916\,\text{万}\,6667\,\text{円}$

- したがって、XはAに対して1833万3333円、YはAに対して250万円、ZはAに対して916万6667円、それぞれ請求することができる。

（まとめ）
- Xの最終的な取得額＝1833万3333円＋666万6667円＝2500万円
- Yの最終的な取得額＝250万円＋1000万円＝1250万円
- Zの最終的な取得額＝916万6667円＋333万3333円＝1250万円
- Aの最終的な取得額＝8000万円－1833万3333円－250万円－916万6667円
  ＝5000万円

(注3) 寄与分の取扱い

　寄与分については、寄与分権者が遺産に対する自己の実質的な持分を取得したものと評価することも可能であり、被相続人の処分によって生じた特別受益とはその性質が異なること、寄与分は家庭裁判所の審判により初めてその有無及び額が決定されるものであり、遺留分権利者の権利行使によって当然に生ずるものではなく、権利の性質及びそれを実現するための手続が異なること等を考慮すると、「遺留分権利者が遺産分割において取得すべき財産の価額」の算定においてこれを考慮することは必ずしも相当でなく、かつ、困難であることから、第1046条第2項第2号においてその旨を明らかにしている（第904条の2の規定については引用をしていない。）。

Q92 相続債務が存在する場合には、遺留分侵害額はどのように算定されるのか（第1046条第2項第3号関係）。

A 　1　第1046条第2項第3号は、遺留分侵害額を算定するに当たり、遺留分権利者に被相続人から承継した相続債務がある場合には、その承継した相続債務の額を加算することを定めている^(注)（Q86参照）。これは、遺留分権利者が相続債務を支払った後に最低限の取り分である遺留分を確保することができるようにする趣旨である。

　なお、相続分の指定がある場合に、遺留分侵害額を算定するに当たって加算すべき相続債務の額については、法定相続分を前提に算定するという考え方と、指定相続分を前提に算定するという考え方があり得るところ、判例（最三判平成21年3月24日民集63巻3号427頁）は、遺留分侵害額を算定するに当たっては、実際に遺留分権利者が相続人内部で負担すべき額を基準とすべきであるとして、後者の考え方をとっている。このため、新法では、この判例の考え方を明文化し、遺留分の額に加算する額については、「第899条の規定により遺留分権利者が承継する債務……の額」とすることとしている。

　2　なお、遺留分権利者が、他の相続人と合意をするなどして、他の相続人が負担すべき相続債務を引き受けるということもあり得るが、このような場合にも、他の相続人の債務を引き受けた者の遺留分にその引受額を加算すべきかが問題となる。

　しかしながら、このような場合にまで加算を認めると、遺留分侵害額請求を受ける立場にある受遺者又は受贈者のあずかり知らないところで、遺留分侵害額の加算が生ずることになり、予測可能性を欠き、相当でないと考えられる。このため、新法においては、遺留分に加算する額については、法定相続分又は指定相続分に応じて遺留分権利者が負担すべき額とすることとしている。

(注) 遺留分侵害額を求める計算式
遺留分侵害額＝(遺留分)－(遺留分権利者の特別受益の額)
　　　　　　－(遺留分権利者が遺産分割において取得すべき財産の価額)
　　　　　　＋<u>(遺留分権利者が相続によって負担する債務の額)</u>

Q93 遺留分権利者の遺留分を侵害している受遺者又は受贈者が複数いる場合には、どのような割合で遺留分侵害額を負担することになるのか（第1047条第1項関係）。

A 1 新法では、遺留分減殺請求権の行使によって当然に物権的効力が生ずるとしていた旧法の規律を改め、遺留分侵害額請求権の行使により金銭債権が生ずることとしているが（第1046条第1項）、遺留分を侵害している者が複数いる場合の減殺の順序（負担割合）について旧法の規律を変更すべき必要性は特段認められない。

そこで、第1047条第1項において、減殺の順序を定める改正前の第1033条から第1035条までの規定と同様の実質を有する規律を設けている（注）。

2 具体的には、まず、第1047条第1項柱書において、受遺者又は受贈者は、第1号から第3号までの規定に従い、遺贈又は贈与の目的の価額を限度として遺留分侵害額を負担することを定めている。

なお、受贈者の負担額の基準となる贈与については、遺留分を算定するための財産の価額に算入されるものに限る趣旨（Q87参照）で、遺留分の章（第5編第9章）に規定する「贈与」は遺留分を算定するための財産の価額に算入されるものに限られる旨を明らかにしている。

3 その上で、受遺者と受贈者がいるときは、受遺者が先に遺留分侵害額を負担することとしている（第1047条第1項第1号）。改正前の第1033条の規律（遺贈と贈与があるときは、遺贈が先に減殺される旨を定めるもの）を実質的に維持するものである。

4 また、受遺者が複数いるときは、遺贈の目的の価額に応じて遺留分侵害額を負担することとしている（第1047条第1項第2号）。改正前の第1034条の規律（遺贈が複数あるときは、その目的の価額の割合に応じて減殺される旨を定めるもの）を実質的に維持するものである。

また、贈与が同時にされた場合については、改正前の民法には明示の規定がないが、一般に贈与財産の割合に応じて減殺すべきであると考えられてお

り(大判昭和9年9月15日民集13巻1792頁参照)、第1047条第1項第2号において、同時にされた贈与に係る受贈者が複数いるときは、その贈与の目的の価額の割合に応じて遺留分侵害額を負担することとしている。

また、改正前の第1034条ただし書では、「遺言者がその遺言に別段の意思を表示したときは、その意思に従う」こととされ、同順位の遺贈であっても、遺言者の意思によって減殺の順序を定めることができることされていたが、この点について改正前の民法の規律を変更する必要は見当たらないことから、第1047条第1項第2号ただし書に同旨の規定を設けることとしている。

5 さらに、受贈者が複数いるときは、新しい贈与を受けた者から遺留分侵害額を負担することとしている(第1047条第1項第3号)。改正前の第1035条(複数の贈与がある場合に、新しい贈与から減殺される旨を定めるもの)の規律を実質的に維持するものである。

(注) 具体例
以下のような[事例]において、旧法の下においては、Xが遺留分減殺請求権を行使したことにより、甲土地の所有権及び乙土地の持分権(7分の1)を取得するが、第1047条第1項の規律によれば、Xは、Aに対する500万円の債権、Yに対する500万円の債権を取得することとなる。
[事例]
　相続人がXとYの2名の子で、被相続人が、第三者Aに対し甲土地(500万円分)を遺贈し、また、Yに対して乙土地(3500万円分)を相続開始5年前に贈与した。その他に遺産はなく、Xが、A及びYに対して遺留分減殺請求権又は遺留分侵害額請求権の行使をしたものとする。
[計算]

$$Xの遺留分侵害額 = (500万 + 3500万) \times \frac{1}{2} \times \frac{1}{2} = 1000万$$

したがって、
① 旧法の下においては、
　Xは、Aに対して甲土地(500万円分)の減殺を、
　また、Yに対して乙土地の持分$\frac{1}{7}$(500万円分)の減殺を、
それぞれ求めることができたが、

② 新法の規律によれば、

　Xは、Aに対して500万円、Yに対して500万円の支払をそれぞれ求めることができることとなる。

Q94 遺留分侵害額の負担の順序について、死因贈与はどのように取り扱われるのか(第1047条第1項関係)。

A 1 新法では、第1047条第1項各号において、受遺者又は受贈者が複数いる場合に、遺留分権利者から請求を受けた遺留分侵害額の負担の順序等を定めているが(Q93参照)、死因贈与の取扱いについては、特段明文上の規定を設けていない。

したがって、死因贈与の取扱いについてはもっぱら解釈問題となるものの、死因贈与の減殺の順序に関するリーディングケースとしてしばしば取り上げられる東京高判平成12年3月8日判時1753号57頁を前提とすると、遺贈、死因贈与、その他の生前贈与の順で負担をすることになるものと考えられる。

2 なお、法制審議会民法(相続関係)部会では、この機会に死因贈与に関する規律を設けるべきではないかとの指摘もあったが、最終的には、死因贈与の取扱いが判例又は学説上必ずしも固まっているわけではないこと等を考慮し、この点について立法的な解決を図ることは見送られた(注)。

(注) 死因贈与の減殺の順序については、本文1記載のとおり、前掲・東京高判平成12年3月8日が一定の考え方を示しているが、最高裁判所の判例が存在するわけでもなく、また、遺贈と同順位で考えるべきという有力な見解もある。このほかにも、遺贈に準じて考えるとしても行為時(贈与契約の先後)を基準に考えるべきであるとする見解や、贈与の履行時を基準に考えるべきであるとする見解等が存在する。

Q95 受遺者等が相続人である場合には、遺留分侵害額の負担額をどのように算定することになるのか（第1047条第1項関係）。

A 第1047条第1項は、受遺者又は受贈者の遺留分侵害額の負担額を定めているところ（Q93参照）、受遺者又は受贈者の負担額の上限については、原則として「遺贈……又は贈与……の目的の価額」を上限とすることとしつつ、受遺者又は受贈者が相続人である場合には、その価額からその相続人の遺留分の額を控除した額を上限とすることとしている(注)。

改正前の第1034条では、「目的の価額」の解釈として、受遺者が相続人である場合にはその遺留分を超過した額を遺贈の「目的の価額」とするという解釈が有力であり（いわゆる遺留分超過額説）、判例（最一判平成10年2月26日民集52巻1号274頁）もその解釈を採用しているところ、このような解釈がされているのは、受遺者又は受贈者が相続人である場合には、その相続人も遺留分を有していることから、その相続人についても最低限の取り分として、遺留分を確保する必要があり、このような考え方をとらないと求償の循環が生ずること等を考慮したものであるといわれている。

この判例の基礎にある考え方は、遺留分に関する権利行使によって生ずる権利を金銭債権化した場合にも妥当するものと考えられるため、新法では、基本的にその趣旨を明文化することとしたものである。

（注）例えば、相続人がAとBの2名の子であり、被相続人がBに対し1000万円遺贈をし、第三者Cに対し3000万円遺贈をしたというケースについては、Aの遺留分は1000万円（＝(1000万＋3000万)×$\frac{1}{2}$×$\frac{1}{2}$）ということになるが、Bの遺留分も1000万円であるため、Aは、Bに対して遺留分侵害額の請求をすることはできないこととなり、Cが遺留分侵害額の全額を負担することになる。

> **Q96** 遺留分権利者が負担すべき相続債務について、受遺者又は受贈者が第三者弁済をするなどしてその債務を消滅させた場合には、遺留分侵害額の算定においてどのように考慮されるのか（第1047条第3項関係）。

A 1 第1047条第3項前段は、遺留分侵害額の請求を受けた受遺者又は受贈者が遺留分権利者の承継する相続債務について免責的債務引受、弁済その他の債務を消滅させる行為をしたときは、消滅した債務の額の限度において、遺留分権利者に対する意思表示によって同条第1項の規定により負担する債務を消滅させることができることとしている。

　遺留分侵害額を算定するに当たっては遺留分権利者が被相続人から承継する相続債務の額を加算する取扱いがされるが（Q92参照）、これは遺留分権利者が相続債務を弁済した後に、最低限の取り分である遺留分に相当する財産が残るようにするためである。

　そうであるとすれば、遺留分侵害額請求を受けた受遺者又は受贈者が当該債務を弁済するなどして消滅させた場合には、当該債務の加算をする必要がないものと考えられる。特に、遺留分に関する権利の行使により生ずる権利を金銭債権化する場合には、相続債務額の加算は、文字どおり、受遺者又は受贈者が遺留分権利者の弁済資金を事前に提供したのと同様の状態を生じさせることになるが、例えば、被相続人が個人事業を営んでおり、事業に関連して多額の債務を負担していたところ、被相続人の死亡に伴い受遺者又は受贈者が当該事業を承継したという事案では、遺留分権利者がその承継する相続債務の支払をしないからといって、その分の支払を怠ることができない場合が多いと考えられる。そのような場合に、受遺者又は受贈者がその分の支払をした上で遺留分権利者にこれを求償するというのは迂遠であり、また、遺留分権利者が資力に乏しい場合には、受遺者又は受贈者が損害を受けるおそれがある。

　2　この点に関し、受遺者又は受贈者が遺留分権利者の負担する相続債務を弁済した場合には、遺留分権利者に対して求償権を取得することになるため、受遺者又は受贈者は、その求償権と遺留分侵害額に係る請求権とを相殺

することもできる。もっとも、受遺者又は受贈者が免責的債務引受をした場合には遺留分権利者に対する求償権が発生しないため、相殺による処理をすることはできない（第472条の3）。また、受遺者又は受贈者が第三者弁済をした場合であっても、その債務が弁済期前のものであれば受遺者又は受贈者はその弁済期が到来するまで相殺をすることはできない（第505条第1項本文）。このように相殺による処理には限界があるため、これとは別にこのような規律を設ける意義があるものと考えられる。

　もっとも、相殺によって処理することができる場合には、新法の規定による権利行使と、相殺権の行使のいずれもができることとなるが、新法の規定による権利行使の場合には、その権利行使をした時点において金銭債務が縮減することになる一方で、相殺権の行使の場合にはその効力は相殺適状時に遡及することになる（第506条第2項）といった点で効果が異なることに留意する必要がある(注)。

3　また、第1047条第3項後段は、受遺者又は受贈者が、遺留分権利者が負担する相続債務を弁済するなどして取得した求償権は、同項前段の規定により消滅した債務の価額の限度において消滅することを定めている。

　相殺により処理するのであれば、遺留分権利者に対して取得した求償権も対当額で当然に消滅することになるが（第505条第1項本文）、第1047条第3項前段による消滅請求により遺留分侵害額に係る債務が消滅した場合に、求償権がどうなるかは必ずしも明らかではないことから、同項後段の規律を設け、求償権の帰趨を明らかにすることとしている。

（注）このため、受遺者又は受贈者が遺留分権利者に対する求償権を取得した時点で既に相殺適状が生じている場合には、一般的に相殺によって処理する方が受遺者等に有利となるが、第1047条第3項の規定による権利行使が可能な時点で相殺適状になっていない場合には、同項による処理の方が受遺者等に有利となる。

[その他]

Q97 新法において、「減殺」という文言を用いないこととしたのはなぜか。

A 旧法においては、遺留分に関する権利を行使すると、遺留分を侵害する遺贈又は贈与の全部又は一部が当然に無効となり、その無効とされた部分に関する権利が遺留分権利者に移転することとされており、遺贈又は贈与の全部又は一部を無効にするという意味で、「減殺」という文言が用いられていた。

新法においては、遺留分侵害の原因となった遺贈や贈与の効力は維持した上で、受遺者又は受贈者に遺留分侵害額に相当する金銭の支払義務を負わせることとしていることから（第1046条第1項）、改正後に「減殺」という文言を用いるのは相当でないと考えられる。

そこで、新法においては、「減殺」という文言を用いないこととしており、例えば、旧法の「減殺の請求権」という用語については「遺留分侵害額の請求権」などと改めることとしている（第1048条参照）。

Q98　第885条第2項、第902条第1項ただし書、第964条ただし書の規定を削除したのはなぜか。

A　1　新法においては、第885条第2項、第902条第1項ただし書、第964条ただし書をいずれも削除することとしているが、これらは遺留分に関する権利行使によって生ずる権利を金銭債権化することに伴う改正である。

それぞれの条文を削除することとした趣旨は以下のとおりである。

2　まず、改正前の第885条では、第1項において、相続財産に関する費用は相続財産から支弁することとした上で、第2項において、相続財産に関する費用は遺留分権利者が贈与の減殺によって得た財産から支弁する必要がない旨の規定が設けられていた。

この点については、遺留分減殺請求権の行使によって取り戻した財産が①遺留分権利者に帰属するか、②相続財産に復帰するかについて見解の対立があったものの、民法の起草者は、遺留分権利者が被相続人のした贈与を減殺することにより取得した財産も性質上相続財産に当たるとして後者の見解をとることを前提に、遺留分権利者の利益のために与えるものであり他の相続財産とは性質が異なるとして、同2項において遺留分権利者が負担する必要がない旨の規定を設けたなどと説明していた。

もっとも、今回の改正により、遺留分侵害額請求権の行使によって生ずる権利が金銭債権化され、遺贈又は贈与の効果が否定されることはなくなったことに伴い、遺留分権利者の権利行使によって新たに相続財産が生ずると解すべき余地はなくなったことから、新法においては、同項の規定を削除することとした。

3　次に、改正前の第902条第1項本文では、被相続人は、遺言で、相続分を指定することができるとした上で、同項ただし書において、相続分の指定については、遺留分に関する規定に違反することができない旨が定められていた。

そして、同項ただし書については、遺留分を侵害する相続分の指定は当然

に無効となるのか、遺留分権利者の減殺請求を要するのかについては解釈上の争いがあった（Q90参照）。

　そこで、新法では、遺留分を侵害する相続分の指定がされた場合も遺留分侵害額請求権の行使の対象になることや、相続分の指定による遺産の割合的取得についても受遺者又は受贈者の負担額の基準となることをそれぞれ明確にしている（第1046条第1項、第1047条第1項）が、これにより、解釈上疑義があった改正前の第902条第1項ただし書の規定は不要となるから、これを削除することとしている。

　4　また、改正前の第964条では、遺言者は、包括遺贈又は特定遺贈をすることができるが、遺留分に関する規定に違反することができない旨が定められており、遺留分減殺請求により、遺留分を侵害する部分に限り、その包括遺贈又は特定遺贈が無効になることとされていた。

　もっとも、今回の改正により、遺留分侵害額請求権の行使により生ずる権利を金銭債権化することとなるから、包括遺贈又は特定遺贈を無効とする必要はなくなり、遺留分を侵害している者に対して金銭請求をすれば足りることとなる。これにより、改正前の第964条ただし書は不要となるから、これを削除することとした。

Q99 第1044条の準用規定を削除したのはなぜか。

A 1 改正前の第1044条は、民法上、遺留分の章（改正前の第5編第8章）の末尾に位置付けられており、第887条第2項及び第3項、第900条、第901条、第903条並びに第904条の規定を遺留分について準用する旨が定められていたが、これらの規定が具体的にどのように準用されるのか判然とせず、分かりにくいとの指摘がされていた。

そこで、新法においては、包括的な準用規定である改正前の第1044条の規定を削除することとした上、同条において準用されている各条については、それぞれ準用の趣旨やその具体的内容が明らかになるように、条文の位置付けを明確にしている。

2 例えば、①法定相続分を規定する第900条、第901条については、相続人が複数いる場合の遺留分を算定するために適用する規律として第1042条第2項に、②相続人に対する贈与が行われた場合の特別受益に関する第903条については、遺留分を算定するための財産の価額に算入する贈与に関する規律として、相続開始前10年以内の贈与に限定した上、第1044条第3項に、③受贈者の行為によって贈与の目的物の滅失等があった場合に関する第904条については、贈与の目的物であった滅失物等の財産評価の方法に関する規律として、第1044条第2項に、それぞれ規定することとしている[注]。

(注) なお、改正前の第1044条が第887条第2項及び第3項を準用しているのは、遺留分権利者の範囲として、代襲相続人及び再代襲相続人も含み得るということを明らかにする点に意義があるものとされていた。そうすると、遺留分権利者である相続人について、これらの条文を準用するなどして、代襲相続人と再代襲相続人が遺留分権利者となり得ることを明らかにすることも考えられるが、代襲相続人も再代襲相続人も、「相続人」であることには変わりなく、遺留分権利者の範囲についてのみ相続人に代襲相続人等が含まれることを明文化することは、他の条文の解釈に影響を与えるおそれがあることから、新法においては、第887条第2項及び第3項の準用の趣旨を明らかにすることはしていない。

第6章 相続の効力等に関する見直し

［権利の承継］

Q100 相続による権利の承継についても対抗要件主義を適用することとしたのはなぜか（第899条の2関係）。

A 旧法の下では、特定財産承継遺言（相続させる旨の遺言のうち遺産分割方法の指定がされたもの）や相続分の指定がされた場合のように、遺言による権利変動のうち相続を原因とするものについて、判例は、登記等の対抗要件を備えなくても、その権利の取得を第三者に対抗することができると判示していた（特定財産承継遺言につき最二判平成14年6月10日家月55巻1号77頁。相続分の指定につき最二判平成5年7月19日家月46巻5号23頁）。

しかし、このような考え方によると、例えば、相続債権者が法定相続分による権利の承継があったことを前提として相続財産に属する債権の差押え及びその取立てを行い、被相続人の債務者がその取立てに応じたとしても、遺言に抵触する部分は無効となり得るため、遺言の有無及び内容を知る手段を有していない相続債権者や被相続人の債務者に不測の損害を与えるおそれがあるとの指摘がされていた(注1)(注2)。

また、判例の考え方によると、遺言によって利益を受ける相続人が登記等の対抗要件を備えようとするインセンティブが働かない結果、その分だけ実体的な権利と公示の不一致が生ずる場面が増えることになり、取引の安全が害され、ひいては不動産登記制度等の対抗要件制度に対する信頼を害するおそれがあるとの指摘もされていた。

他方で、被相続人の法的地位を包括的に承継するという相続の法的性質に照らすと、相続債権者や被相続人の債務者の法的地位については、相続開始の前後でできる限り変動が生じないようにするのが相当であると考えられ、相続債権者がその権利を行使し、あるいは被相続人の債務者が弁済をするのに、遺言の有無及びその内容、さらにはその有効性を調査する必要があるというのは必ずしも相当でないものと考えられる。そのような考え方を前提と

すれば、各共同相続人は、権利の承継の場面でも、被相続人から法定相続分に応じた権利を承継したものとして、相続債権者から権利行使を受けてもやむを得ない地位にあるということも可能であると考えられる(注3)。

そこで、新法では、相続を原因とする権利変動についても、これによって利益を受ける相続人は、登記等の対抗要件を備えなければ法定相続分を超える権利の取得を第三者に主張することができないこととしたものである（第899条の2第1項）。

(注1) 仮に相続債権者が遺言の存在及び内容を知っており、これに従って相続財産に属する債権の差押えをした場合でも、遺言が遺言能力の欠如等により無効である場合には、法定相続分と異なる差押えは無効となり、結果的に取立権限がなかったことになる。このため、遺言の効力について相続人間に争いがある場合には、相続債権者は、その争いが確定しない限り、法定相続分と指定相続分のいずれを前提に権利行使をすればよいか分からないことになり、遺言の効力に関する紛争に巻き込まれることになるが、相続債権者がその債務者の死亡という自己に無関係の事情によってこのような不利益を受けるのは必ずしも相当でないように思われる。新法の下では、相続債権者において、遺言による権利変動について登記等がされる前に、法定相続分による権利の承継を前提にして差押えをすれば、遺言の内容及びその効力如何にかかわらず、差押えは有効なものとなるから、相続債権者において上記のような不利益を受けることはなくなるものと考えられる。

(注2) 本文の場合や前記（注1）の場合について、被相続人の債務者は、受領権者としての外観を有する者に対する弁済（第478条）に当たるとして、弁済の有効性を主張することが考えられるが、この場合には、自らこの点に関する主張立証責任を負うことになり、これに失敗すれば二重弁済を強いられることになる点で、その法的地位が不安定になることは否めないものと考えられる。

(注3) この点については、例えば、現行法の下でも、遺産分割については、相続人間では、具体的相続分に従って遺産を分けるのが公平であるとされているが、具体的相続分は相続債権者等の第三者には分からないので、遺産分割前は、法定相続分に従った権利の承継があったものとして、相続債権者の権利行使が認められているという説明が可能であり、今回の改正は、そのような考え方を特定財産承継遺言等にも及ぼしたものということができるように思われる。なお、この改正は、受益相続人以外の相続人から遺産を譲り受けた者を保護することよりも、相続債権者など、相続開始前から利害関係を有していた者の保護を図ることにより重点があるものであり、このことが遺言の執行を妨害する行為がされた場合の効力に関する第1013条第2項及び第3項の規律の在り方に影響を与えている（Q108参照）。

Q101

第899条の2において、「次条（第900条）及び第901条の規定により算定した相続分を超える部分については」という限定が付されているのはなぜか（第899条の2関係）。

A 前述のとおり（Q100参照）、新法では、相続による権利の承継についても対抗要件主義を適用することとしているが（第899条の2第1項）、これを対抗することができない「第三者」については、第177条における確立した判例の解釈と同様(注1)、登記等の対抗要件がない旨の主張をすることについて正当な利益を有する第三者を意味するものであり、無権利者までこれに含める趣旨ではない。

そして、例えば、特定財産承継遺言等によって利益を受ける相続人は、その遺言がなくても法定相続分に相当する部分は権利を取得することができるのであるから、この部分について権利の競合が生ずることはない（この点は遺産分割による権利の承継等においても同様である。）。

このように、相続による権利の承継について権利の競合が生ずる余地があるのは、当該受益相続人の法定相続分を超える部分に限られることから(注2)(注3)、第899条の2第1項では、対抗要件主義が適用される範囲が法定相続分を超える部分に限られることを規定上も明確にすることとしたものである。

以上のとおり、法定相続分を超える部分については対抗要件を要すると規定した趣旨はあくまでも新法が「第三者」に関する制限説を変更するものではないことを明らかにする点にあるに過ぎず、法定相続分を超える権利を取得した受益相続人が法定相続分を超える部分に対応する対抗要件を備えれば、その全体について第三者に対抗することができるという趣旨を含むものではない。したがって、受益相続人が法定相続分を超える権利の取得を第三者に対抗するためには、その取得した権利の全体について登記等の対抗要件を備える必要があることになる。例えば、法定相続分が3分の1である相続人が特定の土地の全部を取得した場合であれば、その土地の全部について登記をして、初めて法定相続分を超える権利の取得について第三者に対抗することができることになるのであって、自己の法定相続分を除く3分の2の持分について登記をすれば、その土地の全部の所有権を対抗することができる

というわけではない（なお、現行法の登記実務において法定相続分を超えて土地全部を取得した相続人が、土地全部の所有権の移転の登記ではなく、自己の法定相続分を除く3分の2の持分移転の登記をすることができるかどうかは別論である。）。

(注1) 現行の判例は、第177条の「第三者」の意義について、当事者及びその包括承継人以外の者であって、登記等の欠缺を主張するにつき正当な利益を有する者をいうとして、「第三者」の範囲について限定解釈をとっている（大連判明治41年12月15日民録14巻1276頁等）。

(注2) 例えば、相続人がA、B、Cの3人（法定相続分は各3分の1）である事案において、被相続人がその遺産に属する甲土地をAに相続させる旨の特定財産承継遺言をした場合には、旧法の下における判例では、Bは無権利者であるとされ、Aは、Bからその法定相続分に相当する3分の1の共有持分を買い受けたDに対しても、登記なくして甲土地の所有権の取得を対抗することができるとされてきたところである。これに対し、新法の施行後は、第899条の2第1項の規定が設けられたことにより、同項の「第三者」に当たるDとの関係では、Bも法定相続分による権利の承継を受けたものとして取り扱われることとなり、その結果、Aは、Dに対しては、登記をしなければ3分の1の共有持分を超える部分について、その取得を対抗することができないことになる。

(注3) (注2)の事例を前提として、甲土地の所有権の帰趨を説明すると、以下のようになるものと考えられる。まず、BD間における甲土地の共有持分（3分の1）の売買契約が締結される前の段階、すなわち、第899条の2第1項の「第三者」がいない段階では、Aのみが甲土地の所有者ということになるものと考えられる。次に、BD間の上記売買契約が締結された後、その共有持分の移転について登記がされておらず、Aも登記をしていない段階では、BとDは、いずれも、甲土地の3分の1の共有持分について権利を有しているが、確定的に権利を取得していない状態にあることになる（二重譲渡において譲受人が共に対抗要件を備えていない場合と同じ状態）。そして、その後に、Dが甲土地の3分の1の共有持分について先に登記をした場合には、Dがこの共有持分を確定的に取得し、これに反する被相続人からAへの権利承継は法律上なかったものと取り扱われることになるものと考えられる。このため、この場合には、事後的に見れば、①相続開始により、Aが甲土地の3分の2の共有持分を、Bが3分の1の共有持分を取得し（相続開始時から②の時点までの間は、ABの共有であったものと取り扱われることになる。）、②BD間の上記売買契約締結時（Dが登記を備えた時ではない。）に、Dが甲土地の3分の1の共有持分を取得したものと取り扱われることになるものと考えられる。

> **Q102** 第899条の2第1項の対象となる財産は、動産や有価証券などを含む全財産か（第899条の2第1項関係）。

A 1 前述のとおり（Q100参照）、新法では、相続による権利の承継についても、法定相続分を超える部分については、対抗要件を具備しなければ第三者に対抗することができないこととしている（第899条の2第1項）。

同項の「権利」には、不動産、動産に関する所有権等の物権や債権はもとより、株式や著作権など、その権利の譲渡等につき対抗要件主義を採用しているもの全般がこれに含まれる。

2 もっとも、同項はあくまでも権利の「譲渡」等について対抗要件主義が採用されているものについて、相続による権利の承継にも対抗要件主義を適用することとするものであって、特許権のように登録等の手続を踏まなければ権利移転の効果が実体法上も生じないこととされているもの、すなわち、権利の「譲渡」等についていわゆる効力要件主義が採用されているものまでその対象に含める趣旨ではない。いわゆる効力要件主義が採用されている財産権については、各法令において効力発生要件とされる形式が履践されることによって初めて権利変動が生じ、かつ、権利変動はそれで完結することになるが、相続の場面においては被相続人の死亡により従前の権利主体が消滅することとなるため、相続開始と同時に被相続人から新たな権利主体に権利の移転があったものと見ざるを得ず、効力発生要件を備えなければその効力が生じないとする考え方を貫くことは困難であるためである。

Q103 相続による権利の承継について必要となる対抗要件はどのようなものか（第899条の2第1項関係）。

A 第899条の2第1項の規定は、相続による権利の承継について対抗要件主義を適用することの根拠規定となるものであるが、各権利の承継に必要な対抗要件の内容については直接規定しておらず、「登記、登録その他の対抗要件を備えなければ、……」と規定している。

これは、対抗要件の内容については、権利の「譲渡」等において必要となる対抗要件と同じものを要求する趣旨である。したがって、同項の「対抗要件」は、その権利が不動産に関する物権であれば登記が、動産に関する物権であれば引渡し等が、債権であれば債務者に対する通知又は債務者の承諾（債務者以外の第三者に対しては確定日付ある証書によることを要する。）がこれに当たることになる。

なお、相続による債権の承継について必要となる対抗要件については、同条第2項において、上記の特則を設けることとしている（この点の詳細については、Q104参照）。

Q104 預貯金などの債権を相続により承継した場合には、どのように対抗要件を具備すればよいのか（第899条の2第2項関係）。

A 新法では、相続により法定相続分を超える債権の承継がされた場合には、第467条に規定する方法による対抗要件具備のほか（Q103参照）、その債権を承継する相続人（受益相続人）の債務者に対する通知により対抗要件を具備することを認めることとしている（第899条の2第2項）。

まず、受益相続人が第467条に規定する方法により対抗要件を具備するためには、「譲渡人」に相当する者の債務者に対する通知がされること又は債務者による承諾があることが必要となる（債務者以外の第三者に対抗するためには、確定日付のある証書によることを要する。）。前者については、相続による権利の承継の場合に「譲渡人」に相当する者は被相続人の地位を包括的に承継した共同相続人全員であるため、共同相続人全員の債務者に対する通知により対抗要件が具備されることになる(注1)。

もっとも、特定財産承継遺言や相続分の指定によって債権の承継があった場合には、その遺言をした被相続人は既に死亡しており、その相続人もどのような状況の下で遺言がされたか認識していない場合が多く、受益相続人以外の相続人に債務者に対する通知を期待することは困難である場合が多いものと考えられる。また、特定財産承継遺言等の相続を原因とする権利の承継の場合には、遺贈等の特定承継の場合とは異なり、受益相続人以外の共同相続人は対抗要件の具備に協力すべき義務を負わないと考えられているため(注2)、対抗要件の具備について受益相続人以外の共同相続人の協力が得られない場合に備えて、別の手段を設けておく必要性が高いと考えられる(注3)。

そこで、新法では、相続による債権の承継の場合には、受益相続人の通知により対抗要件を具備することを認めることとしつつ、虚偽の通知がされることを防止するために、受益相続人の通知による場合には、その通知の際に、遺言又は遺産分割の内容を明らかにすることを要求することとし、その要件を加重している。

以上のとおり、相続により法定相続分を超えて債権を承継した受益相続人が対抗要件を取得する方法としては、①共同相続人全員（又は遺言執行者）による通知、②受益相続人が遺言又は遺産分割の内容を明らかにしてする通知、③債務者の承諾(注4)があることになる。

　(注1) 相続による債権の承継において、債権譲渡における「譲渡人」に相当する者が「被相続人（厳密には、その地位を包括的に承継した共同相続人全員）」であり、「譲受人」に相当する者が受益相続人であることについては、読み替え規定等を置くまでもなく明確であると考えられる。新法施行後も、実体法上は、被相続人から受益相続人に直接債権が承継されることに変わりはないと考えられることから、「譲渡人」に相当する地位を承継する共同相続人全員には、受益相続人も含まれるものと考えられる。
　(注2) 特定遺贈や死因贈与等の特定承継は、被相続人の意思表示に基づく権利移転であるから、その相続人は当該意思表示によって被相続人に生じた権利移転義務（対抗要件の具備等、権利の移転に協力すべき義務）を相続によって承継したという説明をすることが可能であると考えられる。これに対し、特定財産承継遺言や相続分の指定による権利の承継は、同じく被相続人の意思表示を要素に含むものではあるが、あくまで相続という法定の原因に基づく権利移転であるから、特定承継の場合のように、被相続人から義務を承継したという説明をすることは困難であると考えられる。したがって、相続による権利の承継について誰がいかなる義務を負うかについては、基本的に法律で定められるべきものと考えられるが、民法上、相続人に権利移転義務を負わせる根拠となる規定はなく、かえって、遺言の執行は遺言執行者によることとされ、特定財産承継遺言等については、遺言執行者と相続人の権限を調整する規定も設けられていないこと（第1012条第2項参照）からすれば、相続を原因とする権利の承継について、相続人は権利移転義務を負わないものと解される。
　なお、同じく相続を原因とするものであっても、遺産分割の協議が成立した場合については、各共同相続人は、自らの意思表示の効果（合意の効果）として権利移転義務を負うものと解することが可能であると考えられる。
　(注3) この点については、遺言執行者による通知が可能であるから、受益相続人による通知を認める必要がないという考え方もあり得るところであるが、遺言者による遺言執行者の指定がない場合には、家庭裁判所による選任を要することになって煩雑となるほか、遺言執行者による通知を要求しても、必ずしも権利移転の真実性が確保されることにはならないものと考えられる。すなわち、遺言執行者の選任等も遺言が有効であることが前提となっており、遺言能力の欠如により遺言が無効である場合には、遺言執行者の選任も無効であって、有効な通知とはならない点や、遺言執行者が通知をする場合にも、遺言書等によって遺言執行者の指定等の事実を証明しない限り、債務者はその有効性を判断す

ることができない点では、受益相続人による通知とそれほど変わらないと考えられる。

　なお、不動産の登記申請においても、特定財産承継遺言等によって権利を取得した受益相続人は、遺言執行者によることなく、自ら単独で相続による権利の移転の登記を申請することができることとされている（不動産登記法第63条第2項）。

　（注4）本文の③の債務者の承諾については、債権譲渡の場合の債務者の承諾と同様、債務者に承諾をすべき法的な義務はなく、あくまでも債務者が任意に承諾をした場合に対抗要件になることとするものである。

Q105 第899条の2第2項において、遺言の内容又は遺産分割の内容を明らかにして通知をしたといえるためには、どのような書面を示す必要があるのか（第899条の2第2項関係）。

A 前述のとおり（Q104参照）、第899条の2第2項では、受益相続人の通知による対抗要件具備を認めることとした上で、虚偽の通知がされることを防止するために、その通知の際に遺言の内容又は遺産分割の内容を明らかにすることを要求したのであるから、この要件を満たすためには、債務者に遺言書又は遺産分割協議書等の原本を提示するか、あるいは、写しであれば、同一内容の原本が存在することについて疑義を生じさせない客観性のある書面であることを要するものと解すべきである。

具体的には、「遺言の内容……を明らかにして」といえるためには、公正証書遺言であれば、公証人によって作成された遺言書の正本又は謄本、自筆証書遺言であれば、その原本のほか、家庭裁判所書記官が作成した検認調書の謄本に添付された遺言書の写しや、自筆証書遺言を保管する法務局の遺言書保管官が発行する遺言書情報証明書等がこれに当たるものと考えられる。

同様に、「遺産の分割の内容……を明らかにして」といえるためには、遺産分割協議書の原本や公証人作成に係る正本又は謄本、裁判所書記官作成に係る調停調書や審判書の正本又は謄本等がこれに当たるものと考えられる。

なお、いずれの場合についても、債権譲渡の場合と同様、受益相続人が債務者以外の第三者に対する対抗要件を取得するためには、確定日付のある証書によって通知することを要する（第899条の2第1項、第467条第2項）。

［債務の承継］

Q106 相続分の指定がされた場合における義務の承継については、どのような規律が設けられたのか（第902条の2関係）。

A 新法では、相続分の指定がされた場合についても、相続債権者は、各共同相続人に対し、法定相続分に応じてその権利を行使することができることを明確化している（第902条の2本文）。これは、債権者との関係では、遺言者に自らが負担した債務の承継の在り方を決める権限を認めることは相当でないことを根拠とするものであり、基本的には、判例（最三判平成21年3月24日民集63巻3号427頁）の考え方を明文化するものといえる(注1)。

これに対し、相続人間の内部的な債務の負担割合については、これを積極財産の承継割合に合わせることに一定の合理性が認められるため、旧法の下においても、遺言者にその限度で債務の負担割合を決める権限が認められていたものであり（第899条、第902条）、この点は新法施行後も変わらない。

したがって、法定相続分を下回る相続分の指定がされた相続人は、第902条の2本文の規定により相続債権者に対して法定相続分に応じた債務の支払をした場合には、法定相続分を上回る相続分の指定がされた相続人に対し、求償権を行使することができることになる。

このように、相続分の指定がされた場合でも、各共同相続人に対してその法定相続分に応じた権利行使を認めるのは、相続債権者の利益を考慮したものであるが、他方で、法定相続分に応じた権利行使しか認めないことにすると、例えば、被相続人が遺言により積極財産の全部又はその大部分を特定の相続人に相続させることとしたような場合に、責任財産が不足し、相続債権者が不利益を受けることがあり得る。このため、新法では、相続債権者が指定相続分に応じた債務の承継を承認することにより、指定相続分に応じた権利行使を認めることとしている（第902条の2ただし書、第899条）。そして、相続債権者が共同相続人の1人に対してこの承認をした場合には、相続債権者は、その後は指定相続分に応じた権利行使しかできないこととしている(注2)。

(注1) 本文にもあるとおり、被相続人は、特定財産承継遺言や相続分の指定を通じて、積極財産の分配の在り方を決めることはできるが、積極財産の分配の在り方と離れて相続債務の帰属の在り方を決めることはできないものと考えられている。これは、被相続人には自らが負担した債務に関する処分権限は認められないことを根拠とするものであり、相続債務の帰属の在り方を被相続人が決めることができるとすると、相続人のうち資力がない者に対して積極財産は一切相続させずに、相続債務の全てを帰属させるということも許されることになり、相続債権者の利益を害することになるためである。第899条は、「各共同相続人は、その相続分に応じて被相続人の権利義務を承継する。」と定めており、被相続人が相続分の指定を通じて、積極財産の承継割合に応じて、相続債務の承継割合を決めることができるとしているに過ぎない。もっとも、前掲最三判平成21年3月24日は、「相続人のうちの1人に対して財産全部を相続させる旨の遺言により相続分の全部が当該相続人に指定された場合、遺言の趣旨等から相続債務については当該相続人にすべてを相続させる意思のないことが明らかであるなどの特段の事情のない限り、当該相続人に相続債務もすべて相続させる旨の意思が表示されたものと解すべき」であると判示しており、相続人のうちの1人に対して全財産を相続させる旨の遺言がされた場合であっても、被相続人が異なる意思表示をすれば、相続債務の帰属割合を変更することができるかのような説示をしている。この点について、この判例は、特段の事情がある場合にどのような法律関係が生ずるかという点については特に触れていないため、この場合の相続させる旨の遺言を遺贈と解する趣旨であるのか、積極財産について法定相続分と異なる遺産分割方法の指定をした場合でも、相続分の指定を伴わないものを認める趣旨なのかは必ずしも明らかでないものと考えられる。

　(注2) 相続債権者が指定相続分に応じた債務の承継を承認すると、相続債権者との関係でも、その意思に対応する効果が生ずることになるから、上記承認は意思表示（単独行為）の一種であると考えられる。したがって、いったん承認をした場合には、これを撤回することはできない。

Q107

相続債権者は、法定相続分に応じた権利行使をした後でも、指定相続分に応じた債務の承継を承認することができるのか（第902条の2ただし書関係）。

A 第902条の2ただし書では、相続債権者が指定相続分に応じた債務の承継を承認することにより、指定相続分に応じた権利行使を認めることとしているが（Q106参照）、相続債権者が指定相続分に応じた債務の承継を承認することができる時期等について特段の制限を設けていないため、相続債権者は、法定相続分に応じた権利行使をした後でも、指定相続分に応じた債務の承継を承認することは可能である。もっとも、その場合でも、指定相続分に応じた債務の承継を承認する前にされた弁済等の効力には何ら影響を及ぼさない。

したがって、例えば、相続人がA、B、Cの3人（法定相続分は各3分の1）である事案において、被相続人が、Aの相続分を4分の3、Bの相続分を4分の1、Cの相続分を0と指定した場合に、被相続人に対して3000万円の債権を有していた相続債権者Dが第909条の2本文の規定によりCから1000万円の弁済を受けた後に、指定相続分に応じた債務の承継を承認したとしても、その承認は1000万円の弁済の効力には影響を及ぼさないから、Dは、その残額である2000万円について権利行使をすることができるに過ぎない。この場合には、指定相続分に応じて2250万円（＝3000万円×$\frac{3}{4}$）の債務を承継したAに残額2000万円の請求することも可能であるし、A、B両名に請求することも可能であるが、後者の場合には、Bに対して請求することができる額は750万円（＝3000万円×$\frac{1}{4}$）の範囲内に限られることになる(注)。

（注）本文の事例において、DがCに対して1000万円請求し、その後、Aに対して2000万円請求をしてそれぞれ弁済を受けた場合に、どのように事後処理を行うかについては、考え方が分かれ得るように思われる。すなわち、Cは、相続人間の内部的な関係においては負担部分がないため、Dに弁済した1000万円について、A及びBに対し、各自の指定相続分に応じて求償することができると考えた上で、Cは、Aに対しては750万円（＝1000万×$\frac{3}{4}$）を、Bに対しては250万円（＝1000万×$\frac{1}{4}$）をそれぞれ請求することができ、その後、Aは、Bに対し、自己の負担部分を超える500万円（2000万＋750万＝

2750万＞2250万）について求償することができるという考え方があり得るものと思われる。これに対し、上記のような求償の循環が生ずることを防ぐため、CがA及びBに対して求償することができる額は、各自の負担部分に満つるまでの金額を限度とすると考えた上で、Cは、Aに対しては250万円（＝2250万円－2000万円）を、Bに対しては750万円をそれぞれ請求することができるという考え方もあり得るものと思われる。いずれにしても、新法では、この点に関する規定を設けておらず、解釈に委ねられている。

[遺言執行者がある場合における相続人の行為の効果等]

Q108　遺言執行者がある場合における相続人の行為の効果等について規律を設けたのはなぜか（第1013条第2項、第3項関係）。

A　改正前の第1013条では、遺言執行者がある場合には、相続人は、相続財産の処分その他遺言の執行を妨げるべき行為をすることができないこととされていた（この規定自体は新法施行後も存続する。第1013条第1項）が、この規定に違反した場合の効果について、判例は、相続人がした処分行為は絶対的に無効であると判示していた（大判昭和5年6月16日民集9巻550頁）。

他方で、判例は、遺言者の死亡後に相続人の債権者が特定遺贈の目的とされた不動産の差押えをした事案に関して、遺言執行者がいない場合には、受遺者と相続人の債権者とは対抗関係に立ち、先に登記を具備した者が確定的にその権利を取得するとの判示をしている（最二判昭和39年3月6日民集18巻3号437頁）。この判例の事案は、不動産の差押えがされた時点では、遺言執行者は選任されておらず、その後に選任されたものであったが、最高裁判所調査官解説では、仮に遺言執行者の選任が差押えの前にされていたとすれば、差押債権者は第177条の「第三者」に該当しないと解すべきであるとされている（栗山忍「判解」法曹会編『最高裁判所判例解説民事篇（昭和39年度）』71頁（法曹会、1973年））(注1)。

これらの判例の考え方によると、例えば、不動産の遺贈がされた場合について、遺言執行者がいれば遺贈が絶対的に優先するのに対し、遺言執行者がいなければ受遺者と相続人の債権者の関係は対抗関係に立つことになるが、このような帰結は、遺言の存否及びその内容を知り得ない相続債権者等の第三者に不測の損害を与え、取引の安全を害するおそれがある。

そこで、新法では、旧法及び判例の考え方を基本的に尊重しながらも、遺言の存否及びその内容を知り得ない第三者の取引の安全を図る観点から、相続人が自らした行為の効果と相続債権者又は相続人の債権者がした行為の効果とを区別した上で、それぞれ異なる規律を設けることとしている。

具体的には、まず、遺言執行者がいる場合に相続人が行った遺言の執行を妨げる行為は無効であることを明確にしつつ（第1013条第2項本文）、その

取引の相手方が遺言執行者の存在を知らなかった場合については、取引の安全を図るために、その行為の無効を善意の第三者に対抗することができないこととしている（同項ただし書）。もっとも、同項ただし書の善意者保護規定によって治癒されるのは、あくまでも「相続人に処分権限がなかったこと」に限られる。したがって、同項ただし書が適用されると、当該第三者との関係では、当該行為は有効なものとして取り扱われることになるが、その場合にも、当該第三者が相続人からの権利取得を当然に他の第三者に対抗することができるわけではない(注2)。また、上記のとおり、同項ただし書の善意者保護規定は、相続人の無権限（管理処分権の不存在）を治癒するものであるから、ここでの「善意」は、遺言執行者がおり、その財産の管理処分権が遺言執行者にあることを知らなかったことを意味することになると考えられる。

次に、第1013条第2項のような規定を設けたことに伴い、遺言執行者がいる場合には、相続債権者や相続人の債権者の権利行使も認められなくなるかどうかが問題となる。この点について、新法では、相続債権者又は相続人の債権者が相続財産に対して差押え等の権利行使をした場合に、遺言執行者の有無という相続債権者等が知り得ない事情により権利行使の有効性が左右されることがないようにするため、同条第3項において、同条第1項及び第2項の規定は、相続債権者や相続人の債権者が相続財産についてその権利を行使することを妨げない旨の注意規定を設けることとし、この点に関する争いを立法的に解決することとした(注3)。同項の相続債権者等がした相続財産についての権利行使としては、相続人の行為が含まれていないものが想定されており、相続債権者等による差押え等の強制執行や相殺の意思表示等がこれに該当する。

(注1) 上記判例解説では、その理由として、「遺言執行者の選任後に、相続人に対する債権者が相続財産に対し強制執行（差押）をしても、相続人（執行債務者）から徴収すべき処分権はなく、実質的にはなんらの権利をも取得するものではない」という点が挙げられている。強制競売手続は、執行債権者の申立てに基づき、目的物を差し押さえて執行債務者の処分権を徴収し、これに基づいて目的物を売却する手続であるという理解を前提にしているものと考えられる。

(注2) 例えば、相続人がA、Bの2人（法定相続分は各2分の1）である事案におい

て、被相続人Pがその遺産に属する甲土地をAに特定財産承継遺言（相続させる旨の遺言）をし、Cを遺言執行者に指定していたにもかかわらず、Bが相続開始後にDに対して甲土地の2分の1の共有持分を譲渡した場合を前提とすると、Dが「善意の第三者」に当たる場合には、Bの無権限が治癒されて、処分権限を有していたものと法律上取り扱われることになるが、それによっても、「P→A、B（Pの相続人）→D」への二重譲渡があったのと同様の状態が作出されるに過ぎず、DがAに対してその共有持分の取得を対抗するためには、その旨の登記をAよりも先に備えることが必要となる。

　（注3）この点について、法制審議会民法（相続関係）部会では、①遺言の執行を相続債権者や相続人の債権者の権利行使よりも優先させる考え方、②相続債権者の権利行使は認めるが、相続人の債権者の権利行使は認めない考え方、③相続債権者及び相続人の債権者のいずれの権利行使も認める考え方について検討がされたが、最終的には③の考え方が採用された。

　まず、①の考え方については、被相続人の法的地位を包括的に承継するという相続の法的性質に照らしても、相続の開始によって、相続債権者の法的地位に著しい変動を生じさせるのは必ずしも相当でないことや、①の考え方をとると、遺言執行者がいない場合には対抗要件主義が適用されるのに対し、遺言執行者がいる場合には遺言が優先し、対抗要件主義が適用されないことになるが、これでは、特定財産承継遺言や相続分の指定について対抗要件主義を適用することとした意義がかなりの程度没却されることになること等の問題点が指摘され、採用されなかった。

　次に、②の考え方は、相続債権者と相続人の債権者の立場の違いに着目した考え方であり、相続人の債権者の場合には、相続開始前には、被相続人との間に法律関係を有していたわけではなく、相続開始前後の法的地位の変化という問題が生じないこと等を考慮して、相続人の債権者との関係では、遺言の執行を優先させるものである。もっとも、現行法上、相続債権者と相続人の債権者の法的取扱いを区別しているのは限定承認、財産分離及び相続財産破産の場合に限定されているが、この場面で、相続債権者と相続人の債権者とで取扱いを変えることとすると、民事執行等の場面において法律関係が過度に複雑になるなどの問題もあることから、最終的には、②の考え方を採用することも見送られ、③の考え方が採用された。

第7章 相続人以外の者の貢献を考慮するための方策

Q109 特別の寄与の制度を設けた趣旨は何か（第1050条関係）。

A 1 被相続人に対して療養看護等の貢献をした者が相続財産から分配を受けることを認める制度として寄与分の制度があるが、寄与分は、相続人にのみ認められている（第904条の2第1項）。このため、相続人ではない者、例えば、相続人の配偶者が、被相続人の療養看護に努め、被相続人の財産の維持又は増加に寄与しても、遺産分割手続において寄与分を主張したり、何らかの財産の分配を請求したりすることはできず、不公平であるとの指摘がされていた。

2 この問題に対応する方法としては、相続人以外の者が被相続人との間で報酬を受ける旨の契約を締結することや被相続人が遺贈をすること、あるいは両者の間で養子縁組をすること等が考えられる。
　しかし、被相続人との人的関係等によっては、上記のような貢献をした者が、被相続人に対し、これらの法的手段をとることを依頼することが心情的に困難な場合も多く、これらの手段のみによって十分に対応することは困難であると考えられる。他方、被相続人がこれらの手段をとらなかった場合であっても、上記のような貢献をした者に対して一定の財産を分け与えることが被相続人の推定的意思に合致する場合は多いものと考えられる。

3 また、上記の法的手段とは異なり、被相続人の同意がなくてもとることができるものとしては、①特別縁故者の制度、②準委任契約に基づく請求、③事務管理に基づく費用償還請求、④不当利得返還請求が考えられる。
　しかし、特別縁故者の制度は、相続人が存在する場合には用いることができないものであり、準委任契約、事務管理、不当利得を理由とする請求のいずれについても、その成立が認められない場合や、成立するとしてもその証

明が困難な場合があり得る等の問題があるものと考えられる(注)。

　4　以上のとおり、旧法の下では、相続人以外の者が被相続人の療養看護をした場合にこれに十分に報いることが困難であると考えられる。

　新法では、このような現状を踏まえ、実質的公平を図る観点から、被相続人の療養看護等に尽くした者の貢献に報いるために、特別の寄与の制度を新設することとしたものである。

（注）改正前の民法上の制度によって対応しようとする場合に生ずる問題点や限界等

　相続人以外の者が被相続人の療養看護等を行った場合に、①特別縁故者の制度、②準委任契約に基づく請求、③事務管理に基づく費用償還請求、④不当利得返還請求によって報酬等の支払を請求することには、下記のとおり、困難な場合があると考えられる。

(1) 特別縁故者の制度（第958条の3）

　特別縁故者の制度は、被相続人の療養看護に努めた者その他被相続人と特別な縁故があった者に対し、被相続人の財産を家庭裁判所の審判により分与する制度であるが、被相続人の相続人がいない場合にのみ用いることができる制度であり、相続人がいる場合には用いることができない。

(2) 準委任契約に基づく請求（第656条、第643条）

　療養看護等の寄与行為について、当事者間に役務の提供に関する合意があると認められる場合には、準委任契約（第656条、第643条）が成立することになると考えられる。

　しかし、準委任契約は無償が原則であり、報酬に関する特約がない場合には、受任者（療養看護等を行った者）は、委任者（被相続人）に対して報酬を請求することができない（第656条、第648条第1項）。また、委任事務を処理するのに必要と認められる費用を支出した場合には、その償還を請求することができるが（第656条、第650条第1項）、親族間等の親しい間柄において療養看護等がされた場合には、契約書等の証拠が欠けていたり、合意の内容が不明確であるために契約内容の立証が困難である場合や、当事者間では費用を含め金銭的な清算をする意思がなく、その旨の黙示の合意等が認められる場合も多いと考えられる。

(3) 事務管理に基づく費用償還請求（第697条）

　療養看護等の寄与行為について契約関係が認められない場合であっても、事務管理が成立するのではないかとも考えられる。事務管理が成立する場合には、管理者（療養看護等を行った者）は、本人（被相続人）のために支出した有益費等について、その償還を請求することができる（第702条）。

　しかし、事務管理制度は、私的自治の原則の例外として、本来は違法とされるべき他人の事務への干渉を例外的に許容する制度であるため、これを重視してその適用範囲を謙抑

的に考える立場からは、親族間における通常の療養看護のように、一定の事務をすることについて当事者間に合意がある場合には、基本的に事務管理の成立は否定すべきであるとの見解も有力である。また、事務管理が成立する場合でも、償還を請求することができるのは、管理者が支出した有益な費用に限られ、原則として報酬の請求権は生じないものとされている。

(4) 不当利得返還請求（第703条等）

相続人以外の者が、被相続人の療養看護等をすることにより、被相続人の財産の維持又は増加について特別の寄与をしているといえる場合には、被相続人やその権利義務を承継した相続人に対し、不当利得返還請求をすることが考えられる。

しかし、親族間等の親しい間柄における自発的な行為においては、当事者間では費用を含め金銭的な清算をする意思がなく、その旨の黙示の合意等が認められる場合も多いと考えられる。そのような場合には、法律上の原因がないとはいえないため、不当利得が成立しないこととなると考えられる。

> **Q110** 特別の寄与の制度において、療養看護等の貢献をした者を遺産分割の当事者に含めることにはせずに、遺産分割の手続外で相続人に対する金銭請求をすることを認めることとしたのはなぜか（第1050条第1項関係）。

A 1 特別の寄与の制度は、被相続人の療養看護等に努めた者の貢献に報いることで実質的公平を図るものであるが、このような目的を実現するためには、寄与分の制度のように、療養看護等の貢献をした者であれば遺産分割手続に参加することができるとすることも考えられる。

　しかしながら、そのような制度を採用した場合には、例えば、相続人間では遺産分割の内容等に争いがない場合であっても、相続人でない者の貢献の有無及び程度について争いがあるときには、全体として遺産分割をすることができないこととなるなど、相続をめぐる紛争が複雑化、長期化するおそれがある。

　また、そのような制度の下では、遺産分割がされた後になって新たに療養看護等の貢献をした者が存在することが判明した場合には、既にされた遺産分割はその者の利益を害するものとして無効となるおそれがあり、相続人や新たに取引関係に入った第三者に不測の不利益を生じさせることにもなり得る。

2　新法では、このような点を考慮し、被相続人に対して療養看護等の貢献をした者を遺産分割の当事者とすることとはせずに、それに代えて、遺産分割の手続外で、相続人に対して金銭請求をすることを認めることとしたものである。

Q111
特別の寄与の制度において、請求権者の範囲を限定し、寄与行為の態様に関する要件を設けたのはなぜか（第1050条第1項関係）。

A 1 特別の寄与の制度を新設することについては、法制審議会民法（相続関係）部会における調査・審議の過程において、相続をめぐる紛争の複雑化、長期化を懸念する指摘がされ、パブリックコメントにおいても同様の指摘がされたところである。懸念されるような事態が生ずることをできる限り防止するため、請求権者の範囲については、これを限定する必要性が高いものと考えられる。

また、この制度は、被相続人と一定の人的関係にある者が被相続人の療養看護等をした場合には、被相続人との間で有償契約を締結するなど、被相続人の生前に一定の対応をとることが類型的に困難であることに鑑み、これらの者の利益を保護し、実質的公平を実現することを目的とするものであり（Q109参照）、請求権者の範囲を一定の範囲の者に限定することには合理性があるものと考えられる。

以上の点を考慮し、特別の寄与の制度においては、請求権者の範囲を被相続人の親族に限定することとしている(注1)(注2)。

なお、新法では、上記のとおり請求権者の範囲を被相続人の親族に限定しているが、これは被相続人の療養看護を被相続人の親族が担うべきであるという価値判断を前提としたものではない。高齢者等の介護を誰が担うべきかという問題は、その時々の社会情勢や国民意識等を踏まえ、社会福祉政策等の中で議論されるべきものであり、この点について新法が一定の立場を採用したものではないことに留意する必要がある。

2 また、被相続人の財産の維持又は増加に貢献する行為としては、療養看護や財産上の給付など様々な類型のものが考えられるが、特別の寄与の制度の適用対象は、被相続人の療養看護をした場合や被相続人の事業を無償で手伝った場合など被相続人に対する無償の労務の提供があった場合に限定することとしている（Q112参照）。

これも紛争の長期化、複雑化の懸念に対応するものであるが、無償の労務

の提供については、相続人でないという形式的な理由で相続財産の分配に与り得ないとされていることに対する不公平感が特に強いとの指摘がされていることを踏まえ、この制度の対象となる寄与行為をこれに限定することにしたものである。これに対し、事業資金の提供など、被相続人に対して財産上の給付がされた場合については、その給付時にその返還の要否等について取決めをすることも比較的容易であり、その返還時期を被相続人の死亡時と定めることも可能であるから、本方策の適用を認める必要性に乏しいことを考慮したものである。

（注1）法制審議会民法（相続関係）部会における調査審議や国会における審議の過程では、事実婚や同性カップルのパートナーについても請求権者の範囲に加えるべきであるとの意見もあった。しかし、これらの類型に該当するか否かは、様々な要素を総合的に考慮して判断する必要があるため、これらの類型を請求権者の範囲に含めるとすると、その該当性をめぐって当事者間で主張・立証が繰り返されるなどして相続をめぐる紛争がいっそう複雑化、長期化するおそれがあること等を考慮し、このような考え方は採用しなかったものである。

（注2）被相続人の親族であることの基準時

特別の寄与をした者が「被相続人の親族」に当たるか否かは、時点によって異なり得るものであり、例えば、被相続人の療養看護をしていた被相続人の親族が、離婚により、被相続人の相続開始時にはもはや親族ではなくなっていたということがあり得る。このため、どの時点で被相続人の親族であれば特別の寄与の制度を利用することができるのかが問題となる。

特別の寄与の制度は、被相続人の療養看護等に努めた者に対して一定の財産を与えることが実質的公平の理念に適うとともに、被相続人の推定的意思にも合致すると考えられることから設けられたものであるが、被相続人の相続開始時に既に被相続人の親族ではなくなっていた者については、一般的に、被相続人がその者に対して財産を分け与える意思を有していたとは認め難い場合も多いと考えられる。また、特別寄与料の請求権者を被相続人の親族に限定したのは、これを無限定にすると、相続をめぐる紛争が複雑化、長期化するおそれがあるとの懸念が強かったことを考慮したものであるが、このような観点からすると、請求権者に当たるか否かを判断する際の基準時も相続開始時にするのが簡明であり、上記のような限定をした趣旨に合致するものと考えられる。

以上のような考慮から、特別の寄与の制度において「被相続人の親族」に当たるか否かは、請求権発生時である被相続人の相続開始時を基準として判断することを想定している。

これに対し、特別寄与料の支払請求時に被相続人の親族であることが必要であるとの解

釈もあり得なくはないが、特別寄与料の支払請求権は被相続人の相続開始時点で発生するものであることや、実質的公平の理念及び被相続人の推定的意思という制度趣旨に照らし、被相続人の死亡後の事情を考慮することは困難であると考えられる。

Q112 被相続人に対する労務の提供が「無償」であるか否かはどのように判断するのか。例えば、被相続人が労務の提供をした者の生活費を負担していた場合にはどうなるのか（第1050条第1項関係）。

A 1 特別の寄与の制度においては、労務の提供が無償でされたことを要件としている。これは、Q111の本文2で説明した事情に加え、労務の提供をした者が被相続人から対価を得た場合には、被相続人としても、労務の提供をした者に対してそれ以上の財産を与える意思はないのが通常であると考えられること等を考慮したものである。

労務の提供が無償であるか否かは、労務の提供をした者が被相続人から対価を得たと評価することができるか否かにより判断されることとなるが、その判断をするに当たっては、当該財産給付についての当事者の認識や、当該財産給付と労務提供の時期的・量的な対応関係等を考慮することになるものと考えられる。

2 被相続人が労務の提供をした者の生活費を負担していた場合に無償性の要件を満たすかどうかは、個別具体的な事情に基づいて判断されることとなるが、例えば、労務の提供をした者が被相続人が要介護状態になる前から被相続人と同居をしており、被相続人がその生活費を負担していたような場合であれば、療養看護開始後も引き続き被相続人が生活費を負担していたとしても、そのことから直ちに無償性が否定されることにはならないと考えられる。

また、一般に、労務の提供に対する対価といえるためには、その財産給付の内容が労務の提供の程度に応じて決められているという関係にあることを要すると考えられるため、労務の提供をした者が被相続人からごく僅かな金銭を受け取っていたに過ぎない場合や、簡単な食事の提供を受けたにとどまる場合には、対価的な意義がないと判断される場合が多いと考えられる[注]。

（注）相続人から特別寄与者に対する金銭の支払等があった場合の取扱い
　本文に記載したとおり、無償性が要件とされているのは、被相続人から労務の提供をし

た者に対して対価の支払がされた場合には、被相続人としても、労務の提供をした者に対してそれ以上の財産を与える意思はないのが通常であると考えられることによるものである。したがって、被相続人ではなく、相続人が労務の提供をした者に対して金銭を支払ったとしても、それが被相続人の意思を受けてされたような場合を除き、そのことを理由に無償性の要件が否定されるものではないと考えられる。

　もっとも、相続人が労務の提供をした者に対してその御礼の趣旨で金銭の支払等をした場合には、その事実は、第1050条第3項に規定する「一切の事情」として特別寄与料の額を定めるに当たって考慮されることになる。また、相続人による金銭の支払等が特別寄与料としての支払であることについて双方合意しているといった事情がある場合には、当該金銭は、特別寄与料の支払請求において、当該相続人が負担すべき金額から控除されることになるものと考えられる。

Q113 特別寄与料の額はどのように算定するのか（第1050条第2項、第3項関係）。

A 1 特別寄与料の支払については、一次的には当事者間の協議により決められることになるが、当事者間に協議が調わないとき又は協議をすることができないときは、特別寄与者は、家庭裁判所に対して協議に代わる処分を請求することができ、その場合には、家庭裁判所は、寄与の時期、方法及び程度、相続財産の額その他一切の事情を考慮して、特別寄与料の額を定めることとなる（第1050条第2項、第3項参照）。そして、特別寄与料の額を定めるに当たって考慮される一切の事情には、上記のもののほか、相続債務の額、被相続人による遺言の内容、各相続人の遺留分、特別寄与者が生前に受けた利益等が含まれるものと考えられる(注1)。

2 特別寄与料の額の具体的な算定方法については、概ね、寄与分の制度において相続人が被相続人に対する療養看護等の労務の提供をした場合と同様の取扱いがされることになると考えられる。

療養看護型の寄与分に関する実務の代表的な考え方によれば、寄与分の額は、第三者が同様の療養看護を行った場合における日当額に療養看護の日数を乗じた上で、これに一定の裁量割合(注2)を乗じて算定するものとされており、特別寄与料の額の算定に当たってもこのような考え方が参考とされるものと考えられる。

(注1) 第1050条第3項は、特別寄与料の額を定めるに当たっては「一切の事情」が考慮されるとしており、この中には各相続人の遺留分も含まれるから、家庭裁判所は、遺留分を有する相続人の利益も考慮した上で適切な額を定めることとなる。

新法では、特別寄与料の額を定めるに当たって、遺留分を侵害することができないとする規律を設けるなど、遺留分との関係を定めた規定は特に設けていない。このため、規定上は、特別寄与料を支払った後の相続人の最終的な取得額が遺留分を割り込むということも否定はされないこととなる。このように遺留分との関係を定める規定を設けなかったのは、①特別の寄与は公平の見地から法律上認められたものであって、被相続人の財産処分によるものではないから、遺留分によって当然に制限されるべき関係にはないこと、②仮に、特別寄与料の額を定めるに当たって、遺留分を侵害することができないとする規律を

設けると、遺留分を侵害することとなる額をめぐって紛争が複雑化、長期化するおそれがあること等を考慮したためである。

　（注2）ここでの裁量割合は、療養看護が介護の専門家である第三者ではなく、被相続人の親族により行われることや、被相続人と当該貢献をした者との人間関係を考慮して、裁判官が個別具体的な事案に応じて定める割合をいう。療養看護型の寄与分の請求においては、裁量割合は0.5から0.7までの範囲内で定められることが多いといわれており、特別寄与料の算定においても同様の算定方法が用いられることになるものと思われる。

188　第7章　相続人以外の者の貢献を考慮するための方策

Q114 相続人が相続により取得した財産の価額を超える特別寄与料の支払を命じられることはあるのか（第1050条第4項関係）。

A 　1　特別寄与料の額は、被相続人が相続開始の時において有した財産の価額から遺贈の価額を控除した残額を超えることができない（第1050条第4項）。これは、特別寄与料の支払請求権はあくまでも公平の見地から法律上認められたものであり、当然に請求することができる性質のものではないことから、その総額については、相続人が相続財産から現に受ける利益の価額を上限にすることとしたものである(注1)。

　このような規律が設けられた趣旨に照らすと、家庭裁判所が特別寄与料の額を定める場合でも、基本的には、相続人が相続により取得した財産の額を超える特別寄与料の支払を命じられることはないものと考えられる。

　2　もっとも、相続人が相続により取得した財産の額を超える特別寄与料の支払を命ずることを法律上禁じているわけではなく、また、事案によっては、そのような事態が生ずることもあり得るものと考えられる。例えば、特定の相続人が被相続人から多額の生前贈与を受けていた場合等、多額の特別受益を受けた者がいる場合には、当該相続人が遺産分割により取得する財産の額よりも特別寄与料の支払額の方が多くなることがあり得ると考えられる。このような場合においては、遺産の先渡しとして取り扱われる特別受益の額を含めれば、被相続人から取得した財産の額の方が特別寄与料の支払を命じられた額よりも多いということになるから、必ずしも相続人にとって酷な結果になるとはいえないものと考えられる(注2)(注3)。

　なお、そのような場合であっても、家庭裁判所が特別寄与料の額を定めるに当たっては、相続財産の額や相続債務の額に加え、各相続人の遺留分等一切の事情が考慮されることとなるから、相続人の利益をも考慮した適切な額が定められることとなる。

（注1）第1050条第4項の「遺贈」とは、特定遺贈を意味し、包括遺贈や特定財産承継遺言は含まないものと解される。これは、包括遺贈を受けた者は相続人と同一の権利義務を有するものとして扱われ（第990条）、特別寄与料の請求の対象になることから、特別

寄与料の額の計算に当たって、包括遺贈の価額を控除するのは相当ではないと考えられるためである。また、特定財産承継遺言については、そもそも遺贈には該当しないし、相続人が相続財産から受ける利益を超えて特別寄与料の支払義務を負うことになるのは相当ではないとして特別寄与料の額に上限を設ける第1050条第4項の趣旨に照らしても、特定財産承継遺言により相続人が相続財産から受けた利益を控除するのは相当でないものと考えられる。なお、遺言者は、包括又は特定の名義で、その財産の全部又は一部を処分することができるとされているのであるから（第964条）、包括遺贈をするか、特定遺贈をするかについて自由に選択をすることができるものと考えられる。したがって、遺産全部の遺贈がされたからといって当然に包括遺贈になるものとはいえず、これを包括遺贈とみるか特定遺贈とみるかは、遺言者の意思解釈の問題に帰するものと考えられる。

（注2）具体的には、以下のような事例が考えられる。

［事例］

　被相続人の子であるA、B、C（法定相続分は各3分の1）が相続人であり、被相続人が相続開始時に有していた財産は2000万円、相続人Cに対する生前贈与が4000万円、特別寄与者Dに支払われるべき特別寄与料の額が600万円であったものとする。

［検討］

　具体的相続分に従って被相続人の財産を分配すると、Cには多額の特別受益があるため、特別寄与料支払前の時点で、A及びBはそれぞれ1000万円を取得し、Cは財産の分配を受けられないということになる。

　各相続人は、特別寄与料600万円のうち3分の1に当たる200万円をそれぞれ負担することとなるので（第1050条第5項）、上記取得額からそれぞれの負担分を差し引くと、A及びBは800万円を取得し、Cは200万円の特別寄与料の支払義務を負担する（取得額はマイナス200万円）こととなる。

　このように、多額の特別受益が存在する事例においては、上記事例におけるCのように相続により取得した財産の額を超える特別寄与料の支払義務を負うことがあり得る。もっとも、上記事例におけるCは特別受益として4000万円の生前贈与を受けており、これを含めて考えれば、Cについても取得した財産の額の方が特別寄与料の支払を命じられた額よりも多くなるのであるから、必ずしもCに酷な結論とはいえないものと考えられる。

（注3）このほか、相続財産の額を超える多額の相続債務が存在する場合にも、相続人が相続により取得する財産の額よりも、特別寄与料の支払額の方が多くなるという事態が生じ得るが、そのような場合には、相続人は、相続を放棄することでその負担を免れることが可能である。

Q115 相続人が複数いる場合には、特別寄与者は、相続人全員に対して特別寄与料の支払を請求しなければならないのか（第1050条第1項、第5項関係）。

A 相続人が複数いる場合には、特別寄与者は、その選択に従い、相続人の1人又は数人に対して特別寄与料の支払を請求することができることとしている。これは、必ず相続人の全員に対して支払を請求しなければならないこととすると、相続人の1人が行方不明である場合等に特別寄与者が権利を行使することが困難になるおそれがあることや、特別寄与者の配偶者等金銭請求をする必要のない相続人も相手方とする必要が生ずること等を考慮したものである。

　もっとも、特別寄与者が相続人の1人に対して請求することができる金額は、特別寄与料の額に当該相続人の法定相続分又は指定相続分（第900条から第902条までの規定により算定した相続分）を乗じた額にとどまり、特定の相続人に対して特別寄与料の全額を請求することはできない（第1050条第5項参照）。このため、特別寄与者が特別寄与料の全額について支払を受けるには、相続分を有する相続人全員を相手方として特別寄与料の支払を請求しなければならないことになる。

Q116 相続人が複数いる場合には、各相続人は、法定相続分又は指定相続分に応じて特別寄与料を負担することとされているのはなぜか（第1050条第5項関係）。

A 1　特別の寄与の制度は、被相続人の財産の維持又は増加について特別の寄与をした者がいる場合には、その者についても相続財産の分配に与ることを認めることが実質的公平の理念に適うとの考えに基づくものであり（Q109参照）、特別寄与料は、本来は、相続財産が負担すべき性質のものである。各相続人は、特別寄与者の貢献によって維持又は増加した相続財産をその相続分に従って承継しているのであるから、相続財産に関する負担である特別寄与料も相続分に応じて負担すべきものと考えられる(注1)。

このような観点から、相続人が複数いる場合には、各相続人は特別寄与料の額に当該相続人の相続分を乗じた額を負担することとしている（第1050条第5項）。

2　また、新法では、各相続人は、相続分の指定がされていないときは法定相続分により、相続分の指定がされているときは指定相続分の割合により、特別寄与料の支払義務を負担することとしている(注2)。

これは、相続分の指定がされている場合には、各相続人がその指定相続分に応じて特別寄与料を負担するのが相続人間の公平に適うものと考えられ、また、これにより、相続分の指定により一切財産を相続しない者が特別寄与料の支払義務のみを負担することを避けることができること等を考慮したものである。

(注1)　第253条第1項は、共有物に関する負担について「各共有者は、その持分に応じ、管理の費用を支払い、その他共有物に関する負担を負う」と定めており、相続財産を相続分に応じて共有する相続人についても、その持分、すなわち相続分に応じて相続財産に関する負担を負うこととするのが公平に適うと考えられる。

(注2)　本文に記載する考え方のほか、①常に法定相続分に従って負担するという考え方、②具体的相続分に従って負担するという考え方もあり得るが、次のような問題があるため、いずれも採用されなかった。

① 常に法定相続分に従って負担するという考え方

相続された可分債務についての取扱いを参考に（Q106参照）、特別寄与者との関係では法定相続分に従って各相続人が負担すべきであるとの考えもあり得るところである。

しかし、第1050条第1項に基づく請求権は、相続人との間で初めて発生するものであって、被相続人との間で生ずるものではないから、相続債務には当たらない。また、仮に特別寄与者との関係では法定相続分に従って各相続人が支払責任を負うこととした場合でも、相続人間では求償を認めることとなると思われるが、そのような手続をとること自体が相続人にとって負担であり、そのような負担を課す合理性に乏しいものと考えられる。

② 具体的相続分に従って負担するという考え方

実質的平等を徹底するのであれば、具体的相続分に従って負担すべきであるとの考え方もあり得るところである。

しかしながら、具体的相続分は、特別受益や寄与分による調整をした後の金額又は割合であるが、特別受益や寄与分により具体的相続分が増えた相続人について特別寄与料の負担を増やすこととするのは、合理性に欠けるものと考えられる。すなわち、特別受益は、被相続人から遺贈又は贈与を受けた相続人がいる場合に、特別受益がある相続人とこれがない相続人との最終的な取得額ができるだけ平等になるように、遺産分割における取得額を調整するためのものであることからすれば、特別受益がない、又は少ない相続人について特別寄与料の負担を増やすことは、相続人間の平等の観点からも相当でないものと考えられる。寄与分についても、相続人の中に被相続人の財産の維持又は増加に貢献があった者がいる場合に、その貢献を考慮して遺産分割における取得額を増やすものであるから、寄与分が認められた相続人について特別寄与料の負担を増やす合理性に欠けるものと考えられる。

また、特別受益や寄与分の主張がある場合にそれを審理・判断しなければ各相続人が負担すべき特別寄与料の額が確定しないとすると、紛争が複雑化・長期化することが懸念される。

Q117 特別寄与料の請求が可能な期間については、どのような制限があるか（第1050条第2項ただし書関係）。

A 新法では、特別寄与料の請求手続は遺産分割手続とは別個のものとしている。しかし、相続人としては、自身が特別寄与料の支払義務を負うのか否か、負う場合にはそれがどの程度の金額であるのかを把握した上でなければ、遺産分割の協議を成立させることに躊躇を覚える場合が多いと考えられる。このため、遺産分割手続を含めた相続をめぐる紛争を全体として早期に解決するためには、特別寄与者が権利行使をするか否かが早期に明らかにされる必要があると考えられる。

また、特別の寄与の制度で保護されることとなる貢献をしたような者であれば、通常、相続の開始、すなわち被相続人の死亡の事実を比較的早期に知ることができるものと考えられるし、相続の場面では、民法上様々な短期の権利行使期間が定められている(注1)ことからすれば、権利行使をするか否かを早期に明らかにするよう特別寄与者に求めることには合理性があるものと考えられる。

新法では、以上の点を考慮し、特別寄与者が家庭裁判所に対して協議に代わる処分を請求することができる期間として、「特別寄与者が相続の開始及び相続人を知った時から六箇月」以内及び「相続開始の時から一年」以内という制限を設けることとしている（第1050条第2項ただし書）(注2)。

（注1）例えば、民法上、原則として、①相続人の単純承認・限定承認・放棄は、自己のために相続の開始があったことを知った時から3か月以内に（第915条第1項本文）、②相続債権者又は受遺者の財産分離請求は、相続開始の時から3か月以内に（第941条第1項前段）、③特別縁故者の相続財産の分与請求は、相続人の捜索の公告期間の満了後3か月以内に（第958条の3第2項）、それぞれしなければならないとされている。

（注2）これらの期間制限は、財産の分与について協議に代わる処分を請求することができる期間（第768条第2項ただし書）と同様に、いずれも除斥期間である。

Q118 特別寄与料の額について当事者間に争いがある場合はどうしたらよいのか（第1050条第2項本文、家事事件手続法第216条の2～5関係）。

A 　1　特別寄与料の額については、まず、特別寄与者と相続人との間の協議によって定めることを想定しているが、その協議が調わないとき、又は協議をすることができないときは、特別寄与者は、家庭裁判所に対して協議に代わる処分を請求することができることとしている（第1050条第2項本文）。これは、寄与分についての審理・判断との類似性から、特別の寄与に関する処分の審判事件についても寄与分（第904条の2第1項、第2項）と同様の規律を設けるものである。

　もっとも、特別の寄与に関する処分の手続については、寄与分における規律（第904条の2第4項）とは異なり、遺産分割手続から独立させており、特別寄与者は、遺産分割に関する事件が家庭裁判所に係属していない場合であっても、家庭裁判所に対して特別寄与料の額を定めることを請求することができる。

　2　特別の寄与に関する処分の審判事件の管轄については、遺産分割に関する審判事件の管轄（家事事件手続法第191条第1項）と同様に、相続が開始した地を管轄する家庭裁判所に管轄を認めることとしている（家事事件手続法第216条の2）。

　もっとも、特別の寄与に関する処分の審判及び調停手続については、遺産分割と寄与分との間の規律（家事事件手続法第192条、第245条第3項）とは異なり、遺産分割の手続との併合強制の規律は設けないこととしている。これは、特別の寄与に関する処分の審判事件は、遺産分割の審判事件の前提問題ではないことに加え、特別寄与者であると主張する者の主張内容は、その主張を基礎付ける根拠の有無も含め様々であると考えられ、紛争全体の早期解決という観点からは、併合の当否については家庭裁判所の裁量に委ねることが相当であると考えられるためである。

　3　家庭裁判所は、特別の寄与に関する処分についての審判又は調停の申

立てがあった場合において、強制執行を保全し、又は申立人の急迫の危険を防止するため必要があるときは、当該申立てをした者の申立てにより、特別の寄与に関する処分の審判を本案とする仮差押え、仮処分その他の必要な保全処分を命ずることができる（家事事件手続法第216条の5）。保全処分の具体例としては、特別寄与料の支払を命ずる審判の強制執行を保全するための仮差押えや、特別寄与者が生活に困窮し、生命・身体に危険が迫っている場合に相続人に仮払いを命ずる仮処分等が想定される。

第8章 施行日・経過措置

Q119 改正法の施行期日はいつか（附則第1条関係）。

A 1 改正法の施行期日については、下記のとおり段階的に定められている。

　まず、改正法では、その原則的な施行日を、公布の日（平成30年7月13日）から起算して1年を超えない範囲内において政令で定める日としている（附則第1条本文）。その施行日については、「民法及び家事事件手続法の一部を改正する法律の施行期日を定める政令（平成30年政令第316号）」により、令和元年（2019年）7月1日と定められたことから、改正法は、原則として、同日から施行されることになる。

　2 次に、配偶者の居住の権利（配偶者居住権及び配偶者短期居住権）に関する規定（第1028条から第1041条まで）については、「公布の日から起算して2年を超えない範囲内において政令で定める日」から施行することとしている（附則第1条第4号）。その施行日については、上記政令により、令和2年（2020年）4月1日と定められたことから、配偶者の居住の権利に関する規定については、同日から施行されることになる。

　配偶者居住権は、これまでにない新しい権利であり、遺産分割等によって取得することができることとされているが（第1028条第1項第1号）、その前提として、配偶者居住権が遺産分割においてどのように評価され、また、税制上どのように扱われるかを当事者が正確に認識した上で、取得する必要があり、これらの検討には相応の時間を要するものと考えられることから、配偶者の居住の権利に関する規定については、周知期間を長めにとることとしたものである。

　3 また、自筆証書遺言の方式緩和（第968条）に関する規定について

は、「公布の日から起算して6月を経過した日」から施行することとしており（附則第1条第2号）、平成31年（2019年）1月13日から施行されている。

　自筆証書遺言の方式緩和に関する見直しは、自筆証書中、財産目録については自書をすることを要しないこととするものであって、専ら遺言者の利便に資するものであり、一定の周知期間を確保する必要はあるものの、他の規定よりも早期に施行することが可能であること等を考慮したものである。

4　このほか、債権法改正法の施行に伴い規定を整備するもの（第998条、第1000条及び第1025条ただし書の改正規定等）については、同法の施行日（令和2年（2020年）4月1日）から施行することとしている（附則第1条第3号）。

Q120 改正法における経過措置はどのようなものか（附則第2条関係）。

A 改正法では、民法の一部改正に伴う経過措置の原則として、施行日前に開始した相続については、改正前の法律を適用することとしている（旧法主義。附則第2条）。

具体的には、施行日前に死亡した者の相続については、施行日前に遺産分割が終了したものはもとより、施行日までに遺産分割が終了していないものについても旧法が適用されることになる。

これは、施行日前に開始した相続についても、新法の規定を適用することとすると、相続によりいったん発生した法律効果が改正法の施行により変更されることになり、法的安定性を害することになること等を考慮したものである。

なお、附則第2条は、条見出しにあるとおり、民法の一部改正に伴う経過措置の原則を定めたものであり、家事事件手続法の改正部分については適用されない。したがって、同法第200条第3項の規定は、施行日前に開始した相続についても適用される。もっとも、特別の寄与に関する審判事件については、実体法上の根拠規定である第1050条が施行日前に開始した相続には適用されない結果、その手続規定を定めた家事事件手続法第216条の2以下の規定も同様に適用がないことになる。

Q121 権利の承継の対抗要件に関する経過措置はどのようなものか（附則第3条関係）。

A 1 第899条の2第1項は、これまでの判例の考え方を変更し、相続による権利の承継であっても、各共同相続人の法定相続分を超える部分の権利の取得については、対抗要件を備えなければ第三者に対抗することができないこととしているが（Q100参照）、これは相続における権利の承継の在り方を変更するものであり、相続の開始が改正法の施行日前であれば旧法の規律を適用するのが相当である。

したがって、同項の適用については、附則第2条の原則規定により旧法主義が適用される。

2 もっとも、第899条の2第2項の規定は、相続により債権を承継した受益相続人の便宜のため、一定の書面の交付を条件として受益相続人による単独での対抗要件具備（通知）を認めるものであり、施行日前に開始した相続に関して遺産分割により債権の承継がされ、その通知が施行日後にされる場合についても、新法の適用を認めても問題はないと考えられる（施行日前に開始した相続について、特定財産承継遺言（いわゆる相続させる旨の遺言）がされていた場合については、附則第2条の規定により旧法主義が適用され、第899条の2第1項の適用はなく同条第2項の適用もあり得ないが、遺産分割による権利の承継については、旧法においても対抗要件主義が妥当していたため、同条の適用場面があり得る。）。

このため、施行日前に開始した相続に関して遺産分割による債権の承継がされ、施行日以後にその承継の通知がされる場合については、第899条の2の規定を適用することとしている（附則第3条）。

Q122 夫婦間における居住用不動産の贈与等に関する経過措置はどのようなものか（附則第4条関係）。

A 第903条第4項では、婚姻期間が20年以上の夫婦間において居住用不動産の贈与等が行われた場合には、いわゆる持戻し免除の意思表示がされたものと推定することとしているが（Q37参照）、新法の下で、被相続人がその適用を望まない場合については、別途その旨の意思表示を行う必要がある。

しかし、改正法の施行日前に行われた贈与等についてまで新法の規定を適用することとすると、改正法の施行後相続開始時までの間に、被相続人が適切に意思表示をすることができる状態にあるとは限らないことから、被相続人が新法の規定の適用を排除するか否か判断をする機会を奪うことにもなりかねず、被相続人の意思に反した遺産分割が行われるおそれがある。

そこで、改正法の施行日前に夫婦間で居住用不動産の贈与等がされた場合には、第903条第4項の規定は適用しないこととしている（附則第4条）。

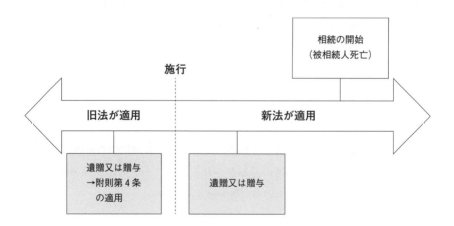

Q123 遺産分割前の預貯金債権の払戻し制度に関する経過措置はどのようなものか（附則第5条関係）。

A 最大決平成28年12月19日民集70巻8号2121頁は、これまでの判例を変更し、相続された預貯金債権については遺産分割の対象となるとの判断を示したが、この判例変更に伴い生ずる問題（Q44参照）は、相続開始の時期が施行日の前であるか後であるかにかかわらないものであり、また、施行日前に開始した相続に第909条の2の規定の適用を認めたとしても、これによって特に不利益を受ける者はいないものと考えられる。

そこで、第909条の2の規定については、施行日前に開始した相続についても、適用することとしている（附則第5条第1項。新法主義）。

Q124 自筆証書遺言の方式緩和に関する経過措置はどのようなものか（附則第6条関係）。

A 民法は自筆証書遺言についてその様式を定めているが（第968条）、その様式に違背する遺言は原則として無効である（最一判昭和54年5月31日民集33巻4号445頁）。そして、遺言の効力は遺言時における規律によって決するのが合理的であるものと考えられるが、このような考え方を前提とすれば、施行日前に、自書によらない財産目録を添付して作成された自筆証書による遺言については、遺言の時点では様式違背の無効な遺言であると考えるべきことになる。

　この点を明らかにする観点から、施行日前にされた遺言については、仮に相続開始が施行日以後であっても旧法を適用することとしている（附則第6条関係）。

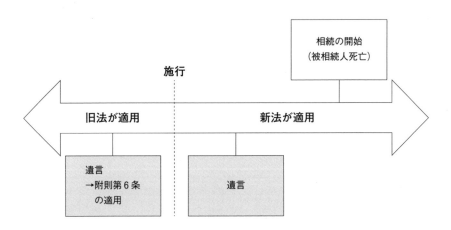

Q125 遺贈義務者の引渡義務等に関する経過措置はどのようなものか（附則第7条関係）。

A 1　第998条は、遺贈の目的物が特定物か不特定物であるか問わず、遺贈の趣旨に適合する目的物を引き渡す義務を負うことを前提に、目的物の引渡義務等についての遺言者の意思を推定する規定を設けるものであるが、施行日前（なお、同条の改正規定の施行日は、債権法改正法の施行日である令和2年（2020年）4月1日である。Q119参照）にされた遺贈（当該遺贈の記載がされた遺言の作成日が施行日より前である場合）については、通常、旧法の規定を前提として遺言書が作成されることになるものと考えられるから、仮に、遺贈の効力が発生する相続開始の時に新法が施行されていたとしても、これに新法の規定を適用するのは相当でないと考えられる。

したがって、令和2年（2020年）3月31日までにされた遺贈に係る遺贈義務者の引渡義務については、改正後の第998条の規定は適用しないこととしている（附則第7条第1項）。

2　また、改正法においては、第998条の規定を改正することに伴い、改正前の第1000条については削除することとしているが、上記のとおり施行日前にされた遺贈については旧法を適用することとしているから、同条についても「なおその効力を有する」こととしている（附則第7条第2項）。

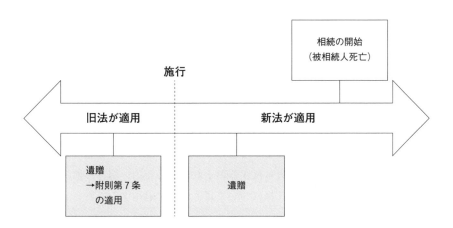

Q126 遺言執行者の権利義務等に関する経過措置はどのようなものか(附則第8条関係)。

A 1 遺言執行者の権利義務等に関する改正規定については、以下のとおり規定の内容に応じて、新法主義を採用すべきものと、旧法主義を採用すべきものとを分けて規定している。

2 すなわち、まず、第1007条第2項及び第1012条については、新法主義を採用することとしている。第1007条第2項は遺言執行者が任務を開始したときにおける相続人に対する通知義務を定めた規定であり、また、第1012条は遺言執行者の一般的な権利義務に関する規定であるが、施行日後に遺言執行者になった者であれば、これらの新法の規律を適用しても、遺言執行者の法的地位を不利益に変更することにはならないことから、「施行日前に開始した相続に関し、施行日以後に遺言執行者となる者にも適用する」こととしている(附則第8条第1項)。

3 次に、第1014条第2項から第4項までの各規定については、旧法主義を採用することとしている。これらの規定は、遺言者の一般的な意思を推定して、特定財産承継遺言がされた場合における遺言執行者の権限の内容を定める規定であり、いずれも旧法には規定がないものである。そして、施行日前にされた遺言は、通常、旧法の規定を前提として作成されることになるものと考えられるから、仮に、遺言の効力が発生する相続開始の時に新法が施行されていたとしても、これに新法の規定を適用するのは相当でないと考えられる(附則第8条第2項)。

また、第1016条についても、旧法主義を採用することとしている。同条は、遺言執行者の復任権を定めるものであるが、その復任権を制限した旧法の規律を改め、他の法定代理と同様の規律としている。そして、その改正内容は旧法の規律を実質的に変更するものであり、新法の規律を遡及適用することとすると、遺言者の意思に反するおそれがあるため、施行日前にされた遺言に係る遺言執行者の復任権については、旧法を適用することとしている(附則第8条第3項)。

[附則第8条第1項の説明図]

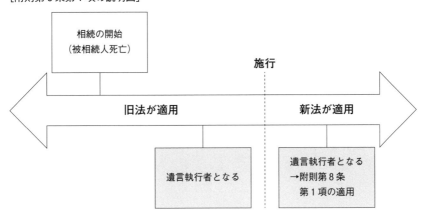

[附則第8条第2項、第3項の説明図]

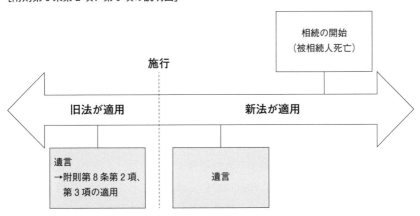

Q127 配偶者の居住の権利に関する経過措置はどのようなものか（附則第10条関係）。

A　1　配偶者居住権及び配偶者短期居住権は改正法によって新たに創設される権利であり、施行日前に開始した相続においては、配偶者居住権という権利が存在しない旧法を前提に、遺言がされたり、遺産分割協議が開始され、また、配偶者短期居住権についてもその権利が存在しない旧法を前提に権利関係が設定されている（平成8年判例（Q24（注）参照）の使用貸借契約の推認により処理される）ものと考えられる。したがって、施行日前に開始した相続について、新法の規律を適用するのは相当でないと考えられる。

　もっとも、配偶者の居住の権利（第5編第8章の各規定）については、他の新法の規定と異なる施行日を設けており（附則第1条第4号）（Q119参照）、附則第2条の経過措置の原則規定を直接適用することができないから、その適用関係に疑義が生じないよう、第1028条から第1041条までの規定は、施行日以後に開始した相続について適用し、施行日前に開始した相続については、なお従前の例によることを規定上明らかにしている（附則第10条第1項）。

　2　他方で、施行日以後に相続が開始した場合であっても、施行日前に配偶者居住権を目的とする遺贈がされた場合については、上記とは異なる観点からの検討が必要となる。この点については、存在していない権利を目的とする遺贈の効力をあえて認める必要性は乏しいと考えられる上、仮にそのような遺贈の効力を認めると、施行日前に作成された遺言に配偶者の居住に関する権利について言及がある場合などに、その解釈について紛争を生じさせることになりかねないと考えられる。

　このため、配偶者居住権に関する新法の規定は、施行日前にされた遺贈については適用しないこととしている（附則第10条第2項）。

[附則第10条第2項の説明図]

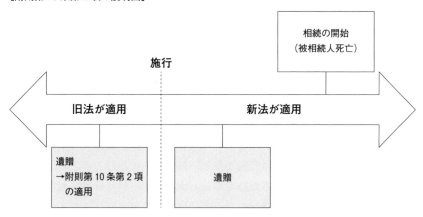

Q128

特別の寄与に関する経過措置はどのようなものか。被相続人の療養看護が改正法の施行日前に行われ、相続が施行日後に開始した場合にはどうなるのか。

A

1 特別の寄与の制度に関する規律については、改正法の施行日前に開始した相続に関しては適用しないこととしている（附則第2条）。

これは、改正法の施行日前に開始した相続について、新法の規定の適用を認めると、従前の権利関係に変動が生じ、被相続人や相続人に、不測の不利益を生じさせるおそれがあるためである。すなわち、施行日前に死亡した被相続人は、相続人が療養看護等をした者に対して特別寄与料の支払義務を負うとは想定していないものと考えられるが、そのような事案について新法を適用することとすると、被相続人の意図しない形で財産が分配される結果となるおそれがある。

また、施行日前に開始した相続については、各共同相続人が特別寄与料の支払義務を負うことを想定せずに遺産分割等の手続を終わらせていることがあり得るが、そのような事案について新法を適用することは、相続人に不測の不利益を生じさせることになる。

2 一方、被相続人に対する療養看護等が施行日前に行われた場合であっても、相続が施行日後に開始した場合には、新法の規定が適用される。

施行日後に相続が開始したのであれば、被相続人や相続人は、新法の適用を前提として一定の対応をとることができ、不測の不利益が生じるおそれは少ないものと考えられる。すなわち、施行日後に相続が開始したのであれば、被相続人は、新法の適用を前提として遺言書の作成や生前の財産分配をすることが可能であるし、相続人も、新法の適用を前提として、遺産分割や相続の承認・放棄の判断をすることができるから、これによって不測の不利益が生ずることを避けることができるものと考えられる。

また、このように被相続人や相続人に不測の不利益が生ずるおそれが少ないのであれば、できる限りこの規定の適用を認めることが実質的公平の実現という制度創設の目的にも沿うと考えられる。

第9章 遺言書保管法

Q129 法務局における遺言書の保管制度を設けることとした趣旨は、どのようなものか。

A 1 遺言書保管法は、高齢化の進展等の社会経済情勢の変化に鑑み、相続をめぐる紛争を防止するという観点から、法務局において自筆証書遺言に係る遺言書を保管する制度を新たに設けようとするものである。

本法の要点は次のとおりである。

第1に、遺言者が遺言書保管所(注1)において、自筆証書遺言に係る遺言書の保管の申請をすることができる制度を創設し、その申請手続、遺言書の保管や遺言書に係る情報の管理の方法、遺言者の死亡後の相続人等による遺言書保管事実証明書(遺言書保管所における関係遺言書(注2)の保管の有無等を明らかにした証明書。以下同じ。)や遺言情報証明書(遺言書の画像情報(遺言書保管法第7条第2項第1号)等当該遺言書に関する事項を証明した書面。以下同じ。)の交付請求手続等を定めることとしている。

第2に、遺言書保管所に保管されている遺言書については、家庭裁判所における検認の手続(民法(明治29年法律第89号)第1004条第1項)を要しないこととしている。

2 自筆証書遺言は、民法に定める遺言の方式のうち、自書能力さえ備わっていれば他人の力を借りることなく、どこでも作成することができ、特別の費用もかからず、遺言者にとって、手軽かつ自由度の高いものである。

他方で、自筆証書遺言は、作成や保管について第三者の関与が不要とされているため、遺言者の死亡後、遺言書の真正や遺言内容をめぐって紛争が生ずるリスクや、相続人が遺言書の存在に気付かないまま遺産分割を行うリスク等がある。

そこで、遺言書保管法により法務局における遺言書の保管制度を創設し

て、手軽で自由度が高いという自筆証書遺言の利点を損なうことなく、他方で、法務局における遺言書の保管及びその画像情報等の記録や、保管の申請の際に遺言書保管官[注3]が行う自筆証書遺言の方式に関する遺言書の外形的な確認等により、上記の自筆証書遺言に伴うリスクを軽減することとした[注4]。

3 遺言書の保管を行う公的機関については、全国一律にサービスを提供する必要があること、遺言書の保管を行うに当たってはプライバシーの確保が必要であること、相続登記を含めた不動産登記を行う機関が遺言書の保管業務を担うことにより相続登記の促進にもつながり得ること等を考慮し、法務局とすることとしている。

(注1) 遺言書保管法では、全国の法務局のうち、法務大臣の指定する法務局が、遺言書保管所として遺言書の保管に関する事務をつかさどることとしている（同法第2条）。その指定の範囲については、全国一律でサービスを提供する必要性や、個人情報の保護の観点から十分な設備を備える必要性等を踏まえて、同法の施行時には、全国312か所の法務局（概ね本局及び支局）を遺言書保管所に指定している。
(注2) 関係遺言書とは、自己が関係相続人等（遺言者の相続人、受遺者、遺言執行者等遺言書保管法第9条第1項各号に掲げる者）に該当する遺言書をいう（同条第2項）。
(注3) 遺言書保管法では、遺言書保管所に勤務する法務事務官のうちから、法務局又は地方法務局の長が指定する者を遺言書保管官とすることとしている（同法第3条）。遺言書保管官には、法務省等が実施する各種研修により民法等の関係法令に関する高度な専門的知識等を涵養し、登記事務等の実務経験を十分に積んだ法務事務官が指定されることとなる。
(注4) 遺言書の保管制度については、法制審議会民法（相続関係）部会において、検討項目の1つとなっていた遺言制度に関する見直しの議論の中で、自筆証書遺言に係る遺言書を公的機関で保管する制度を検討することが提案され、これを契機に制度創設に向けた検討が始まった。

Q130 制度に関する規定は、法律、政令、省令にわたっているが、どのように振り分けられているのか。

A 1 遺言書保管制度に関する法令については、国民の権利義務に関する事項を含む、制度の基本的な仕組みを法律事項とし、付随的な手続及び手続の細目や、遺言書保管所内部の事務処理に関する事項については、下位法令において定めることとしている^(注)。

そして、政令では、下位法令で定めることとされている事項のうち重要な事項を規定しており、さらに、省令では、細目にわたる事項を規定している。

2 具体的には、遺言書保管法では、遺言書保管所及び遺言書保管官、遺言書の保管及び遺言書に係る情報の管理の方法等の制度を担う機関やその事務処理方法、並びに保管の申請の対象となる遺言書の範囲、遺言書の保管の申請、遺言書の閲覧、遺言書保管事実証明書及び遺言書情報証明書の交付請求の手続、検認の適用除外等を規定している。

遺言書保管政令では、遺言者の住所等の変更の届出、遺言書保管ファイルの記録の閲覧、申請書等の閲覧等の付随的な手続や、遺言書の保管の申請の却下、遺言書の保管期間等の手続に関する細目を規定している。また、手数料令において、遺言書の保管の申請等に係る手数料の額を規定している。

遺言書保管省令では、保管の申請をすることができる遺言書の様式、遺言書の保管の申請の方式（申請書の様式、記載事項及び添付書類）等の手続の細目や、遺言書保管所に備え付ける帳簿、申請書の保存期間等の遺言書保管所内部の事務処理に関する事項を規定している。

（注）そのような下位法令として、遺言書保管政令、手数料令及び遺言書保管省令を制定している。

Q131 遺言書の保管の申請は、どの法務局で行うことができるか（遺言書保管法第2条第1項、第4条第3項関係）。

A 1 遺言書保管法では、全国の法務局(注1)のうち、法務大臣の指定する法務局が、遺言書保管所として遺言書の保管に関する事務をつかさどることとしている（遺言書保管法第2条第1項）。

遺言書保管所の指定に関しては、利便性の観点からは、より多くの拠点において利用者のアクセスを可能にすることが望ましいが、他方で、遺言書の保管に関する事務は、秘匿性の高い情報を扱うものであるため、指定される法務局には、個人情報の保護等の観点から十分な設備、体制を整備する必要がある。これらの事情等を考慮し、原則として、本局及び支局を遺言書保管所に指定し(注2)、全国312か所の遺言書保管所で事務を取り扱うこととした。

2 遺言書の保管の申請は、遺言者の住所地若しくは本籍地又は遺言者の所有する不動産の所在地を管轄する遺言書保管所の遺言書保管官に対してしなければならないこととしている（遺言書保管法第4条第3項）。

これは、遺言書の保管の申請は遺言者が遺言書保管所に自ら出頭して行わなければならず（遺言書保管法第4条第6項）、また、遺言者が翻意して保管の申請を撤回する場合には遺言書が保管されている遺言書保管所に再度出頭しなければならない（同法第8条第3項）ため、遺言者にとっての利便性の観点から、遺言者に関連性のある場所をできるだけ広く管轄原因として認めるとの考慮とともに、遺言者が死亡した後の相続人等にとっての利便性等の考慮に基づくものでもある。

また、遺言者の所有する不動産の所在地に管轄原因を認めたことについては、上記考慮のほか、当該不動産の所在地を管轄する遺言書保管所(注3)に管轄を認めることにより、相続人等が、遺言書を閲覧する機会に、当該不動産を実際に確認し、また、同じ法務局において相続登記を行うことの契機となり得ることとなり、相続登記の促進及び所有者不明土地問題の解決の一助となることも考慮されている。

3 また、遺言者の作成した他の遺言書が現に遺言書保管所に保管されている場合には、遺言書の保管の申請は、当該他の遺言書が保管されている遺言書保管所の遺言書保管官に対してしなければならないこととしている（遺言書保管法第4条第3項）。

これは、複数の遺言書を異なる遺言書保管所に分散して保管することを認めた場合に生じ得る閲覧を請求する相続人等の負担の増大や遺言書保管所における事務の複雑化といった弊害を回避する等の考慮に基づくものである。

（注1）全国の法務局の数は、416か所（本局50、支局261、出張所105）である（令和2年7月1日現在）。

（注2）東京法務局においてのみ、本局及び支局に加え、板橋出張所を指定することとしている。

（注3）遺言書の保管事務に関する管轄区域については、法務局及び地方法務局の支局及び出張所設置規則（平成13年法務省令第12号）第4条、別表第二に規定されている。

Q132

遺言者は、遺言書を作成するにあたり、予め遺言書保管官に、その作成の要否や遺言の内容をどうするのかといった事項について相談をすることができるか。

A 1 遺言書の保管の申請の対象となるのは、民法第968条の自筆証書によってした遺言に係る遺言書に限られており（遺言書保管法第1条、第4条第1項）、また、当該遺言書は、法務省令で定める様式に従って作成された無封のものでなければならない（同条第2項）。そのため、遺言書保管官は、遺言書の保管の申請があった際に、遺言者が既に作成した遺言書について、自筆証書遺言の方式である民法第968条の定める方式に適合しているか否か等に関する外形的な確認を行うこととなるが、遺言者が遺言書を作成する段階で、遺言書保管官が、どのような遺言をするかといった内容の相談を受けることを含め、その作成に関与することは想定されていない。したがって、遺言者は、遺言書を作成するに当たり、作成の要否や内容をどうするのかといった事項について、遺言書保管官に相談することはできず、遺言書保管官もこのような相談に応じてはならないと考えられる[注1]。

2 そのため、利用者は、制度に関する一般的な事項を含め、遺言書保管所における手続に関して不明な点等がある場合には、基本的には、法務省及び法務局のホームページを参照することとなる[注2][注3]。

（注1）これに対し、公正証書遺言の場合には、公証人が遺言書の作成に関与することとされており（民法第969条）、全国の公証役場では、遺言の内容も含め、遺言者からの相談を受け付けている。
（注2）法務省ホームページでは、パンフレットやQ&A等が掲載され、案内がされている。
（注3）遺言書保管所への電話による、又は窓口での問合せについても、遺言書保管所における手続に関する内容に限られる。

Q133 保管の申請をすることができる遺言書は、どのようなものか（遺言書保管法第1条、第4条第1項、第2項関係）。

A 1 遺言には、その方式として、自筆証書遺言（民法第968条）、公正証書遺言（同法第969条）、秘密証書遺言（同法第970条）等があるところ、遺言書保管法により遺言書保管官に保管の申請をすることができる遺言書は、このうち民法第968条の自筆証書によってした遺言に係る遺言書に限られている（遺言書保管法第1条、第4条第1項）。

2 また、保管の申請をすることができる遺言書は、法務省令で定める様式に従って作成した無封の遺言書でなければならないこととしている（遺言書保管法第4条第2項）。

法務省令で定める様式に従って作成した遺言書でなければならないとした趣旨は、遺言書の用紙の大きさ等を規定することにより、遺言書保管所の施設内において行うこととされている遺言書の保管（遺言書保管法第6条第1項）や、遺言書の画像情報を遺言書保管ファイルに記録すること(注1)により行う遺言書に係る情報の管理（同法第7条第2項第1号）の事務を円滑かつ確実に行うことにある。

無封の遺言書でなければならないとした趣旨は、保管の申請があった際に、遺言書保管官が行う、①遺言書が民法第968条の定める方式に適合しているか否か等についての外形的な確認(注2)、②遺言書の作成者と申請人の同一性の確認、③遺言書の画像情報の磁気ディスク（これに準ずる方法により一定の事項を確実に記録することができる物を含む。）をもって調製する遺言書保管ファイルへの記録等を可能にすることにある。

（注1）遺言書保管官は、保管する遺言書について、その情報の管理を行うために遺言書の画像情報を遺言書保管ファイルに記録することとされており（遺言書保管法第7条第2項第1号）、保管する遺言書について、スキャナ等を用いて画像情報化する必要がある。

（注2）遺言書の保管の申請の対象となるのは、民法第968条の自筆証書によってした遺言に係る遺言書に限られているため、遺言書保管官は、同条の定める方式に適合しているか否か等（財産目録を除く全文、日付及び遺言者の氏名が自書されているか否か、押印がされているか否か、遺言書に記載されている日付の時点における遺言者の年齢が15歳

に達しているか否か等）についての外形的な確認を行うこととなる。

Q134 遺言書の保管の申請をすることができる遺言書の様式は、どのようなものか（遺言書保管法第4条第2項、遺言書保管省令第9条、別記第1号様式関係）。

A 　1　保管の申請をすることができる遺言書は、法務省令で定める様式に従って作成した無封のものでなければならないこととしている（遺言書保管法第4条第2項）。これを受け、遺言書の様式は、遺言書保管省令別記第1号様式によるものとしている（遺言書保管省令第9条）。

　2　具体的には、次のとおりである。
　①　遺言書には、左は20ミリメートル以上、上と右は5ミリメートル以上、下は10ミリメートル以上の余白を設けることとしている。
　これは、遺言書は、左辺に2穴を空けて保管することを予定しており、とじ代として20ミリメートルの余白が必要となること等を考慮したものである。
　②　用紙は、文字が明瞭に判読できる日本産業規格A列4番の紙としている。なお、一般的なコピー用紙や便せんでもよいが、長期間保管されるので（Q142参照）、容易に破れるようなものは望ましくない。
　③　縦置き又は横置きかを問わず、縦書き又は横書きかを問わない。
　④　遺言書には、ページ番号を記載することとしている。なお、この記載は、「1／3、2／3、3／3」のように総ページ数と併せて記載されていることが望ましく、また、1枚しかない場合であっても、そのことを確認できるように「1／1」と記載することが望ましい。
　⑤　片面のみに記載し、とじ合わせないこととしている。

　3　なお、遺言書は長期間保管されるので、ボールペンなど文字が容易に消えない筆記具を使って記載する必要がある。また、財産目録としてコピーなどを添付する場合には、感熱紙等を用いることは避け、印字が薄い場合には、印刷・コピーをやり直すことが望ましい。

Q135

遺言書保管官は、遺言書の保管の申請があったときに、どのような確認を行うのか（遺言書保管法第1条、第4条、第5条、遺言書保管省令第13条、第14条関係）。

A 1　遺言書保管官は、遺言書の保管の申請があると、当該申請に係る遺言書について、自筆証書遺言の方式である民法第968条の定める方式に適合しているか否か等に関する外形的な確認(注1)や、法務省令で定める様式に従って作成した無封のものであるか否かの確認を行うこととなる（遺言書保管法第1条、第4条第1項、第2項）。

2　また、遺言書保管官は、当該申請について、管轄、申請の方式（申請書の様式、記載事項及び添付書類）に関しても確認を行うこととなる（遺言書保管法第4条第3項から第5項まで）。

3　さらに、遺言書の保管の申請は、遺言者が遺言書保管所に自ら出頭して行わなければならないこととされているため（遺言書保管法第4条第6項）、遺言書保管官は、申請人の本人確認を行うこととしている（同法第5条）。

本人確認の方法に関しては、遺言書保管官は、申請人に対し、当該申請人を特定するために必要な事項(注2)を示す書類として、本人の写真が貼付された官公署の書類である個人番号カード、運転免許証、旅券等の提示を求めることとしている（遺言書保管法第5条、遺言書保管省令第13条）。

(注1) 財産目録を除く全文、日付及び遺言者の氏名が自書されているか否か、押印がされているか否か、遺言書に記載されている日付の時点における遺言者の年齢が15歳に達しているか否か等の確認

(注2) 氏名及び出生の年月日又は住所（遺言書保管省令第14条）

Q136 遺言書の保管の申請をするには、事前の予約が必要とされたのはなぜか。予約の具体的方法はどのようなものか。

A 1 遺言書の保管の申請を始め、遺言書保管所において行う各種申請・請求等については、利用者に待ち時間を生じさせないこと等により、利便性及びサービスの質を確保する観点から、予め手続を行うための日時の予約を受けた上で行うこととしている(注1)。

2 予約の具体的方法については、インターネットから法務局手続案内予約サービス(注2)にアクセスして、予約を行うことが可能である。また、インターネット環境が利用できない等、法務局手続案内予約サービスの利用が困難な場合には、各遺言書保管所への電話やその窓口において予約を行うことも可能である。

(注1) なお、遺言書の保管の申請を始め、遺言書保管所における各種手続は、即日処理を原則としている。
(注2) 遺言書保管制度に関する予約サービスについては、令和2年7月1日から運用を開始しているが、遺言書の保管の申請等の予約だけでなく、登記の手続案内等法務局の他の業務に関する予約も扱うシステムとする予定である（他の業務に関する予約サービスの運用開始日は未定）。この予約システムは、メンテナンス時等を除き24時間365日利用可能である。

Q137 遺言書の保管の申請が却下されるのは、どのような場合か（遺言書保管政令第2条関係）。

A 1 遺言書の保管の申請の要件は遺言書保管法に規定されており、当該要件を満たさない申請は却下されることとなるところ、次のとおり、遺言書保管政令第2条各号において、遺言書の保管の申請の却下事由が明記されている。

① 申請が遺言者以外の者によるとき等（第1号）

遺言書の保管の申請は、遺言者のみが行うことができる（遺言書保管法第4条第1項、第6項）こととしているため、申請が遺言者以外の者によるとき、又は申請人が遺言者であることの証明がないときを却下事由としている。

② 遺言書保管法第1条に規定する遺言書でないとき等（第2号）

保管の申請に係る遺言書は、遺言書保管法第1条に規定する遺言書、すなわち民法第968条の自筆証書によってした遺言に係る遺言書でなければならず（遺言書保管法第1条、第4条第1項）(注1)、また、法務省令で定める様式に従って作成した無封のものでなければならない（同条第2項）こととしているため、保管の申請に係る遺言書がこれらの要件を満たさないときを却下事由としている。

③ 管轄遺言書保管所の遺言書保管官に対する申請でないとき（第3号）

遺言書保管法第4条第3項に規定する遺言書保管所（管轄遺言書保管所）の遺言書保管官に対する申請でないときを却下事由としている。

④ 法定の方式により申請書が提出されないとき（第4号）

遺言書保管法第4条第4項に規定する方式により申請書が提出されないときを却下事由としている。

⑤ 申請書に法定の添付書類を添付しないとき（第5号）

申請書に遺言書保管法第4条第5項に規定する書類を添付しないときを却下事由としている。

⑥ 遺言者が出頭しないとき（第6号）

遺言書保管法第4条第6項の規定に違反して遺言者が出頭しないときを却下事由としている。

⑦ 申請書等の記載が添付書類・遺言書の記載と抵触するとき（第7号）

遺言書保管法第4条第4項及び第5項において申請の方式を規定しているため、申請書又はその添付書類の記載が当該申請書の添付書類又は保管の申請に係る遺言書の記載と抵触するときを却下事由としている。

⑧　手数料を納付しないとき（第8号）

遺言書保管法第12条第1項の手数料を納付しないときを却下事由としている。

2　遺言書保管官は、遺言書の保管の申請がこれらの却下事由のいずれかに該当する場合には、理由を付した決定で、これを却下しなければならないこととしている（遺言書保管政令第2条柱書）(注2)。

3　申請人は、遺言書保管官の却下決定に不服がある場合には、その遺言書保管官を監督する法務局又は地方法務局の長に審査請求をすることができることとしている（遺言書保管法第16条第1項）。

（注1）遺言書保管法第1条に規定する遺言書でないとは、外形的に見て有効な自筆証書遺言でないことが一義的に明白である遺言書（財産目録を除く部分が自書されていない、所要の署名や押印がない、遺言書に記載されている日付の時点における遺言者の年齢が15歳に達していないなど）であることを意味する。

（注2）遺言書保管官は、遺言書の保管の申請を却下するときは、決定書を作成して、これを申請人に交付するものとしている（遺言書保管省令第18条第1項）。

Q138 遺言書の保管の申請の方式（申請書の様式、記載事項及び添付書類）は、どのようなものか（遺言書保管法第4条第4項、第5項、遺言書保管省令第10条～第12条、別記第2号様式関係）。

A 1　遺言書の保管の申請をしようとする遺言者は、法務省令で定めるところにより、遺言書に添えて、必要な事項を記載した申請書を遺言書保管官に提出しなければならない（遺言書保管法第4条第4項）。これを受け、申請書の様式は、遺言書保管省令別記第2号様式によるものとしている（同省令第10条）。

申請書の記載事項は、次のとおりである（遺言書保管法第4条第4項、遺言書保管省令第11条）。

① 遺言書に記載されている作成の年月日
② 遺言者の氏名、出生の年月日、住所、本籍（外国人にあっては、国籍）
③ 遺言者の戸籍の筆頭に記載された者の氏名、遺言者の電話番号その他の連絡先
④ 申請をする遺言書保管官の所属する遺言書保管所が遺言者の住所地及び本籍地を管轄しないとき（⑤の場合を除く。）は、遺言者が所有する不動産の所在地（当該遺言書保管所が管轄するものに限る。）
⑤ 遺言者の作成した他の遺言書が現に遺言書保管所に保管されているときは、その旨
⑥ 遺言書に遺言書保管法第9条第1項第2号及び第3号に掲げる者の記載があるときは、その氏名又は名称及び住所 (注1)
⑦ 遺言書の総ページ数、手数料の額、申請の年月日及び遺言書保管所の表示

2　遺言書の保管の申請書には、次の書類を添付しなければならない（遺言書保管法第4条第5項、遺言書保管省令第12条第1項）。

① 遺言者の氏名、出生の年月日、住所、本籍（外国人にあっては、国籍）及び遺言者の戸籍の筆頭に記載された者の氏名を証明する書類（遺言者の本籍が記載されている住民票の写しなど）(注2)

② 遺言書が外国語により記載されているときは、日本語による翻訳文

なお、①の書類について、官庁又は公署の作成したものは、その作成後3か月以内のものに限ることとしている（遺言書保管省令第12条第2項）。

（注1）遺言者の相続人は遺言者の相続開始時まで確定せず、遺言書の保管の申請の時点では遺言者の推定相続人が分かるのみであるから、遺言者の相続人の氏名等は、申請書の記載事項としていない。

（注2）申請書の記載事項ではあるものの、受遺者、遺言執行者等については、遺言者がそれらの者の住民票の写しなどを取得することが困難であることも多いと考えられることから、遺言者の負担も考慮し、その氏名又は名称及び住所を証明する書類（住民票の写しなど）は、添付書類とはしていない。

Q139

遺言書の保管の申請は、必ず遺言者本人が出頭して行わなければならないのか（遺言書保管法第4条第6項、第5条、遺言書保管政令第2条第1号、第6号関係）。

A　1　遺言書保管法では、遺言者が遺言書の保管の申請をするときは、遺言書保管所に自ら出頭して行わなければならないこととしている（同法第4条第6項）。そのため、遺言書の保管の申請は、必ず、遺言書を作成した遺言者本人が出頭して行わなければならない(注1)。

　遺言書保管官は、遺言書に記載された遺言者の氏名と申請書の記載とを照合して、遺言者を申請人としていることを確認し、出頭した者が遺言者である申請人本人であるかどうかの確認をする（遺言書保管法第5条）(注2)。その上で、遺言者以外の者（例えば、遺言者の子など）を申請人としているときなど遺言書の保管の申請が遺言者以外の者によるものであるとき、又は申請人が本人確認に応じないことなどにより申請人が遺言者であることの証明がないときは、遺言書保管官は、当該申請を却下しなければならない（遺言書保管政令第2条第1号）。また、遺言者を申請人としてはいるものの、遺言者以外の者（例えば、遺言者の子などや代理人）が出頭するなど遺言者が自ら出頭しないときは、遺言書保管官は、当該申請を却下しなければならない（同政令第2条第6号）。なお、遺言書の保管の申請に際し、申請人本人の介助のために付添人を伴うことは差し支えないと考えられる。

　2　この意義は、遺言者の本人出頭を義務付けることにより、真正に成立していない遺言書の保管の申請がされることや、遺言者の意思に反して遺言書の保管の申請がされることを防止して、相続をめぐる紛争を防止するという遺言書保管法の趣旨を実現することにある。

（注1）遺言書の保管の申請は、代理人が行うことはできず、遺言者から委任を受けた者が代理人として出頭して遺言書の保管の申請をしたとしても、当該申請は却下される（遺言書保管政令第2条第6号）。

　なお、遺言者は、遺言書保管所に出頭することができない場合には、遺言書の保管の申請をすることはできないが、自筆証書によって遺言をすること自体は可能であり、また、

公証人に出張を依頼して、公正証書によって遺言をすることもできる（公証人法（明治41年法律第53号）第57条）。

　（注2）本人確認の具体的な方法はQ135参照

Q140

保管の申請に係る遺言書の保管を開始した場合、遺言書保管官は、遺言者に対し、保管証を交付するのか（遺言書保管省令第15条～第17条、別記第3号様式関係）。

A

1　遺言書保管官は、遺言書の保管の申請に基づいて遺言書の保管を開始したときは、遺言者に対し、保管証を交付しなければならないこととしている（遺言書保管省令第15条第1項）。保管証は、同省令別記第3号様式により、遺言者の氏名及び出生の年月日並びに遺言書が保管されている遺言書保管所の名称及び保管番号を記録して作成することとしている（同省令第15条第2項）。保管番号は、遺言書ごとに付される番号であり、保管番号の記録された保管証があれば対象となる遺言書を一意に特定することができることとなる。

遺言者は、保管証を利用すれば、遺言の内容の秘密を保ったまま、遺言書を遺言書保管所に保管していることを相続人等に伝えることができる。

2　保管証は、遺言書保管官が遺言書の保管を開始したときに遺言者に対し交付するものであって、紛失した場合であっても再度発行されることはない。また、保管証の交付後に遺言書の保管の申請が撤回されることもあり得るので、保管証は、必ずしも遺言書が現に遺言書保管所に保管されていることを証明するものではない。

3　遺言者は、送付に要する費用を納付して、保管証の送付を請求することができることとしている（遺言書保管省令第16条第1項）。なお、送付先にすることができる住所は、遺言者の住所に限定されている（同条第2項）。

4　遺言書保管官は、保管証を、窓口で遺言者本人に交付し、又は遺言者の住所に宛てて送付することになるが、遺言者がいずれの方法によっても受領しないまま3か月を経過したときは、遺言書保管官は、遺言者に対し、保管証を交付することを要せず、作成した保管証を廃棄することができることとしている（遺言書保管省令第17条）。

Q141 遺言書保管所において、遺言書及びその画像情報等は、どのように保管、管理されるのか（遺言書保管法第6条第1項、第7条第2項、遺言書保管省令第20条、準則第6条関係）。

A 1 遺言書保管法では、遺言書保管官は、遺言書の原本を保管するとともに、その画像情報等を磁気ディスク（これに準ずる方法により一定の事項を確実に記録することができる物を含む。）をもって調製する遺言書保管ファイルに記録することによって遺言書に係る情報の管理を行うこととしている（同法第6条第1項、第7条第2項）。

2 遺言書の原本の保管は、遺言書保管官が遺言書保管所の施設内において行うこととしており（遺言書保管法第6条第1項）、遺言書がプライバシー性の高い情報であることに鑑み、施錠可能な書棚等の設備を用いるなどして、遺言書の滅失又は毀損の防止等遺言書の適切な保管のために必要な措置を講じて保管することとしている（準則第6条）。

3 遺言書に係る情報の管理は、遺言書保管官が、遺言書の画像情報、遺言書に記載されている作成の年月日、遺言者の氏名、出生の年月日、住所及び本籍（外国人にあっては、国籍）、遺言者の戸籍の筆頭に記載された者の氏名及び遺言書に遺言書保管法第9条第1項第2号及び第3号に掲げる者（受遺者、遺言執行者等）の記載があるときはその氏名又は名称及び住所、遺言書の保管を開始した年月日を遺言書保管ファイルに記録することによって行うこととしている（同法第7条第2項、遺言書保管省令第20条）。

遺言書保管ファイルについては、データの記録、修正、消去が行われた場合にはその履歴が残る仕様とすることや、データを複数の拠点で保管して、災害があった場合にもデータが消失しないようにすることなどによって、データの保全をより確実にできるものとしている。

Q142 遺言書保管所に保管される遺言書及び当該遺言書に係る情報は、どのくらいの期間保存されるか（遺言書保管法第6条第5項、第7条第3項、遺言書保管政令第5条関係）。

A 1　遺言書保管法では、遺言書保管官は、遺言書保管所に保管されている遺言書及び当該遺言書に係る情報を、遺言者の死亡の日（遺言者の生死が明らかでない場合にあっては、これに相当する日として政令で定める日）から相続に関する紛争を防止する必要があると認められる期間として政令で定める期間が経過した後は、廃棄又は消去することができるとしている（遺言書保管法第6条第5項、第7条第3項）。これらの規定により廃棄又は消去されるまでは、遺言書及び当該遺言書に係る情報は、保管又は管理され続けることとなる(注1)。

2　これらの政令で定める事項のうち、遺言者の生死が明らかでない場合における遺言者の死亡の日に相当する日については、遺言者の出生の日から起算して120年を経過した日としている（遺言書保管政令第5条第1項）。

また、相続に関する紛争を防止する必要があると認められる期間に関しては、遺言書の保管の期間については50年、遺言書に係る情報の管理の期間については150年としている（遺言書保管政令第5条第2項）(注2)(注3)。

（注1）なお、遺言者が死亡すると、遺言書保管所に保管されている遺言書については、その相続人も、返還を請求することはできない。
（注2）例えば、遺言者の死亡後にも、遺産分割がされず、次の代以降の相続（いわゆる数次相続）が開始する際に初めて遺産分割が行われる等の様々な事案があり得ることを踏まえて定めている。
（注3）遺言者の死亡後、遺産分割がされた後であっても、上記本文1の規定により廃棄又は消去されるまでは、遺言書及び当該遺言書に係る情報は、保管又は管理され続ける。

Q143 遺言者は、遺言書保管所に保管されている遺言書の返還を請求することができるのか（遺言書保管法第8条関係）。

A 1 遺言書保管法では、遺言者は、遺言書の保管の申請を撤回することにより、遺言書保管所に保管されている遺言書の返還を受けることができることとしている（同法第8条第1項、第4項）。

2 遺言書の保管の申請の撤回は、遺言者が、その申請に係る遺言書が保管されている遺言書保管所（特定遺言書保管所）の遺言書保管官に対してすることができ、遺言者が、特定遺言書保管所に自ら出頭して行わなければならないこととしている（遺言書保管法第8条第1項、第3項前段）[注1]。

遺言書保管官は、遺言者が遺言書の保管の申請を撤回するときは、その者の本人確認を行うものとしており（遺言書保管法第8条第3項後段において準用する第5条）、遺言者が遺言書の保管の申請を撤回したときは、遅滞なく保管している遺言書を返還するとともに、当該遺言書に係る情報を消去しなければならないこととしている（同法第8条第4項）。

撤回書の様式及び記載事項や必要な添付書類については、遺言書保管省令で規定されている（Q144参照）。

遺言書の保管の申請の撤回については、手数料を納めることを要しない。

3 なお、遺言書の保管の申請の撤回は、遺言の撤回（民法第1022条）とは別の概念であり、保管の申請の撤回によって遺言者に返還された遺言書による遺言の効力に影響を及ぼすものではない[注2]。

(注1) 遺言書の保管の申請の撤回は、遺言者の生存中に、遺言者のみが行うことができる。また、遺言書の保管の申請と同様に、遺言者が自ら出頭して行わなければならず、代理人によって行うことはできない。

(注2) 保管の申請の撤回により遺言者に返還された遺言書については、民法第1004条第1項により、遺言書の保管者や遺言書を発見した相続人には、遺言書を家庭裁判所に提出して検認を請求することが義務付けられている。

Q144

遺言書の保管の申請の撤回の方式（撤回書の様式、記載事項及び添付書類）は、どのようなものか（遺言書保管法第8条第2項、遺言書保管省令第25条、第26条、別記第5号様式関係）。

A

1　遺言書の保管の申請の撤回をしようとする遺言者は、法務省令で定めるところにより、その旨を記載した撤回書に法務省令で定める書類を添付して、遺言書保管官に提出しなければならないこととしている（遺言書保管法第8条第2項）。これを受け、撤回書の様式は、遺言書保管省令別記第5号様式によるものとしている（同省令第25条第1項）。

撤回書の記載事項は、次のとおりである（遺言書保管省令第25条第2項）。
①　遺言者の氏名、出生の年月日、住所、本籍（外国人にあっては、国籍）及び電話番号その他の連絡先
②　撤回の年月日及び遺言書保管所の表示

2　撤回書には添付書類は不要である。ただし、遺言者の氏名、出生の年月日、住所又は本籍（外国人にあっては、国籍）に変更がある場合には、遺言書保管政令第3条第1項の規定により当該変更に係る届出がされている場合を除き、当該変更を証明する書類を添付しなければならない（遺言書保管省令第26条）。

また、遺言書の保管の申請の場合と同様に、本人確認書類（Q135参照）を提示しなければならない（遺言書保管法第8条第3項後段において準用する第5条）。

3　遺言書保管官は、遺言者が遺言書の保管の申請を撤回したことにより遺言書を遺言者に返還するときは、当該遺言書を受領した旨を記載した受領書と引換えに返還するものとしている（遺言書保管省令第27条第1項）ため、遺言者は、受領書を提出する必要がある。

Q145 遺言者の生存中、遺言書保管所に保管されている遺言書の内容は、誰が、どのようにして確認することができるか(遺言書保管法第6条第2項〜第4項、遺言書保管政令第4条関係)。

A 1 遺言者の生存中は、遺言者のみが、遺言書保管所に保管されている遺言書の内容を確認することができ、遺言者以外の者は、遺言者の推定相続人等であっても、当該遺言書の内容を確認することはできないこととしている。これは、遺言書にはプライバシー性の高い情報が含まれるため、遺言者に限りその内容の確認をすることができるようにし、遺言の秘密性を保持することができるようにするものである(注1)。

遺言者は、遺言書の閲覧(遺言書保管法第6条第2項)又は遺言書の画像情報を含む遺言書保管ファイルに記録されている事項の閲覧(以下「遺言書保管ファイルの記録の閲覧」という。遺言書保管政令第4条第1項)を請求することができ、それにより、遺言書保管所に保管されている遺言書の内容を確認することができる。

いずれの閲覧の請求についても、遺言者が遺言書保管所に自ら出頭して行わなければならないところ(遺言書保管法第6条第4項前段、遺言書保管政令第4条第4項前段)、遺言書の閲覧を請求するときは、保管の申請に係る遺言書が保管されている遺言書保管所(特定遺言書保管所)においてしなければならないが(遺言書保管法第6条第2項)、遺言書保管ファイルの記録の閲覧を請求するときには、閲覧の方法が出力装置の映像面(モニター)に表示する方法で行うこととしているため(遺言書保管政令第4条第1項、遺言書保管省令第24条第1項)、特定遺言書保管所以外の全国どこの遺言書保管所においてもすることができることとしている(遺言書保管政令第4条第2項)。

2 遺言書の閲覧又は遺言書保管ファイルの記録の閲覧の請求書の様式及び記載事項については、遺言書保管省令で規定されており(Q146参照)、添付書類は不要である(注2)。

(注1) 封印のある遺言書は、家庭裁判所において相続人等の立会いがなければ、開封

することができないとされており、家庭裁判所外において開封すると、過料の制裁が科せられると定められている（民法第1004条第3項、第1005条）。

　（注2）添付書類についても法務省令で定めることとしているが（遺言書保管法第6条第3項、遺言書保管政令第4条第3項）、遺言書保管省令では規定を設けないこととしているため、添付書類は不要である。

Q146

遺言者による遺言書の閲覧又は遺言書保管ファイルの記録の閲覧の請求の方式（請求書の様式、記載事項及び添付書類）は、どのようなものか（遺言書保管法第6条第3項、遺言書保管政令第4条第3項、遺言書保管省令第21条、第23条、別記第4号様式関係）。

A 遺言書の閲覧又は遺言書保管ファイルの記録の閲覧を請求しようとする遺言者は、法務省令で定めるところにより、その旨を記載した請求書に法務省令で定める書類を添付して、遺言書保管官に提出しなければならないこととしている（遺言書保管法第6条第3項、遺言書保管政令第4条第3項）。これを受け、請求書の様式は、遺言書保管省令別記第4号様式によるものとしている（同省令第21条第1項、第23条）。

請求書の記載事項は、次のとおりである（遺言書保管省令第21条第2項、第23条）。

① 遺言者の氏名、出生の年月日、住所、本籍（外国人にあっては、国籍）及び電話番号その他の連絡先
② 手数料の額、請求の年月日及び遺言書保管所の表示

請求書では、「希望する閲覧の方法」として、「モニターによる遺言書保管ファイルの記録の閲覧」と「遺言書の閲覧」のいずれかを選択することとされている（遺言書保管省令別記第4号様式）。

なお、請求書には添付書類は不要である(注)。

また、遺言書の保管の申請の場合と同様に、本人確認書類（Q135参照）を提示しなければならない（遺言書保管法第6条第4項後段において準用する第5条）。

(注) 添付書類についても法務省令で定めることとしているが、遺言書保管省令では規定を設けないこととしているため、添付書類は不要である。

Q147

遺言書保管官が遺言書の保管を開始した後、遺言者の生存中に、遺言者の住所等に変更が生じた場合において、遺言書保管官は、当該変更があったことを把握することができるか（遺言書保管政令第3条第1項、遺言書保管省令第30条第1項関係）。

A

1 遺言者は、保管の申請に係る遺言書が遺言書保管所に保管されている場合において、次の事項に変更が生じたときは、その旨を遺言書保管官に届け出るものとしており（遺言書保管政令第3条第1項、遺言書保管省令第30条第1項）、遺言書保管官は、この届出により変更があったことを把握することができる。

① 遺言者の氏名、出生の年月日、住所、本籍（外国人にあっては、国籍）及び遺言者の戸籍の筆頭に記載された者の氏名

② 遺言書に遺言書保管法第9条第1項第2号及び第3号に掲げる者（受遺者、遺言執行者等）の記載がある場合における、その氏名又は名称及び住所

これらの情報は、遺言者の正確な特定を担保するとともに、遺言者の死亡後に受遺者、遺言執行者等が遺言書情報証明書等の交付請求をする場合に、遺言書保管官が、受遺者、遺言執行者等として把握している者との同一性を正確に確認するために、また、関係遺言書[注1]を保管している旨を受遺者、遺言執行者等に適切に通知する[注2]ために必要となることから、上記のとおり、当該事項に変更が生じたときに遺言者が届け出るものとしている。

2 届出書の様式及び記載事項や必要な添付書類については、遺言書保管省令で規定されている（Q148参照）。

（注1）関係遺言書とは、自己が関係相続人等（遺言者の相続人、受遺者、遺言執行者等遺言書保管法第9条第1項各号に掲げる者）に該当する遺言書をいう（同条第2項）。

（注2）遺言書保管法第9条第5項本文、遺言書保管政令第9条第4項本文又は遺言書保管省令第48条第1項本文の規定に基づく、関係遺言書を保管している旨の通知

Q148 遺言者の住所等の変更の届出の方式（届出書の様式、記載事項及び添付書類）は、どのようなものか（遺言書保管政令第3条第3項、遺言書保管省令第28条、第29条、第30条第2項、別記第6号様式関係）。

A 1 遺言書保管政令第3条第1項又は遺言書保管省令第30条第1項の変更の届出をしようとする遺言者は、法務省令で定めるところにより、変更が生じた事項を記載した届出書に法務省令で定める書類を添付して、遺言書保管官に提出しなければならないこととしている（遺言書保管政令第3条第3項、遺言書保管省令第30条第2項）。これを受け、届出書の様式は、遺言書保管省令別記第6号様式によるものとしている（同省令第28条第1項）。

2 届出書の記載事項は、次のとおりである（遺言書保管省令第28条第2項）。
① 遺言者の氏名、出生の年月日、住所及び本籍（外国人にあっては、国籍）
② 法定代理人によって届出をするときは、当該法定代理人の氏名又は名称及び住所並びに法定代理人が法人であるときはその代表者の氏名
③ 届出人である遺言者又は法定代理人の電話番号その他の連絡先
④ 変更が生じた事項
⑤ 届出の年月日及び遺言書保管所の表示

3 届出書の添付書類は、次のとおりである（遺言書保管省令第29条）。
① 遺言者の住所等の変更が生じた事項を証明する書類（同条第1号）
　なお、受遺者、遺言執行者等の住所等の変更が生じた場合には、その変更が生じた事項を証明する書類の添付は不要である[注]。
② 届出人である遺言者の氏名及び出生の年月日又は住所と同一の氏名及び出生の年月日又は住所が記載されている市町村長その他の公務員が職務上作成した証明書（当該届出人が原本と相違がない旨を記載した謄本を含む。）（同条第2号）

これは、遺言者以外の者が虚偽の変更の届出をすることを防止するためである。
　③　法定代理人によって届出をするときは、戸籍謄本その他その資格を証明する書類で作成後3か月以内のもの（同条第3号）。

4　変更の届出については、手数料を納めることを要しない。

（注）受遺者等の住所等を証明する書面が保管の申請書の添付書面とされていないことと同趣旨である（Q138（注2）参照）。

Q149

遺言者の死亡後、遺言者の相続人等は、遺言書保管所に遺言書が保管されていることを、どのようにして知ることができるか（遺言書保管法第9条第5項本文、第10条第1項、遺言書保管政令第9条第4項本文、遺言書保管省令第15条第1項、第48条第1項本文、準則第19条第1項、第35条第1項関係）。

A 1 遺言者の相続人等（相続人、受遺者、遺言執行者等）は、遺言者から、生存中に、自己の遺言書が遺言書保管所に保管されている旨を適宜の方法により伝達されることにより、遺言書が保管されていることを知ることができるのはもちろんのこと、遺言者が死亡したときに遺言書保管所に遺言書が保管されていることを知らなかった場合であっても、次のような方法によって、知ることができる。

2 まず、遺言書保管官は、保管の申請に係る遺言書を保管するに当たり、遺言者に対し、遺言者の氏名及び出生の年月日、遺言書が保管されている遺言書保管所の名称及び保管番号が記載された保管証を交付することとしている（遺言書保管省令第15条）。そこで、遺言者の相続人等は、遺品等の中に保管証が存在していることを確認することができれば、遺言者の遺言書が遺言書保管所に保管されていることを知り得ることとなる。

また、遺言者の相続人等は、自己を関係相続人等とする遺言書（関係遺言書 (注1)）が遺言書保管所に保管されているか否かについて、遺言者の死亡後であれば、遺言書保管事実証明書の交付を請求することにより、遺言者の遺言書が遺言書保管所に保管されているかどうかを調べることができる（遺言書保管法第10条第1項）。

さらに、遺言書保管官は、遺言者の死亡後に、遺言者の相続人等の請求により遺言書情報証明書の交付又は遺言書若しくは遺言書保管ファイルの記録の閲覧がされたときには、遺言書情報証明書の交付を受け、又は遺言書等の閲覧をした者以外 (注2) の遺言者の相続人 (注3) 並びに遺言書に記載された遺言書保管法第9条第2号及び第3号に掲げる者（受遺者、遺言執行者等）に対して関係遺言書を保管している旨を通知するものとしており（同法第9

条第5項本文、遺言書保管政令第9条第4項本文、遺言書保管省令第48条第1項本文)、当該遺言者の相続人等はこの通知を受けることによって、遺言書が遺言保管所に保管されていることを知ることができる。

　加えて、遺言者は、遺言書の保管の申請の際に、遺言者の死亡時に遺言者が指定する者^(注4)に対し遺言書を保管している旨を通知することを申し出ることができ、その申出があった場合において、遺言書保管官は、遺言者の死亡の事実を確認したときは、遺言書を保管している旨を遺言者が指定した者に通知することとしている(準則第19条第1項、第35条第1項)。そこで、遺言者が指定した者は、この通知を受けることによって、遺言者の遺言書が遺言保管所に保管されていることを知ることができる。

　(注1)　関係遺言書とは、自己が関係相続人等(遺言者の相続人、受遺者、遺言執行者等遺言書保管法第9条第1項各号に掲げる者)に該当する遺言書をいう(同条第2項)。
　(注2)　通知対象者が、遺言書保管官が関係遺言書を保管していることを既に知っているときは、通知を行わないこととしている(遺言書保管法第9条第5項ただし書、遺言書保管政令第9条第4項ただし書、遺言書保管省令第48条第1項ただし書)。
　(注3)　遺言書保管法第9条第5項本文に規定する遺言者の相続人は、遺言者の相続開始時の相続人を意味し、その地位を相続により承継した者は含まない。これに対し、同条第1項第1号に規定する遺言者の相続人には、遺言者の相続開始時の相続人の地位を相続により承継した者も含まれる。
　(注4)　指定することができるのは、遺言者の推定相続人並びに保管の申請に係る遺言書に記載された遺言書保管法第9条第1項第2号及び第3号に掲げる者(受遺者等、遺言執行者等)のうちの1人に限られる(準則第19条第1項)。

Q150 遺言者の死亡後、関係相続人等による遺言書情報証明書の交付請求等がされなくても、遺言書保管官が関係相続人等に対して遺言書保管所に当該遺言者の遺言書が保管されていることを通知することはあるか（準則第19条、第35条第1項関係）。

A 1 遺言者の死亡後、関係相続人等による遺言書情報証明書の交付請求等がされなくても、遺言者が遺言書の保管の申請をする際に、遺言者の死亡時に遺言者が指定する者(注1)に対し遺言書を保管している旨を通知することの申出をしていた場合には、遺言書保管官は、遺言者の死亡の事実を確認したときは、遺言書を保管している旨を遺言者が指定した者に通知することとしている（準則第19条第1項、第35条第1項）。

この仕組みは、遺言書が遺言書保管所に保管されていることを遺言者の相続人等に知らせることで相続をめぐる紛争を防止するという観点から、遺言書保管法第9条第5項本文、遺言書保管政令第9条第4項本文及び遺言書保管省令第48条第1項本文に基づく通知を補完するものである(注2)。

2 上記1の指定する者への通知に関する申出は、準則別記第9号様式による申出書を提出することにより行うものとしており、申出書には、①指定する者が受遺者等、遺言執行者等であるときは、遺言書の保管の申請書に記載された当該受遺者等、遺言執行者等の番号を、②指定する者が推定相続人であるときは、その者の氏名、住所、遺言者との続柄を記載することとしている（準則第19条第2項、別記第9号様式、遺言書保管省令別記第2号様式）。

申出書には添付書類は不要である。

指定する者への通知に関する申出がされた場合には、遺言書保管官は、申出書の記載事項を遺言書保管ファイルに付記することとしている（準則第19条第3項）。

(注1) 指定することができるのは、遺言者の推定相続人並びに保管の申請に係る遺言書に記載された遺言書保管法第9条第1項第2号及び第3号に掲げる者（受遺者等、遺言執行者等）のうちの1人に限られる（準則第19条第1項）。

（注2）このような仕組みを設けることは、平成30年6月15日の衆議院法務委員会及び同年7月5日の参議院法務委員会において、遺言書保管法案を可決した際に、次の内容を含む附帯決議がされていることに沿うものである（Q4（注1）、（注2）参照）。
　「法務局における自筆証書遺言に係る遺言書の保管制度の実効性を確保するため、遺言者の死亡届が提出された後、遺言書の存在が相続人、受遺者等に通知される仕組みを可及的速やかに構築すること。」

Q151 ある者の遺言書が遺言書保管所に保管されているか否かは、その者の死亡後であれば、誰でも調べられるのか(遺言書保管法第10条関係)。

A 1 ある者の遺言書が遺言書保管所に保管されているか否かの確認は、遺言書保管事実証明書の交付を請求することにより行うことができる。この請求は、遺言者の死亡後であれば、誰でもすることができる(遺言書保管法第10条第1項)。

2 ただし、この遺言書保管事実証明書は、あくまで、遺言書保管所における関係遺言書(注1)の保管の有無等を明らかにした証明書であり、この証明書の交付請求によって明らかになるのは、自己(請求者)が遺言者の関係相続人等(相続人、受遺者、遺言執行者等)に該当する遺言書(関係遺言書)が遺言書保管所に保管されているか否かである。

したがって、遺言書保管所に遺言書が保管されている旨の遺言書保管事実証明書が交付されるのは、遺言者として特定された者が作成した遺言書が遺言書保管所に保管されており、かつ、当該遺言書が請求者にとって関係遺言書である場合のみである。請求者にとっての関係遺言書が保管されていない場合には、請求者にとっての関係遺言書は保管されていない旨の遺言書保管事実証明書が交付されることとなる(注2)。

(注1)関係遺言書とは、自己が関係相続人等(遺言者の相続人、受遺者、遺言執行者等遺言書保管法第9条第1項各号に掲げる者)に該当する遺言書をいう(同条第2項)。
(注2)関係遺言書が遺言書保管所に保管されていない旨の証明書が交付された場合、①請求者が相続人であるときは、当該証明書は、遺言書保管所には、遺言者として特定された者が作成した遺言書が保管されていないことを意味し、②請求者が相続人以外の者であるときは、当該証明書は、少なくとも、遺言者として特定された者が作成した、請求者を関係相続人等(受遺者、遺言執行者等)とする遺言書は保管されていないことを意味することとなる。

Q152

遺言書保管事実証明書の交付請求の方式（請求書の様式、記載事項及び添付書類）は、どのようなものか（遺言書保管法第10条第2項、第9条第4項、遺言書保管省令第33条第2項、第43条、第44条、別記第10号様式関係）。

A

1　遺言書保管事実証明書の交付を請求しようとする者は、法務省令で定めるところにより、その旨を記載した請求書に法務省令で定める書類を添付して、遺言書保管官に提出しなければならないこととしている（遺言書保管法第10条第2項において準用する第9条第4項）。これを受け、請求書の様式は、遺言書保管省令別記第10号様式によるものとしている（同省令第43条第1項）。

請求書の記載事項は、次のとおりである（遺言書保管省令第43条第2項において準用する第33条第2項（同項第5号を除く。））。

① 請求人の資格、氏名又は名称、出生の年月日又は会社法人等番号及び住所並びに請求人が法人であるときはその代表者の氏名
② 法定代理人によって請求するときは、当該法定代理人の氏名又は名称及び住所並びに法定代理人が法人であるときはその代表者の氏名
③ 遺言者の氏名、出生の年月日、最後の住所、本籍（外国人にあっては、国籍）及び死亡の年月日
④ 請求人又は法定代理人の電話番号その他の連絡先、請求に係る請求書の通数、手数料の額、請求の年月日及び遺言書保管所の表示

2　遺言書保管事実証明書の交付の請求書には、次の書類を添付しなければならない（遺言書保管省令第44条第1項）。

① 遺言者が死亡したことを証明する書類
② 請求人の氏名及び住所と同一の氏名及び住所が記載されている市町村長その他の公務員が職務上作成した証明書（当該請求人が原本と相違がない旨を記載した謄本を含む。）
③ 請求人が遺言書保管法第9条第1項第1号に規定する相続人[注1]に該当することを理由として請求する場合は、当該相続人に該当することを証明する書類

④ 請求人が同項第2号に規定する相続人^(注2)に該当することを理由として請求する場合は、当該相続人に該当することを証明する書類
⑤ 請求人が法人であるときは、代表者の資格を証明する書類で作成後3か月以内のもの
⑥ 法定代理人によって請求するときは、戸籍謄本その他その資格を証明する書類で作成後3か月以内のもの

3 なお、請求人が関係遺言書保管通知の書面^(注3)の写しを添付した場合には、遺言書保管所において、遺言書の特定ができ、また遺言者が死亡していることは明らかであることから、上記1③遺言者の最後の住所、本籍（外国人にあっては、国籍）及び死亡の年月日の記載を省略することができ、また、上記2①遺言者が死亡したことを証明する書類の添付は要しない（遺言書保管省令第44条第2項）。

（注1）遺言書保管法第9条第1項第1号に規定する遺言者の相続人には、遺言者の相続開始時の相続人の地位を相続により承継した者も含まれる。
（注2）遺言書保管法第9条第1項第2号に規定する相続人には、受遺者等の相続開始時の相続人の地位を相続により承継した者も含まれる。
（注3）遺言書保管省令第48条第2項の書面（遺言書保管官が、遺言書保管法第9条第5項本文、遺言書保管政令第9条第4項本文又は遺言書保管省令第48条第1項本文に基づき、関係遺言書を保管している旨の通知を行うために送付した書面）

Q153 遺言者の死亡後、遺言書保管所に保管されている遺言書の内容は、誰が、どのようにして確認することができるか（遺言書保管法第9条第1項、第3項、遺言書保管政令第9条第1項関係）。

A 1 遺言者の死亡後は、遺言者の関係相続人等（相続人、受遺者、遺言執行者等）^(注1)が、遺言書保管所に保管されている遺言書について、遺言書情報証明書の交付を請求し（同法第9条第1項）、遺言書の内容を確認することができる。

　遺言書情報証明書の請求書の様式及び記載事項や必要な添付書類については、遺言書保管省令で規定されている（Q154参照）。

2　また、遺言者の死亡後は、関係相続人等は、生存中の遺言者の場合と同様に、遺言書の閲覧又は遺言書保管ファイルの記録の閲覧を請求することができることとしている（遺言書保管法第9条第3項、遺言書保管政令第9条第1項）。

　遺言者が遺言書等の閲覧をする場合と同様に、関係相続人等による遺言書の閲覧は遺言書が保管されている遺言書保管所においてしなければならないこととしているが（遺言書保管法第9条第3項）、遺言書保管ファイルの記録の閲覧はモニターに表示する方法で行うこととしているため（遺言書保管省令第42条において準用する第24条第1項柱書）、遺言書が保管されている遺言書保管所以外の全国どこの遺言書保管所においてもすることができることとしている（遺言書保管政令第9条第2項）。

　遺言書等の閲覧の請求書の様式及び記載事項や必要な添付書類については、遺言書保管省令で規定されている（Q155参照）。

3　さらに、遺言書保管官は、裁判所から保管の申請に係る遺言書等を送付すべき命令又は嘱託があったときは^(注2)、その関係がある部分に限り、送付しなければならないこととしており（遺言書保管省令第2条）、これらの裁判所の手続において遺言書の内容を確認することも可能である。

(注1) 関係相続人等とは、遺言者の相続人、受遺者、遺言執行者等遺言書保管法第9条第1項各号に掲げる者をいう。

(注2) 具体的には、文書提出命令（民事訴訟法（平成8年法律第109号）第223条第1項）、文書送付嘱託（同法第226条）等が想定される。

Q154

遺言書情報証明書の交付請求の方式（申請書の様式、記載事項及び添付書類）は、どのようなものか（遺言書保管法第9条第4項、遺言書保管省令第33条、第34条、別記第8号様式関係）。

A 　1　遺言書情報証明書の交付を請求しようとする者は、法務省令で定めるところにより、その旨を記載した請求書に法務省令で定める書類を添付して、遺言書保管官に提出しなければならないこととしている（遺言書保管法第9条第4項）。これを受け、請求書の様式は、遺言書保管省令別記第8号様式によるものとしている（同省令第33条第1項）。

　2　請求書の記載事項は、次のとおりである（遺言書保管省令第33条第2項）。
　①　請求人の資格、氏名又は名称、出生の年月日又は会社法人等番号及び住所並びに請求人が法人であるときはその代表者の氏名
　②　法定代理人によって請求するときは、当該法定代理人の氏名又は名称及び住所並びに法定代理人が法人であるときはその代表者の氏名
　③　遺言者の氏名、出生の年月日、最後の住所、本籍（外国人にあっては、国籍）及び死亡の年月日
　④　遺言書保管法第9条第1項第1号に規定する相続人（当該相続人の地位を相続により承継した者を除く。）の氏名、出生の年月日及び住所
　⑤　請求人又は法定代理人の電話番号その他の連絡先、請求に係る証明書の通数、手数料の額、請求の年月日並びに遺言書保管所の表示
　なお、次のとおり、一定の書面を添付した場合には、請求書の記載事項の省略を認めることで、請求人の負担軽減を図っている（遺言書保管省令第33条第3項）。
　(ⅰ)　遺言書保管事実証明書の写しを添付した場合には、遺言者の最後の住所、本籍（外国人にあっては、国籍）及び死亡の年月日の記載を省略することができる。
　(ⅱ)　遺言書情報証明書又は関係遺言書保管通知の写しを添付した場合には、(ⅰ)と同様に、遺言者の最後の住所、本籍（外国人にあっては、国籍）

及び死亡の年月日の記載を省略することができることに加えて、上記④の記載を省略することができる。
(ⅲ) 相続人の住所の記載がある法定相続情報一覧図の写しを添付した場合には、上記④の記載を省略することができる。

3 請求書の添付書類は、次のとおりである（遺言書保管省令第34条第1項）。
① 遺言者を被相続人とする法定相続情報一覧図の写し（廃除された者がある場合には、法定相続情報一覧図の写し及びその者の戸籍の謄本、抄本又は記載事項証明書）又は遺言者（当該遺言者につき代襲相続がある場合には、被代襲者を含む。）の出生時からの戸籍及び除かれた戸籍の謄本若しくは全部事項証明書並びに相続開始の時における遺言者の全ての相続人の戸籍の謄本、抄本又は記載事項証明書（遺言者又は相続人が外国人である場合には、これらに準ずるもの）
② 相続人の住所を証明する書類で、官庁又は公署の作成したものである場合には作成後3か月以内のもの
なお、①の法定相続情報一覧図の写しに全ての相続人の住所の記載がある場合には、それで足りる。
③ 請求人の氏名及び住所と同一の氏名及び住所が記載されている市町村長その他の公務員が職務上作成した証明書（当該請求人が原本と相違がない旨を記載した謄本を含む。）
この書類としては、住民票の写しや、運転免許証の写しに請求人が原本と相違がない旨を記載して記名・押印したものが想定されるが、請求人が相続人である場合には、上記②の書類で足りる。
④ 請求人が遺言書保管法第9条第1項第1号に規定する相続人（注1）に該当することを理由として請求する場合には、当該相続人に該当することを証明する書類
なお、通常、①及び②の書類で足りるが、請求人が相続により相続人の地位を承継した者である場合には、これらの書類からは請求人が相続人であることが明らかにならないので、別途相続人に該当することを証明する書類を添付する必要がある。

⑤　請求人が同項第2号に規定する相続人（注2）に該当することを理由として請求する場合には、当該相続人に該当することを証明する書類

⑥　請求人が法人であるときは代表者の資格を証明する書類で作成後3か月以内のもの

⑦　法定代理人によって請求するときは戸籍謄本その他その資格を証明する書類で作成後3か月以内のもの

　なお、既に関係相続人等に対して遺言書情報証明書の交付がされ又は関係相続人等により遺言書若しくは遺言書保管ファイルの記録の閲覧がされている場合には、遺言書保管所において、関係遺言書保管通知を送付するために必要な全ての相続人の住所などの情報を保有しているため、①及び②の書類の添付は要しないこととしている（遺言書保管省令第34条第2項）。

　（注1）遺言書保管法第9条第1項第1号に規定する相続人には、遺言者の相続開始時の相続人の地位を相続により承継した者も含まれる。
　（注2）遺言書保管法第9条第1項第2号に規定する相続人には、受遺者等の相続開始時の相続人の地位を相続により承継した者も含まれる。

Q155 関係相続人等による遺言書の閲覧又は遺言書保管ファイルの記録の閲覧の請求の方式（申請書の様式、記載事項及び添付書類）は、どのようなものか（遺言書保管法第9条第4項、遺言書保管政令第9条第3項、遺言書保管省令第37条、第38条、第40条、第41条、別記第9号様式関係）。

A 遺言書の閲覧又は遺言書保管ファイルの記録の閲覧の請求をしようとする者は、法務省令で定めるところにより、その旨を記載した請求書に法務省令で定める書類を添付して、遺言書保管官に提出しなければならないこととしている（遺言書保管法第9条第4項、遺言書保管政令第9条第3項）。これを受け、請求書の様式は、遺言書保管省令別記第9号様式によるものとしている（同省令第37条第1項、第40条）。

遺言書の閲覧又は遺言書保管ファイルの記録の閲覧の請求書の記載事項については、証明書の通数の記載が不要とされるほかは、遺言書情報証明書の交付請求の場合と同じである（遺言書保管省令第37条第2項において準用する第33条第2項（同項第6号を除く。）及び第3項、第40条）（Q154参照）。

また、必要な添付書類についても、遺言書情報証明書の交付請求の場合と同じである（遺言書保管省令第38条及び第41条において準用する第34条）（Q154参照）。

Q156 関係相続人等による遺言書の閲覧又は遺言書保管ファイルの記録の閲覧の請求、遺言書情報証明書の交付の請求及び遺言書保管事実証明書の交付の請求は、請求人本人が手続を行わなければならないのか（遺言書保管法第9条第1項、第3項、第10条第1項、遺言書保管省令第36条、第46条関係）。

A 1 遺言書は、その性質として、特定人の身分関係(注)や財産関係等に関するプライバシー性の高い情報を含むものであり、遺言書保管法においては、遺言書の保管の申請についての本人申請・本人出頭の仕組み（同法第4条第1項、第6項）等により、遺言者が自筆証書遺言の秘密性を保持することを可能にし、プライバシー保護を図っている。

　このようなプライバシー保護の趣旨に照らすと、遺言者の死亡後の手続においても、当該秘密性のある情報が関係相続人等に直接伝わるようにすることが求められている。

2 そこで、遺言者の死亡後における、遺言書の閲覧又は遺言書保管ファイルの記録の閲覧の請求、遺言書情報証明書の交付の請求及び遺言書保管事実証明書の交付の請求についても、請求人本人が手続を行うことを必要とし、法定代理人を除く代理人による手続の代理は認めないものとしている。そして、これらの請求については、請求人の氏名及び住所等を証明する書類を必要的な添付書類としている（遺言書保管省令第34条第1項第3号、第38条、第41条、第44条第1項第2号）。

　また、遺言書保管官が遺言書情報証明書又は遺言書保管事実証明書を交付する方法についても、上記プライバシー保護の趣旨から、①窓口において、本人の写真が貼付された公的機関の作成した本人確認書類により、請求人（法人であるときはその代表者）若しくは法定代理人が本人であることを確認した上で交付し、又は②請求人若しくは法定代理人の住所に宛てて郵便若しくは信書便により送付して交付することとしている（遺言書保管省令第36条、第46条）。

（注）例えば、遺言による認知（民法第781条第2項）や廃除（同法第893条前段）等

Q157 遺言書情報証明書によって、現在遺言書を提出することにより行うことができる登記等の手続を行うことができるのか（遺言書保管法第9条第1項、第11条関係）。

A 1 相続させる旨の遺言等の自筆証書遺言により、不動産や預貯金債権が特定の相続人等に承継された場合には、その名義変更等の各種手続において、遺言の有効性及びその内容を確認するために、検認済みの遺言書の提出又は提示が行われている。

2 しかし、遺言書保管法では、遺言書の保管の申請があった場合には、遺言書の保管は、遺言書保管所の施設内で行い（同法第6条第1項）、これを遺言書保管所外に持ち出してはならないこととしている（遺言書保管省令第1条本文）。

このような場合に遺言書の内容を外部に伝達する仕組みとして、遺言書情報証明書の制度が設けられている。すなわち、遺言者の死亡後、関係相続人等は、遺言書保管官に対して、上記証明書の交付を請求することができ、他方で、遺言書保管所に保管されている遺言書については、検認（民法第1004条第1項）を不要としている（遺言書保管法第9条第1項、第11条）（Q159参照）。

そして、各種手続に際して、遺言書保管所に保管されている遺言の有効性及びその内容を確認する必要がある場合には、遺言書情報証明書の提出又は提示を行うことにより、検認済みの遺言書の提出又は提示と同様の効果を得ることができる。

3 そこで、現在検認済みの遺言書の提出又は提示が行われている登記等の手続においては、これに代えて遺言書情報証明書の提出又は提示が行われることになる(注)。

（注）登記等の手続のために提出又は提示を行った遺言書情報証明書については、検認済みの遺言書を提出又は提示を行った場合と同様、それぞれの手続において、遺言の有効性や内容が確認されることとなる。

Q158

遺言者の死亡後、遺言書保管官は、どのようにして遺言者の相続人等に遺言書を保管している旨を通知するのか（遺言書保管法第9条第5項本文、遺言書保管政令第9条第4項本文、遺言書保管省令第48条第1項本文、第2項、準則第35条第1項関係）。

A

1　遺言書保管官は、遺言書保管所に保管されている遺言書について、遺言者が死亡した後、遺言書保管法第9条第5項本文、遺言書保管政令第9条第4項本文、遺言書保管省令第48条第1項本文又は準則第35条第1項に基づき、遺言者の相続人等に対し、当該遺言書を保管している旨を通知することとしている（Q149参照）。

2　遺言書保管官は、次のとおり、これらの通知を行うこととしている。

まず、遺言書情報証明書を交付し又は遺言書の閲覧をさせたとき及び遺言書保管ファイルの記録の閲覧をさせたときに行う通知（遺言書保管法第9条第5項本文、遺言書保管政令第9条第4項本文、遺言書保管省令第48条第1項本文）については、遺言書保管官は、①遺言者が保管の申請をした際の申請書（Q138参照）及び②遺言書情報証明書の交付請求等に当たって提出される請求書及びその添付書類（Q154参照）から得た情報等に基づき、遺言者の死亡に係る事実、通知すべき者及びその通知先を把握し、通知を行うこととしている。

また、遺言者が、遺言書の保管の申請の際に、遺言者の死亡時に遺言者の指定する者（遺言者の推定相続人並びに保管の申請に係る遺言書に記載された遺言書保管法第9条第1項第2号及び第3号に掲げる者のうちの1人に限る。）に対し当該遺言書を保管している旨を通知することの申出をしている場合に、遺言書保管官が遺言者の死亡の事実を確認したときに行う通知（準則第35条第1項）については、遺言書保管官は、①当該申出に係る申出書[注1]、遺言者が保管の申請をした際の申請書及び②当該遺言者について死亡届出がされた事実、遺言者の死亡後に当該遺言者の遺言書に関して遺言書保管事実証明書の交付請求があった際の添付書類から得た情報等に基づき、遺言者の死亡に係る事実や通知すべき者の通知先を把握し、通知を行うこととしてい

る(注2)。

　(注1) 申出書の様式は、準則別記第9号様式によるものとし、推定相続人を通知対象者に指定する場合においてはその者の氏名及び住所等を記載することとしている。

　(注2) このような仕組みを設けることは、平成30年6月15日の衆議院法務委員会及び同年7月5日の参議院法務委員会において、遺言書保管法案を可決した際に、次の内容を含む附帯決議がされていることに沿うものである（Q4（注1）、（注2）参照）。

　「法務局における自筆証書遺言に係る遺言書の保管制度の実効性を確保するため、遺言者の死亡届が提出された後、遺言書の存在が相続人、受遺者等に通知される仕組みを可及的速やかに構築すること。」

Q159

遺言書保管所に保管されている遺言書について、検認を不要とした理由は、どのようなものか（遺言書保管法第11条関係）。

A　1　民法第1004条第1項により、遺言書の保管者や遺言書を発見した相続人には、遺言書を家庭裁判所に提出して検認を請求することが義務付けられているが、その趣旨は、検認時における遺言書の状態を確認し、その証拠を保全すること等にある(注)。

　2　遺言書保管法により遺言書保管所に保管されることとなる遺言書については、遺言書保管官が厳重にこれを保管することから保管開始以降、偽造、変造等のおそれがなく、保存が確実であるため、検認を不要とすることとした（同法第11条）。

（注）公正証書遺言については、これを公証人が作成、保管することから、一般に偽造、変造等のおそれがなく、保存が確実であるため、検認の対象から除かれている（民法第1004条第2項）。

Q160 遺言書の保管の申請等について、手数料はかかるのか（遺言書保管法第12条第1項、遺言書保管政令第4条第5項、第9条第5項、第10条第7項、手数料令第1条、第2条関係）。

A 1 遺言書の保管制度においては、次に掲げる者は、政令で定める額の手数料を納めなければならないこととしており、その額については、物価の状況のほか、当該事務に要する実費を考慮して定めることとしている（遺言書保管法第12条第1項各号、遺言書保管政令第4条第5項、第9条第5項、第10条第7項）。

・ 遺言書の保管の申請をする者
・ 遺言書の閲覧を請求する者
・ 遺言書保管ファイルの記録の閲覧を請求する者
・ 遺言書情報証明書又は遺言書保管事実証明書の交付を請求する者
・ 同政令第10条第1項に規定する申請書等又は同条第2項に規定する撤回書等の閲覧を請求する者

2 これらの手数料の額は、手数料令により規定されており、次のとおりである（同令第1条、第2条）(注)。

手続	手数料
① 遺言書の保管の申請をする者	1件につき3900円
② 遺言書の閲覧を請求する者	1回につき1700円
③ 遺言書保管ファイルの記録の閲覧を請求する者	1回につき1400円
④ 遺言書情報証明書の交付を請求する者	1通につき1400円
⑤ 遺言書保管事実証明書の交付を請求する者	1通につき800円
⑥ 遺言書保管政令第10条第1項に規定する申請書等又は同条第2項に規定する撤回書等の閲覧を請求する者	一の申請に関する申請書等又は一の撤回に関する撤回書等につき1700円

（注）なお、上記本文2②及び③の遺言書等の閲覧の請求に関して、「1回につき」としているのは、閲覧対象となる遺言者の遺言書が複数通保管されている場合に、「遺言書1通につき」ではなく、「閲覧1回につき」所定の手数料を支払うという趣旨である。

Q161
遺言書の保管の申請の申請書や撤回書等、各種申請書等やその添付書類の閲覧は、誰が、どのような場合にすることができるのか(遺言書保管政令第10条関係)。

A

1　遺言者は、遺言書の保管の申請(遺言書保管法第4条第1項)又は遺言者の住所等の変更の届出(遺言書保管政令第3条第1項)(同政令第10条第1項に規定する申請等)をした場合において、特別の事由があるときは、当該申請等をした遺言書保管所の遺言書保管官に対し、当該申請等に係る申請書若しくは届出書又はその添付書類(同項に規定する申請書等)の閲覧を請求することができることとしている(同項)。

　また、遺言者は、遺言書の保管の申請の撤回をした場合において、特別の事由があるときは、当該撤回がされた遺言書保管所の遺言書保管官に対し、撤回書又はその添付書類(遺言書保管政令第10条第2項に規定する撤回書等)の閲覧の請求をすることができることとしている(同項)。

　遺言者は、これらの閲覧の請求をするときは、遺言書保管所に自ら出頭して行わなければならず、遺言書保管官は、請求人の本人確認を行うこととしている(遺言書保管政令第10条第6項)。

　遺言者の生存中は、遺言者以外の者は、申請書等又は撤回書等の閲覧を請求することはできない。

2　遺言者の死亡後においては、当該遺言者の相続人、相続人を除く関係相続人等及び当該申請等に係る申請書又は届出書に記載されている受遺者又は遺言執行者は、特別の事由があるときは、当該申請等がされた遺言書保管所の遺言書保管官に対し、当該申請等に係る申請書等の閲覧の請求をすることができることとしている(遺言書保管政令第10条第3項)。

　また、遺言書の保管の申請の撤回をした遺言者の死亡後においては、当該遺言者の相続人及び当該撤回がされた申請に係る遺言書に記載されていた受遺者又は遺言執行者は、特別の事由があるときは、当該撤回がされた遺言書保管所の遺言書保管官に対し、当該撤回に係る撤回書等の閲覧の請求をすることができる(遺言書保管政令第10条第4項)。

3　いずれの閲覧の請求も、特別の事由があるときにすることができることとしているが、この特別の事由の例としては、偽造された添付書類等が用いられるなどの不正な手段によって申請等又は撤回がされたおそれがある場合等が挙げられる。

4　申請書等又は撤回書等の閲覧の請求書の様式及び記載事項や必要な添付書類については、遺言書保管省令で規定されている（Q162参照）。

Q162

遺言書の保管の申請の申請書や撤回書等、各種申請書等及びその添付書類の閲覧請求の方式(請求書の様式、記載事項及び添付書類)は、どのようなものか(遺言書保管省令第31条、第49条、第50条、別記第7号様式、別記第11号様式関係)。

A

1　遺言書保管政令第10条第1項に規定する申請書等又は同条第2項に規定する撤回書等の閲覧の請求をしようとする者は、法務省令で定めるところにより、その旨を記載した請求書に法務省令で定める書類を添付して、遺言書保管官に提出しなければならないこととしている(同条第5項)。

2　これを受け、遺言者による申請書等又は撤回書等の閲覧の請求に係る請求書の様式は、遺言書保管省令別記第7号様式によるものとしている(同省令第31条第1項)。
　請求書の記載事項は、次のとおりである(遺言書保管省令第31条第2項)。
① 　遺言者の氏名、出生の年月日、住所、本籍(外国人にあっては、国籍)及び電話番号その他の連絡先
② 　閲覧を請求する申請書等又は撤回書等
③ 　特別の事由
④ 　手数料の額、請求の年月日及び遺言書保管所の表示
　請求書の添付書類については、該当するものがないことから定めていない。

3　遺言者の死亡後における、当該遺言者の相続人等による申請書等又は撤回書等の閲覧の請求に係る請求書の様式は、遺言書保管省令別記第11号様式によるものとしている(同省令第49条第1項)。
　請求書の記載事項は、次のとおりである(遺言書保管省令第49条第2項)。
① 　請求人の資格、氏名又は名称、出生の年月日又は会社法人等番号及び住所並びに請求人が法人であるときはその代表者の氏名
② 　法定代理人によって請求するときは、当該法定代理人の氏名又は名称及び住所並びに法定代理人が法人であるときはその代表者の氏名

③ 遺言者の氏名、出生の年月日、最後の住所、本籍（外国人にあっては、国籍）及び死亡の年月日
④ 請求人又は法定代理人の電話番号その他の連絡先、手数料の額、請求の年月日及び遺言書保管所の表示
⑤ 閲覧を請求する申請書等又は撤回書等
⑥ 特別の事由

また、請求書には、次の書類を添付しなければならない（遺言書保管省令第50条において準用する第44条第1項）。

① 遺言者が死亡したことを証明する書類
② 請求人の氏名及び住所と同一の氏名及び住所が記載されている市町村長その他の公務員が職務上作成した証明書（当該請求人が原本と相違がない旨を記載した謄本を含む。）
③ 請求人が遺言書保管法第9条第1項第1号に規定する相続人に該当することを理由として請求する場合は、当該相続人に該当することを証明する書類
④ 請求人が同項第2号に規定する相続人に該当することを理由として請求する場合は、当該相続人に該当することを証明する書類
⑤ 請求人が法人であるときは、代表者の資格を証明する書類で作成後3か月以内のもの
⑥ 法定代理人によって請求するときは、戸籍謄本その他その資格を証明する書類で作成後3か月以内のもの

4 なお、遺言者の死亡後において、請求人が関係遺言書保管通知の書面(注)の写しを添付した場合には、遺言書保管所において、遺言書の特定をすることができ、また遺言者が死亡していることは明らかであることから、遺言者の最後の住所、本籍（外国人にあっては、国籍）及び死亡の年月日の記載を省略することができ、また、遺言者が死亡したことを証明する書類の添付は要しない（遺言書保管省令第50条において準用する第44条第2項）。

(注) 遺言書保管省令第48条第2項の書面（遺言書保管官が、遺言書保管法第9条第5項本文、遺言書保管政令第9条第4項本文又は遺言書保管省令第48条第1項本文に基づき、関係遺言書を保管している旨の通知を行うために送付した書面）

Q163 遺言書保管法の施行期日はいつか（遺言書保管法附則関係）。

A 遺言書保管法は、公布の日（平成30年7月13日）から起算して2年を超えない範囲内において政令で定める日から施行することとされ（遺言書保管法附則）、「法務局における遺言書の保管等に関する法律の施行期日を定める政令」（平成30年政令第317号）により、令和2年7月10日から施行される。また、遺言書保管政令、手数料令及び遺言書保管省令のいずれについても、遺言書保管法の施行の日（令和2年7月10日）から施行される。

Q164 遺言書保管法の施行前に作成された遺言書について、その様式に関する経過措置はあるか（遺言書保管省令附則第2条関係）。

A 保管の申請をすることができる遺言書の様式は、遺言書保管省令別記第1号様式によるものとしており（同省令第9条）、用紙が日本産業規格A列4番の紙であることや片面のみに記載されていること等が必要となる。

しかし、遺言書の保管の申請は、遺言書保管法の施行前に作成された遺言書についてもすることができるところ、同法の施行後しばらくの間は、既に作成された遺言書保管省令別記第1号様式によらない遺言書についても保管の申請を行うニーズがあると考えられる。

そこで、経過措置として、遺言書保管省令の施行前(注)に作成された遺言書については、同省令の施行の日から6か月を経過する日までの間は、次の遺言書についても保管の申請をすることができることとしている（同省令附則第2条）。

・ 用紙が日本産業規格A列4番の紙ではないが、日本産業規格A列5番以上でA列4番以下の紙であるもの
・ 用紙の両面に記載されたもの

ただし、用紙の両面に記載されている遺言書については、表面と裏面の両方にとじ代を確保する必要があることから、長辺方向の余白がいずれも20ミリメートル以上のものに限ることとしている。

（注）遺言書保管省令は、遺言書保管法の施行の日（令和2年7月10日）から施行される。

参考資料1　改正法の規定による遺言書のイメージ

遺言書

(注) 本文については自書を要する。

一　長女花子に，別紙一の不動産及び別紙二の預金を相続させる。

二　長男一郎に，別紙三の不動産を相続させる。

三　東京和男に，別紙四の~~動産~~株式を遺贈する。

(注) 本文の修正については自書を要する（968条3項）。

平成三十一年二月十九日
　　　　法　務　五　郎　㊞

(注) 968条1項の署名・押印・日付

上記三中，二字削除二字追加
　　　　法　務　五　郎

(注) 968条3項の変更の付記及び署名

別紙一

　　　　　　　　　　目　　録

(注) 財産目録については自書でなくても可
（968条2項）

一　所　　在　東京都千代田区霞が関一丁目
　　地　　番　〇番〇号
　　地　　目　宅地
　　地　　積　〇平方メートル

　　　　　　　　　霞が関㊞

(注) 財産目録自体の修正については自書でなくても可
（968条3項）

二　所　　在　東京都千代田区~~九段南~~一丁目〇番〇号
　　家屋番号　〇番〇
　　種　　類　居宅
　　構　　造　木造瓦葺2階建て
　　床面積　　1階　〇平方メートル
　　　　　　　2階　〇平方メートル

(注) 自書でない財産目録を添付する場合には、毎葉に署名・押印を要する（968条2項）

　　　　　法　務　五　郎　㊞

　　上記二中，三字削除三字追加
　　　　　　　法　務　五　郎

(注) 修正部分の付記及び署名は自書を要する（968条3項）

参考資料1　改正法の規定による遺言書のイメージ　265

別紙二

> (注)
> 財産目録として預金通帳のコピーを
> 添付することも可

```
普通預金通帳            ○銀行
                       ○支店
お名前
    法 務 五 郎 様

店番              口座番号
○○              ○○○
```

※　通帳のコピー

法　務　五　郎　㊞

> (注)
> 自書でない財産目録を添付する場
> 合には，毎葉に署名・押印を要す
> る（968条2項）

266　参考資料1　改正法の規定による遺言書のイメージ

別紙三

(注) 財産目録として登記事項証明書のコピーを添付することも可

| 表題部 (土地の表示) | 調製 | 余白 | 不動産番号 | 0000000000000 |

| 地図番号 | 余白 | 筆界特定 | 余白 |

所　在　特別区南都町一丁目

① 地番	② 地目	③ 地　積　㎡	原因及びその日付〔登記の日付〕
101番	宅地	300:00	不詳〔平成20年10月14日〕

所有者　特別区南都町一丁目1番1号　甲野太郎

権利部（甲区）（所有権に関する事項）			
順位番号	登記の目的	受付年月日・受付番号	権利者その他の事項
1	所有権保存	平成20年10月15日第637号	所有者　特別区南都町一丁目1番1号　甲野太郎
2	所有権移転	平成20年10月27日第718号	原因　平成20年10月26日売買　所有者　特別区都町一丁目5番5号　法務五郎

権利部（乙区）（所有権以外の権利に関する事項）			
順位番号	登記の目的	受付年月日・受付番号	権利者その他の事項
1	抵当権設定	平成20年11月12日第807号	原因　平成20年11月4日金銭消費貸借同日設定 債権額　金4,000万円 利息　年2・60%（年365日割計算） 損害金　年14・5%（年365日割計算） 債務者　特別区南都町一丁目5番5号　法務五郎 抵当権者　特別区北都町三丁目3番3号　株式会社南北銀行　（取扱店　南都支店） 共同担保　目録(あ)第2340号

共同担保目録				
記号及び番号	(あ)第2340号		調製	平成20年11月12日
番　号	担保の目的である権利の表示	順位番号	予　備	
1	特別区南都町一丁目　101番の土地	1	余白	
2	特別区南都町一丁目　101番地　家屋番号101番の建物	1	余白	

これは登記記録に記録されている事項の全部を証明した書面である。

平成31年1月27日
関東法務局特別出張所　　　　登記官　　　　　　　法務五郎㊞

＊下線のあるものは抹消事項であることを示す。

(注) 自書でない財産目録を添付する場合には、毎葉に署名・押印を要する（968条2項）

整理番号　D23992　（1/1）　　1/1

別紙四

　　　　　　　　　　目　　録

（注）財産目録として自ら作成し、又は第三者により作成された目録を添付することも可

　　　私名義の株式会社法務組の株式　　１２０００株

　　　　　　　　法　務　五　郎　㊞

（注）自書でない財産目録を添付する場合には、毎葉に署名・押印を要する（９６８条２項）

(中略)
一　個人所得課税　（略）
二　資産課税
（中略）
5　その他
（国　税）
(1)　（略）
(2)　（略）
(3)　民法（相続関係）の改正に伴い、次の措置を講ずる。
　①　相続税における配偶者居住権等の評価額を次のとおりとする。
　　イ　配偶者居住権
　　　建物の時価－建物の時価×（残存耐用年数－存続年数）／残存耐用年数×存続年数に応じた民法の法定利率による複利現価率
　　ロ　配偶者居住権が設定された建物（以下「居住建物」という。）の所有権
　　　建物の時価－配偶者居住権の価額
　　ハ　配偶者居住権に基づく居住建物の敷地の利用に関する権利
　　　土地等の時価－土地等の時価×存続年数に応じた民法の法定利率による複利現価率
　　ニ　居住建物の敷地の所有権等
　　　土地等の時価－敷地の利用に関する権利の価額
　（注1）上記の「建物の時価」及び「土地等の時価」は、それぞれ配偶者居住権が設定されていない場合の建物の時価又は土地等の時価とする。
　（注2）上記の「残存耐用年数」とは、居住建物の所得税法に基づいて定められている耐用年数（住宅用）に1.5を乗じて計算した年数から居住建物の築後経過年数を控除した年数をいう。
　（注3）上記の「存続年数」とは、次に掲げる場合の区分に応じそれぞれ次に定める年数をいう。
　　（イ）配偶者居住権の存続期間が配偶者の終身の間である場合　配偶者の平均余命年数
　　（ロ）（イ）以外の場合　遺産分割協議等により定められた配偶者居住権の存続期間の年数（配偶者の平均余命年数を上限とする。）
　（注4）残存耐用年数又は残存耐用年数から存続年数を控除した年数が零以下となる場合には、上記イの「（残存耐用年数－存続年数）／残存耐用年

数」は、零とする。
② 物納劣後財産の範囲に居住建物及びその敷地を加える。
③ 配偶者居住権の設定の登記について、居住建物の価額（固定資産税評価額）に対し1,000分の2の税率により登録免許税を課税する。
④ 特別寄与料に係る課税について、次のとおりとする。
　イ　特別寄与者が支払を受けるべき特別寄与料の額が確定した場合には、当該特別寄与者が、当該特別寄与料の額に相当する金額を被相続人から遺贈により取得したものとみなして、相続税を課税する。
　ロ　上記イの事由が生じたため新たに相続税の申告義務が生じた者は、当該事由が生じたことを知った日から10月以内に相続税の申告書を提出しなければならない。
　ハ　相続人が支払うべき特別寄与料の額は、当該相続人に係る相続税の課税価格から控除する。
　ニ　相続税における更正の請求の特則等の対象に上記イの事由を加える。
⑤ 遺留分制度の見直しに伴う所要の措置を講ずる（所得税についても同様とする。）。
⑥ その他所要の措置を講ずる。

（以下略）

参考資料3　民法及び家事事件手続法の一部を改正する法律　新旧対照条文

一　民法（明治二十九年法律第八十九号）　　　　（下線部分は改正部分）

新　法	旧　法
目次 　第五編　（略） 　　第三章　（略） 　　　第一節　総則（第八百九十六条―第八百九十九条の二） 　　第八章　配偶者の居住の権利 　　　第一節　配偶者居住権（第千二十八条―第千三十六条） 　　　第二節　配偶者短期居住権（第千三十七条―第千四十一条） 　　第九章　遺留分（第千四十二条―第千四十九条） 　　第十章　特別の寄与（第千五十条） 　　　第一節　（略） （相続財産に関する費用） 第八百八十五条　（略） （削る） （共同相続における権利の承継の対抗要件） 第八百九十九条の二　相続による権利の承継は、遺産の分割によるものかどうかにかかわらず、次条及び第九百一条の規定により算定した相続分を超える部分については、登記、登録その他の対抗要件を備えなければ、第三者に対抗することができない。 2　前項の権利が債権である場合において、次条及び第九百一条の規定により算定した相続分を超えて当該債権を承継した共同相続人が当該債権に係る遺言の内	目次 　第五編　（同左） 　　第三章　（同左） 　　　第一節　総則（第八百九十六条―第八百九十九条） 　　（新設） 　　第八章　遺留分（第千二十八条―第千四十四条） 　　（新設） 　　　第一節　（同左） （相続財産に関する費用） 第八百八十五条　（同左） 2　前項の費用は、遺留分権利者が贈与の減殺によって得た財産をもって支弁することを要しない。 （新設）

新　法	旧　法
容（遺産の分割により当該債権を承継した場合にあっては、当該債権に係る遺産の分割の内容）を明らかにして債務者にその承継の通知をしたときは、共同相続人の全員が債務者に通知をしたものとみなして、同項の規定を適用する。	
（遺言による相続分の指定）	（遺言による相続分の指定）
第九百二条　被相続人は、前二条の規定にかかわらず、遺言で、共同相続人の相続分を定め、又はこれを定めることを第三者に委託することができる。	第九百二条　被相続人は、前二条の規定にかかわらず、遺言で、共同相続人の相続分を定め、又はこれを定めることを第三者に委託することができる。ただし、被相続人又は第三者は、遺留分に関する規定に違反することができない。
2　（略）	2　（同左）
（相続分の指定がある場合の債権者の権利の行使） 第九百二条の二　被相続人が相続開始の時において有した債務の債権者は、前条の規定による相続分の指定がされた場合であっても、各共同相続人に対し、第九百条及び第九百一条の規定により算定した相続分に応じてその権利を行使することができる。ただし、その債権者が共同相続人の一人に対してその指定された相続分に応じた債務の承継を承認したときは、この限りでない。	（新設）
（特別受益者の相続分）	（特別受益者の相続分）
第九百三条　共同相続人中に、被相続人から、遺贈を受け、又は婚姻若しくは養子縁組のため若しくは生計の資本として贈与を受けた者があるときは、被相続人が相続開始の時において有した財産の価額にその贈与の価額を加えたものを相続財産とみなし、第九百条から第九百二条ま	第九百三条　共同相続人中に、被相続人から、遺贈を受け、又は婚姻若しくは養子縁組のため若しくは生計の資本として贈与を受けた者があるときは、被相続人が相続開始の時において有した財産の価額にその贈与の価額を加えたものを相続財産とみなし、前三条の規定により算定し

新　法	旧　法
での規定により算定した相続分の中からその遺贈又は贈与の価額を控除した残額をもってその者の相続分とする。 2　（略） 3　被相続人が前二項の規定と異なった意思を表示したときは、<u>その意思に従う。</u> <u>4　婚姻期間が二十年以上の夫婦の一方である被相続人が、他の一方に対し、その居住の用に供する建物又はその敷地について遺贈又は贈与をしたときは、当該被相続人は、その遺贈又は贈与について第一項の規定を適用しない旨の意思を表示したものと推定する。</u> <u>（遺産の分割前に遺産に属する財産が処分された場合の遺産の範囲）</u> <u>第九百六条の二</u>　<u>遺産の分割前に遺産に属する財産が処分された場合であっても、共同相続人は、その全員の同意により、当該処分された財産が遺産の分割時に遺産として存在するものとみなすことができる。</u> <u>2</u>　<u>前項の規定にかかわらず、共同相続人の一人又は数人により同項の財産が処分されたときは、当該共同相続人については、同項の同意を得ることを要しない。</u> （遺産の分割の協議又は審判等） 第九百七条　共同相続人は、次条の規定により被相続人が遺言で禁じた場合を除き、いつでも、その協議で、遺産の<u>全部又は一部の</u>分割をすることができる。 2　遺産の分割について、共同相続人間に協議が調わないとき、又は協議をすることができないときは、各共同相続人は、	た相続分の中からその遺贈又は贈与の価額を控除した残額をもってその者の相続分とする。 2　（同左） 3　被相続人が前二項の規定と異なった意思を表示したときは、<u>その意思表示は、遺留分に関する規定に違反しない範囲内で、その効力を有する。</u> （新設） （新設） （遺産の分割の協議又は審判等） 第九百七条　共同相続人は、次条の規定により被相続人が遺言で禁じた場合を除き、いつでも、その協議で、遺産の分割をすることができる。 2　遺産の分割について、共同相続人間に協議が調わないとき、又は協議をすることができないときは、各共同相続人は、

新 法	旧 法
その<u>全部又は一部の</u>分割を家庭裁判所に請求することができる。<u>ただし、遺産の一部を分割することにより他の共同相続人の利益を害するおそれがある場合におけるその一部の分割については、この限りでない。</u>	その分割を家庭裁判所に請求することができる。
3　<u>前項本文</u>の場合において特別の事由があるときは、家庭裁判所は、期間を定めて、遺産の全部又は一部について、その分割を禁ずることができる。	3　<u>前項</u>の場合において特別の事由があるときは、家庭裁判所は、期間を定めて、遺産の全部又は一部について、その分割を禁ずることができる。
<u>（遺産の分割前における預貯金債権の行使）</u> <u>第九百九条の二　各共同相続人は、遺産に属する預貯金債権のうち相続開始の時の債権額の三分の一に第九百条及び第九百一条の規定により算定した当該共同相続人の相続分を乗じた額（標準的な当面の必要生計費、平均的な葬式の費用の額その他の事情を勘案して預貯金債権の債務者ごとに法務省令で定める額を限度とする。）については、単独でその権利を行使することができる。この場合において、当該権利の行使をした預貯金債権については、当該共同相続人が遺産の一部の分割によりこれを取得したものとみなす。</u>	（新設）
（包括遺贈及び特定遺贈） 第九百六十四条　遺言者は、包括又は特定の名義で、その財産の全部又は一部を処分することができる。	（包括遺贈及び特定遺贈） 第九百六十四条　遺言者は、包括又は特定の名義で、その財産の全部又は一部を処分することができる。<u>ただし、遺留分に関する規定に違反することができない。</u>
（自筆証書遺言） 第九百六十八条　自筆証書によって遺言をするには、遺言者が、その全文、日付及	（自筆証書遺言） 第九百六十八条　（同左）

新　法	旧　法
び氏名を自書し、これに印を押さなければならない。 2　前項の規定にかかわらず、自筆証書にこれと一体のものとして相続財産（第九百九十七条第一項に規定する場合における同項に規定する権利を含む。）の全部又は一部の目録を添付する場合には、その目録については、自書することを要しない。この場合において、遺言者は、その目録の毎葉（自書によらない記載がその両面にある場合にあっては、その両面）に署名し、印を押さなければならない。 3　自筆証書（前項の目録を含む。）中の加除その他の変更は、遺言者が、その場所を指示し、これを変更した旨を付記して特にこれに署名し、かつ、その変更の場所に印を押さなければ、その効力を生じない。	（新設） 2　自筆証書中の加除その他の変更は、遺言者が、その場所を指示し、これを変更した旨を付記して特にこれに署名し、かつ、その変更の場所に印を押さなければ、その効力を生じない。
（秘密証書遺言） 第九百七十条　（略） 2　第九百六十八条第三項の規定は、秘密証書による遺言について準用する。	（秘密証書遺言） 第九百七十条　（同左） 2　第九百六十八条第二項の規定は、秘密証書による遺言について準用する。
（普通の方式による遺言の規定の準用） 第九百八十二条　第九百六十八条第三項及び第九百七十三条から第九百七十五条までの規定は、第九百七十六条から前条までの規定による遺言について準用する。	（普通の方式による遺言の規定の準用） 第九百八十二条　第九百六十八条第二項及び第九百七十三条から第九百七十五条までの規定は、第九百七十六条から前条までの規定による遺言について準用する。
(遺贈義務者の引渡義務) 第九百九十八条　遺贈義務者は、遺贈の目的である物又は権利を、相続開始の時（その後に当該物又は権利について遺贈の目的として特定した場合にあっては、その特定した時）の状態で引き渡し、又	(不特定物の遺贈義務者の担保責任) 第九百九十八条　不特定物を遺贈の目的とした場合において、受遺者がこれにつき第三者から追奪を受けたときは、遺贈義務者は、これに対して、売主と同じく、担保の責任を負う。

新　法	旧　法
は移転する義務を負う。ただし、遺言者がその遺言に別段の意思を表示したときは、その意思に従う。	2　不特定物を遺贈の目的とした場合において、物に瑕疵があったときは、遺贈義務者は、瑕疵のない物をもってこれに代えなければならない。
第千条　削除	（第三者の権利の目的である財産の遺贈） 第千条　遺贈の目的である物又は権利が遺言者の死亡の時において第三者の権利の目的であるときは、受遺者は、遺贈義務者に対しその権利を消滅させるべき旨を請求することができない。ただし、遺言者がその遺言に反対の意思を表示したときは、この限りでない。
（遺言執行者の任務の開始） 第千七条　（略） 2　遺言執行者は、その任務を開始したときは、遅滞なく、遺言の内容を相続人に通知しなければならない。	（遺言執行者の任務の開始） 第千七条　（同左） （新設）
（遺言執行者の権利義務） 第千十二条　遺言執行者は、遺言の内容を実現するため、相続財産の管理その他遺言の執行に必要な一切の行為をする権利義務を有する。 2　遺言執行者がある場合には、遺贈の履行は、遺言執行者のみが行うことができる。 3　（略）	（遺言執行者の権利義務） 第千十二条　遺言執行者は、相続財産の管理その他遺言の執行に必要な一切の行為をする権利義務を有する。 （新設） 2　（同左）
（遺言の執行の妨害行為の禁止） 第千十三条　遺言執行者がある場合には、相続人は、相続財産の処分その他遺言の執行を妨げるべき行為をすることができない。 2　前項の規定に違反してした行為は、無効とする。ただし、これをもって善意の	（遺言の執行の妨害行為の禁止） 第千十三条　（同左） （新設）

新　法	旧　法
第三者に対抗することができない。 3　前二項の規定は、相続人の債権者（相続債権者を含む。）が相続財産についてその権利を行使することを妨げない。	（新設）
（特定財産に関する遺言の執行） 第千十四条　（略） 2　遺産の分割の方法の指定として遺産に属する特定の財産を共同相続人の一人又は数人に承継させる旨の遺言（以下「特定財産承継遺言」という。）があったときは、遺言執行者は、当該共同相続人が第八百九十九条の二第一項に規定する対抗要件を備えるために必要な行為をすることができる。	（特定財産に関する遺言の執行） 第千十四条　（同左） （新設）
3　前項の財産が預貯金債権である場合には、遺言執行者は、同項に規定する行為のほか、その預金又は貯金の払戻しの請求及びその預金又は貯金に係る契約の解約の申入れをすることができる。ただし、解約の申入れについては、その預貯金債権の全部が特定財産承継遺言の目的である場合に限る。	（新設）
4　前二項の規定にかかわらず、被相続人が遺言で別段の意思を表示したときは、その意思に従う。	（新設）
（遺言執行者の行為の効果） 第千十五条　遺言執行者がその権限内において遺言執行者であることを示してした行為は、相続人に対して直接にその効力を生ずる。	（遺言執行者の地位） 第千十五条　遺言執行者は、相続人の代理人とみなす。
（遺言執行者の復任権） 第千十六条　遺言執行者は、自己の責任で第三者にその任務を行わせることができる。ただし、遺言者がその遺言に別段の	（遺言執行者の復任権） 第千十六条　遺言執行者は、やむを得ない事由がなければ、第三者にその任務を行わせることができない。ただし、遺言者

新　法	旧　法
意思を表示したときは、その意思に従う。 ２　前項本文の場合において、第三者に任務を行わせることについてやむを得ない事由があるときは、遺言執行者は、相続人に対してその選任及び監督についての責任のみを負う。	がその遺言に反対の意思を表示したときは、この限りでない。 ２　遺言執行者が前項ただし書の規定により第三者にその任務を行わせる場合には、相続人に対して、第百五条に規定する責任を負う。
第五節　（略） （撤回された遺言の効力） 第千二十五条　前三条の規定により撤回された遺言は、その撤回の行為が、撤回され、取り消され、又は効力を生じなくなるに至ったときであっても、その効力を回復しない。ただし、その行為が錯誤、詐欺又は強迫による場合は、この限りでない。	第五節　（同左） （撤回された遺言の効力） 第千二十五条　前三条の規定により撤回された遺言は、その撤回の行為が、撤回され、取り消され、又は効力を生じなくなるに至ったときであっても、その効力を回復しない。ただし、その行為が詐欺又は強迫による場合は、この限りでない。
第八章　配偶者の居住の権利 　　　第一節　配偶者居住権 （配偶者居住権） 第千二十八条　被相続人の配偶者（以下この章において単に「配偶者」という。）は、被相続人の財産に属した建物に相続開始の時に居住していた場合において、次の各号のいずれかに該当するときは、その居住していた建物（以下この節において「居住建物」という。）の全部について無償で使用及び収益をする権利（以下この章において「配偶者居住権」という。）を取得する。ただし、被相続人が相続開始の時に居住建物を配偶者以外の者と共有していた場合にあっては、この限りでない。 一　遺産の分割によって配偶者居住権を取得するものとされたとき。 二　配偶者居住権が遺贈の目的とされた	（新設）

新　法	旧　法
とき。 ２　居住建物が配偶者の財産に属することとなった場合であっても、他の者がその共有持分を有するときは、配偶者居住権は、消滅しない。 ３　第九百三条第四項の規定は、配偶者居住権の遺贈について準用する。 （審判による配偶者居住権の取得） 第千二十九条　遺産の分割の請求を受けた家庭裁判所は、次に掲げる場合に限り、配偶者が配偶者居住権を取得する旨を定めることができる。 一　共同相続人間に配偶者が配偶者居住権を取得することについて合意が成立しているとき。 二　配偶者が家庭裁判所に対して配偶者居住権の取得を希望する旨を申し出た場合において、居住建物の所有者の受ける不利益の程度を考慮してもなお配偶者の生活を維持するために特に必要があると認めるとき（前号に掲げる場合を除く。）。 （配偶者居住権の存続期間） 第千三十条　配偶者居住権の存続期間は、配偶者の終身の間とする。ただし、遺産の分割の協議若しくは遺言に別段の定めがあるとき、又は家庭裁判所が遺産の分割の審判において別段の定めをしたときは、その定めるところによる。 （配偶者居住権の登記等） 第千三十一条　居住建物の所有者は、配偶者（配偶者居住権を取得した配偶者に限る。以下この節において同じ。）に対し、配偶者居住権の設定の登記を備えさ	

新　法	旧　法
せる義務を負う。 2　第六百五条の規定は配偶者居住権について、第六百五条の四の規定は配偶者居住権の設定の登記を備えた場合について準用する。 （配偶者による使用及び収益） 第千三十二条　配偶者は、従前の用法に従い、善良な管理者の注意をもって、居住建物の使用及び収益をしなければならない。ただし、従前居住の用に供していなかった部分について、これを居住の用に供することを妨げない。 2　配偶者居住権は、譲渡することができない。 3　配偶者は、居住建物の所有者の承諾を得なければ、居住建物の改築若しくは増築をし、又は第三者に居住建物の使用若しくは収益をさせることができない。 4　配偶者が第一項又は前項の規定に違反した場合において、居住建物の所有者が相当の期間を定めてその是正の催告をし、その期間内に是正がされないときは、居住建物の所有者は、当該配偶者に対する意思表示によって配偶者居住権を消滅させることができる。 （居住建物の修繕等） 第千三十三条　配偶者は、居住建物の使用及び収益に必要な修繕をすることができる。 2　居住建物の修繕が必要である場合において、配偶者が相当の期間内に必要な修繕をしないときは、居住建物の所有者は、その修繕をすることができる。 3　居住建物が修繕を要するとき（第一項の規定により配偶者が自らその修繕をす	

新　法	旧　法
るときを除く。)、又は居住建物について権利を主張する者があるときは、配偶者は、居住建物の所有者に対し、遅滞なくその旨を通知しなければならない。ただし、居住建物の所有者が既にこれを知っているときは、この限りでない。 (居住建物の費用の負担) 第千三十四条　配偶者は、居住建物の通常の必要費を負担する。 ２　第五百八十三条第二項の規定は、前項の通常の必要費以外の費用について準用する。 (居住建物の返還等) 第千三十五条　配偶者は、配偶者居住権が消滅したときは、居住建物の返還をしなければならない。ただし、配偶者が居住建物について共有持分を有する場合は、居住建物の所有者は、配偶者居住権が消滅したことを理由としては、居住建物の返還を求めることができない。 ２　第五百九十九条第一項及び第二項並びに第六百二十一条の規定は、前項本文の規定により配偶者が相続の開始後に附属させた物がある居住建物又は相続の開始後に生じた損傷がある居住建物の返還をする場合について準用する。 (使用貸借及び賃貸借の規定の準用) 第千三十六条　第五百九十七条第一項及び第三項、第六百条、第六百十三条並びに第六百十六条の二の規定は、配偶者居住権について準用する。 　　　　第二節　配偶者短期居住権 (配偶者短期居住権)	

新　法	旧　法
第千三十七条　配偶者は、被相続人の財産に属した建物に相続開始の時に無償で居住していた場合には、次の各号に掲げる区分に応じてそれぞれ当該各号に定める日までの間、その居住していた建物（以下この節において「居住建物」という。）の所有権を相続又は遺贈により取得した者（以下この節において「居住建物取得者」という。）に対し、居住建物について無償で使用する権利（居住建物の一部のみを無償で使用していた場合にあっては、その部分について無償で使用する権利。以下この節において「配偶者短期居住権」という。）を有する。ただし、配偶者が、相続開始の時において居住建物に係る配偶者居住権を取得したとき、又は第八百九十一条の規定に該当し若しくは廃除によってその相続権を失ったときは、この限りでない。 　一　居住建物について配偶者を含む共同相続人間で遺産の分割をすべき場合　遺産の分割により居住建物の帰属が確定した日又は相続開始の時から六箇月を経過する日のいずれか遅い日 　二　前号に掲げる場合以外の場合　第三項の申入れの日から六箇月を経過する日 ２　前項本文の場合においては、居住建物取得者は、第三者に対する居住建物の譲渡その他の方法により配偶者の居住建物の使用を妨げてはならない。 ３　居住建物取得者は、第一項第一号に掲げる場合を除くほか、いつでも配偶者短期居住権の消滅の申入れをすることができる。 （配偶者による使用）	

新　法	旧　法
第千三十八条　配偶者（配偶者短期居住権を有する配偶者に限る。以下この節において同じ。）は、従前の用法に従い、善良な管理者の注意をもって、居住建物の使用をしなければならない。 2　配偶者は、居住建物取得者の承諾を得なければ、第三者に居住建物の使用をさせることができない。 3　配偶者が前二項の規定に違反したときは、居住建物取得者は、当該配偶者に対する意思表示によって配偶者短期居住権を消滅させることができる。 （配偶者居住権の取得による配偶者短期居住権の消滅） 第千三十九条　配偶者が居住建物に係る配偶者居住権を取得したときは、配偶者短期居住権は、消滅する。 （居住建物の返還等） 第千四十条　配偶者は、前条に規定する場合を除き、配偶者短期居住権が消滅したときは、居住建物の返還をしなければならない。ただし、配偶者が居住建物について共有持分を有する場合は、居住建物取得者は、配偶者短期居住権が消滅したことを理由としては、居住建物の返還を求めることができない。 2　第五百九十九条第一項及び第二項並びに第六百二十一条の規定は、前項本文の規定により配偶者が相続の開始後に附属させた物がある居住建物又は相続の開始後に生じた損傷がある居住建物の返還をする場合について準用する。 （使用貸借等の規定の準用） 第千四十一条　第五百九十七条第三項、第	

新　法	旧　法
六百条、第六百十六条の二、第千三十二条第二項、第千三十三条及び第千三十四条の規定は、配偶者短期居住権について準用する。 　　　第九章　（略） （遺留分の帰属及びその割合） 第千四十二条　兄弟姉妹以外の相続人は、遺留分として、次条第一項に規定する遺留分を算定するための財産の価額に、次の各号に掲げる区分に応じてそれぞれ当該各号に定める割合を乗じた額を受ける。 　一　直系尊属のみが相続人である場合　三分の一 　二　前号に掲げる場合以外の場合　二分の一 ２　相続人が数人ある場合には、前項各号に定める割合は、これらに第九百条及び第九百一条の規定により算定したその各自の相続分を乗じた割合とする。 （遺留分を算定するための財産の価額） 第千四十三条　遺留分を算定するための財産の価額は、被相続人が相続開始の時において有した財産の価額にその贈与した財産の価額を加えた額から債務の全額を控除した額とする。 ２　（略） 第千四十四条　贈与は、相続開始前の一年間にしたものに限り、前条の規定によりその価額を算入する。当事者双方が遺留分権利者に損害を加えることを知って贈与をしたときは、一年前の日より前にしたものについても、同様とする。 ２　第九百四条の規定は、前項に規定する贈与の価額について準用する。	第八章　（同左） （遺留分の帰属及びその割合） 第千二十八条　兄弟姉妹以外の相続人は、遺留分として、次の各号に掲げる区分に応じてそれぞれ当該各号に定める割合に相当する額を受ける。 　一　直系尊属のみが相続人である場合　被相続人の財産の三分の一 　二　前号に掲げる場合以外の場合　被相続人の財産の二分の一 （新設） （遺留分の算定） 第千二十九条　遺留分は、被相続人が相続開始の時において有した財産の価額にその贈与した財産の価額を加えた額から債務の全額を控除して、これを算定する。 ２　（同左） 第千三十条　贈与は、相続開始前の一年間にしたものに限り、前条の規定によりその価額を算入する。当事者双方が遺留分権利者に損害を加えることを知って贈与をしたときは、一年前の日より前にしたものについても、同様とする。 （新設）

新 法	旧 法
<u>3　相続人に対する贈与についての第一項の規定の適用については、同項中「一年」とあるのは「十年」と、「価額」とあるのは「価額（婚姻若しくは養子縁組のため又は生計の資本として受けた贈与の価額に限る。）」とする。</u>	（新設）
（削る）	<u>（遺贈又は贈与の減殺請求） 第千三十一条　遺留分権利者及びその承継人は、遺留分を保全するのに必要な限度で、遺贈及び前条に規定する贈与の減殺を請求することができる。</u>
（削る）	<u>（条件付権利等の贈与又は遺贈の一部の減殺） 第千三十二条　条件付きの権利又は存続期間の不確定な権利を贈与又は遺贈の目的とした場合において、その贈与又は遺贈の一部を減殺すべきときは、遺留分権利者は、第千二十九条第二項の規定により定めた価格に従い、直ちにその残部の価額を受贈者又は受遺者に給付しなければならない。</u>
（削る）	<u>（贈与と遺贈の減殺の順序） 第千三十三条　贈与は、遺贈を減殺した後でなければ、減殺することができない。</u>
（削る）	<u>（遺贈の減殺の割合） 第千三十四条　遺贈は、その目的の価額の割合に応じて減殺する。ただし、遺言者がその遺言に別段の意思を表示したときは、その意思に従う。</u>
（削る）	<u>（贈与の減殺の順序） 第千三十五条　贈与の減殺は、後の贈与から順次前の贈与に対してする。</u>

新　法	旧　法
（削る）	(受贈者による果実の返還) 第千三十六条　受贈者は、その返還すべき財産のほか、減殺の請求があった日以後の果実を返還しなければならない。
（削る）	(受贈者の無資力による損失の負担) 第千三十七条　減殺を受けるべき受贈者の無資力によって生じた損失は、遺留分権利者の負担に帰する。
（削る）	(負担付贈与の減殺請求) 第千三十八条　負担付贈与は、その目的の価額から負担の価額を控除したものについて、その減殺を請求することができる。
第千四十五条　負担付贈与がされた場合における第千四十三条第一項に規定する贈与した財産の価額は、その目的の価額から負担の価額を控除した額とする。	(不相当な対価による有償行為) 第千三十九条　（新設）
2　不相当な対価をもってした有償行為は、当事者双方が遺留分権利者に損害を加えることを知ってしたものに限り、当該対価を負担の価額とする負担付贈与とみなす。	不相当な対価をもってした有償行為は、当事者双方が遺留分権利者に損害を加えることを知ってしたものに限り、これを贈与とみなす。この場合において、遺留分権利者がその減殺を請求するときは、その対価を償還しなければならない。
(遺留分侵害額の請求) 第千四十六条　遺留分権利者及びその承継人は、受遺者（特定財産承継遺言により財産を承継し又は相続分の指定を受けた相続人を含む。以下この章において同じ。）又は受贈者に対し、遺留分侵害額に相当する金銭の支払を請求することができる。	（新設）
2　遺留分侵害額は、第千四十二条の規定	

新　法	旧　法
による遺留分から第一号及び第二号に掲げる額を控除し、これに第三号に掲げる額を加算して算定する。 一　遺留分権利者が受けた遺贈又は第九百三条第一項に規定する贈与の価額 二　第九百条から第九百二条まで、第九百三条及び第九百四条の規定により算定した相続分に応じて遺留分権利者が取得すべき遺産の価額 三　被相続人が相続開始の時において有した債務のうち、第八百九十九条の規定により遺留分権利者が承継する債務（次条第三項において「遺留分権利者承継債務」という。）の額 （受遺者又は受贈者の負担額） 第千四十七条　受遺者又は受贈者は、次の各号の定めるところに従い、遺贈（特定財産承継遺言による財産の承継又は相続分の指定による遺産の取得を含む。以下この章において同じ。）又は贈与（遺留分を算定するための財産の価額に算入されるものに限る。以下この章において同じ。）の目的の価額（受遺者又は受贈者が相続人である場合にあっては、当該価額から第千四十二条の規定による遺留分として当該相続人が受けるべき額を控除した額）を限度として、遺留分侵害額を負担する。 一　受遺者と受贈者とがあるときは、受遺者が先に負担する。 二　受遺者が複数あるとき、又は受贈者が複数ある場合においてその贈与が同時にされたものであるときは、受遺者又は受贈者がその目的の価額の割合に応じて負担する。ただし、遺言者がその遺言に別段の意思を表示したとき	（新設）

新　法	旧　法
は、その意思に従う。 　三　受贈者が複数あるとき（前号に規定する場合を除く。）は、後の贈与に係る受贈者から順次前の贈与に係る受贈者が負担する。 ２　第九百四条、第千四十三条第二項及び第千四十五条の規定は、前項に規定する遺贈又は贈与の目的の価額について準用する。 ３　前条第一項の請求を受けた受遺者又は受贈者は、遺留分権利者承継債務について弁済その他の債務を消滅させる行為をしたときは、消滅した債務の額の限度において、遺留分権利者に対する意思表示によって第一項の規定により負担する債務を消滅させることができる。この場合において、当該行為によって遺留分権利者に対して取得した求償権は、消滅した当該債務の額の限度において消滅する。 ４　受遺者又は受贈者の無資力によって生じた損失は、遺留分権利者の負担に帰する。 ５　裁判所は、受遺者又は受贈者の請求により、第一項の規定により負担する債務の全部又は一部の支払につき相当の期限を許与することができる。	
（削る）	（受贈者が贈与の目的を譲渡した場合等） 第千四十条　減殺を受けるべき受贈者が贈与の目的を他人に譲り渡したときは、遺留分権利者にその価額を弁償しなければならない。ただし、譲受人が譲渡の時において遺留分権利者に損害を加えることを知っていたときは、遺留分権利者は、これに対しても減殺を請求することができる。 ２　前項の規定は、受贈者が贈与の目的に

新　法	旧　法
（削る）	つき権利を設定した場合について準用する。 （遺留分権利者に対する価額による弁償） 第千四十一条　受贈者及び受遺者は、減殺を受けるべき限度において、贈与又は遺贈の目的の価額を遺留分権利者に弁償して返還の義務を免れることができる。 2　前項の規定は、前条第一項ただし書の場合について準用する。
（遺留分侵害額請求権の期間の制限） 第千四十八条　遺留分侵害額の請求権は、遺留分権利者が、相続の開始及び遺留分を侵害する贈与又は遺贈があったことを知った時から一年間行使しないときは、時効によって消滅する。相続開始の時から十年を経過したときも、同様とする。	（減殺請求権の期間の制限） 第千四十二条　減殺の請求権は、遺留分権利者が、相続の開始及び減殺すべき贈与又は遺贈があったことを知った時から一年間行使しないときは、時効によって消滅する。相続開始の時から十年を経過したときも、同様とする。
（遺留分の放棄） 第千四十九条　（略）	（遺留分の放棄） 第千四十三条　（同左）
（削る）	（代襲相続及び相続分の規定の準用） 第千四十四条　第八百八十七条第二項及び第三項、第九百条、第九百一条、第九百三条並びに第九百四条の規定は、遺留分について準用する。
第十章　特別の寄与 第千五十条　被相続人に対して無償で療養看護その他の労務の提供をしたことにより被相続人の財産の維持又は増加について特別の寄与をした被相続人の親族（相続人、相続の放棄をした者及び第八百九十一条の規定に該当し又は廃除によってその相続権を失った者を除く。以下この条において「特別寄与者」という。）	（新設）

新　法	旧　法
は、相続の開始後、相続人に対し、特別寄与者の寄与に応じた額の金銭（以下この条において「特別寄与料」という。）の支払を請求することができる。 2　前項の規定による特別寄与料の支払について、当事者間に協議が調わないとき、又は協議をすることができないときは、特別寄与者は、家庭裁判所に対して協議に代わる処分を請求することができる。ただし、特別寄与者が相続の開始及び相続人を知った時から六箇月を経過したとき、又は相続開始の時から一年を経過したときは、この限りでない。 3　前項本文の場合には、家庭裁判所は、寄与の時期、方法及び程度、相続財産の額その他一切の事情を考慮して、特別寄与料の額を定める。 4　特別寄与料の額は、被相続人が相続開始の時において有した財産の価額から遺贈の価額を控除した残額を超えることができない。 5　相続人が数人ある場合には、各相続人は、特別寄与料の額に第九百条から第九百二条までの規定により算定した当該相続人の相続分を乗じた額を負担する。	

二　家事事件手続法（平成二十三年法律第五十二号）　　　　　（下線部分は改正部分）

新　法	旧　法
目次 　第二編　（略） 　　第二章　（略） 　　　第十八節　遺留分に関する審判事件（第二百十六条） 　　　第十八節の二　特別の寄与に関する審判事件（第二百十六条の二―第二百十六条の五）	目次 　第二編　（同左） 　　第二章　（同左） 　　　第十八節　遺留分に関する審判事件（第二百十六条） 　　　（新設）
（相続に関する審判事件の管轄権） 第三条の十一　裁判所は、相続に関する審判事件（別表第一の八十六の項から百十の項まで及び百三十三の項並びに別表第二の十一の項から十五の項までの事項についての審判事件をいう。）について、相続開始の時における被相続人の住所が日本国内にあるとき、住所がない場合又は住所が知れない場合には相続開始の時における被相続人の居所が日本国内にあるとき、居所がない場合又は居所が知れない場合には被相続人が相続開始の前に日本国内に住所を有していたとき（日本国内に最後に住所を有していた後に外国に住所を有していたときを除く。）は、管轄権を有する。 2・3　（略） 4　当事者は、合意により、いずれの国の裁判所に遺産の分割に関する審判事件（別表第二の十二の項から十四の項までの事項についての審判事件をいう。第三条の十四及び第百九十一条第一項において同じ。）及び特別の寄与に関する処分の審判事件（同表の十五の項の事項についての審判事件をいう。第三条の十四及び第二百十六条の二において同じ。）の	（相続に関する審判事件の管轄権） 第三条の十一　裁判所は、相続に関する審判事件（別表第一の八十六の項から百十の項まで及び百三十三の項並びに別表第二の十一の項から十四の項までの事項についての審判事件をいう。）について、相続開始の時における被相続人の住所が日本国内にあるとき、住所がない場合又は住所が知れない場合には相続開始の時における被相続人の居所が日本国内にあるとき、居所がない場合又は居所が知れない場合には被相続人が相続開始の前に日本国内に住所を有していたとき（日本国内に最後に住所を有していた後に外国に住所を有していたときを除く。）は、管轄権を有する。 2・3　（同左） 4　当事者は、合意により、いずれの国の裁判所に遺産の分割に関する審判事件（別表第二の十二の項から十四の項までの事項についての審判事件をいう。第三条の十四及び第百九十一条第一項において同じ。）の申立てをすることができるかについて定めることができる。

新　法	旧　法
申立てをすることができるかについて定めることができる。 5　（略） （特別の事情による申立ての却下） 第三条の十四　裁判所は、第三条の二から前条までに規定する事件について日本の裁判所が管轄権を有することとなる場合（遺産の分割に関する審判事件<u>又は特別の寄与に関する処分の審判事件</u>について、日本の裁判所にのみ申立てをすることができる旨の合意に基づき申立てがされた場合を除く。）においても、事案の性質、申立人以外の事件の関係人の負担の程度、証拠の所在地、未成年者である子の利益その他の事情を考慮して、日本の裁判所が審理及び裁判をすることが適正かつ迅速な審理の実現を妨げ、又は相手方がある事件について申立人と相手方との間の衡平を害することとなる特別の事情があると認めるときは、その申立ての全部又は一部を却下することができる。 （遺産の分割の審判事件を本案とする保全処分） 第二百条　家庭裁判所（第百五条第二項の場合にあっては、高等裁判所。次項<u>及び第三項</u>において同じ。）は、遺産の分割の審判又は調停の申立てがあった場合において、財産の管理のため必要があるときは、申立てにより又は職権で、担保を立てさせないで、遺産の分割の申立てについての審判が効力を生ずるまでの間、財産の管理者を選任し、又は事件の関係人に対し、財産の管理に関する事項を指示することができる。 2　（略）	5　（同左） （特別の事情による申立ての却下） 第三条の十四　裁判所は、第三条の二から前条までに規定する事件について日本の裁判所が管轄権を有することとなる場合（遺産の分割に関する審判事件について、日本の裁判所にのみ申立てをすることができる旨の合意に基づき申立てがされた場合を除く。）においても、事案の性質、申立人以外の事件の関係人の負担の程度、証拠の所在地、未成年者である子の利益その他の事情を考慮して、日本の裁判所が審理及び裁判をすることが適正かつ迅速な審理の実現を妨げ、又は相手方がある事件について申立人と相手方との間の衡平を害することとなる特別の事情があると認めるときは、その申立ての全部又は一部を却下することができる。 （遺産の分割の審判事件を本案とする保全処分） 第二百条　家庭裁判所（第百五条第二項の場合にあっては、高等裁判所。次項において同じ。）は、遺産の分割の審判又は調停の申立てがあった場合において、財産の管理のため必要があるときは、申立てにより又は職権で、担保を立てさせないで、遺産の分割の申立てについての審判が効力を生ずるまでの間、財産の管理者を選任し、又は事件の関係人に対し、財産の管理に関する事項を指示することができる。 2　（同左）

新　法	旧　法
<u>3　前項に規定するもののほか、家庭裁判所は、遺産の分割の審判又は調停の申立てがあった場合において、相続財産に属する債務の弁済、相続人の生活費の支弁その他の事情により遺産に属する預貯金債権（民法第四百六十六条の五第一項に規定する預貯金債権をいう。以下この項において同じ。）を当該申立てをした者又は相手方が行使する必要があると認めるときは、その申立てにより、遺産に属する特定の預貯金債権の全部又は一部をその者に仮に取得させることができる。ただし、他の共同相続人の利益を害するときは、この限りでない。</u> 4　（略）	（新設） 3　（同左）
（遺言執行者の解任の審判事件を本案とする保全処分） 第二百十五条　家庭裁判所（第百五条第二項の場合にあっては、高等裁判所。第三項及び第四項において同じ。）は、遺言執行者の解任の申立てがあった場合において、<u>遺言の内容の実現のため必要がある</u>ときは、当該申立てをした者の申立てにより、遺言執行者の解任の申立てについての審判が効力を生ずるまでの間、遺言執行者の職務の執行を停止し、又はその職務代行者を選任することができる。 2～4　（略）	（遺言執行者の解任の審判事件を本案とする保全処分） 第二百十五条　家庭裁判所（第百五条第二項の場合にあっては、高等裁判所。第三項及び第四項において同じ。）は、遺言執行者の解任の申立てがあった場合において、<u>相続人の利益</u>のため必要があるときは、当該申立てをした者の申立てにより、遺言執行者の解任の申立てについての審判が効力を生ずるまでの間、遺言執行者の職務の執行を停止し、又はその職務代行者を選任することができる。 2～4　（同左）
第十八節　（略） 第二百十六条　次の各号に掲げる審判事件は、当該各号に定める地を管轄する家庭裁判所の管轄に属する。 一　遺留分を算定する<u>ための財産の価額を定める場合における</u>鑑定人の選任の審判事件（別表第一の百九の項の事項	第十八節　（同左） 第二百十六条　次の各号に掲げる審判事件は、当該各号に定める地を管轄する家庭裁判所の管轄に属する。 一　遺留分を算定する場合における鑑定人の選任の審判事件（別表第一の百九の項の事項についての審判事件をい

新　法	旧　法
についての審判事件をいう。）　相続が開始した地 　二　（略） 2　（略） 　　　第十八節の二　特別の寄与に関する審判事件 （管轄） 第二百十六条の二　特別の寄与に関する処分の審判事件は、相続が開始した地を管轄する家庭裁判所の管轄に属する。 （給付命令） 第二百十六条の三　家庭裁判所は、特別の寄与に関する処分の審判において、当事者に対し、金銭の支払を命ずることができる。 （即時抗告） 第二百十六条の四　次の各号に掲げる審判に対しては、当該各号に定める者は、即時抗告をすることができる。 　一　特別の寄与に関する処分の審判　申立人及び相手方 　二　特別の寄与に関する処分の申立てを却下する審判　申立人 （特別の寄与に関する審判事件を本案とする保全処分） 第二百十六条の五　家庭裁判所（第百五条第二項の場合にあっては、高等裁判所）は、特別の寄与に関する処分についての審判又は調停の申立てがあった場合において、強制執行を保全し、又は申立人の急迫の危険を防止するため必要があるときは、当該申立てをした者の申立てにより、特別の寄与に関する処分の審判を本	う。）　相続が開始した地 　二　（同左） 2　（同左） （新設）

新　法	旧　法
案とする仮差押え、仮処分その他の必要な保全処分を命ずることができる。 第二百三十三条　請求すべき按分割合に関する処分の審判事件（別表第二の十六の項の事項についての審判事件をいう。）は、申立人又は相手方の住所地を管轄する家庭裁判所の管轄に属する。 2・3　（略） 第二百四十条　（略） 2　扶養義務者の負担すべき費用額の確定の審判事件（別表第二の十七の項の事項についての審判事件をいう。）は、扶養義務者（数人に対する申立てに係るものにあっては、そのうちの一人）の住所地を管轄する家庭裁判所の管轄に属する。 3～6　（略） 別表第一　（略） 	項	事項	根拠となる法律の規定	 |---|---|---|
（略）		
百九	遺留分を算定するための財産の価額を定める場合における鑑定人の選任	民法第千四十三条第二項
百十	遺留分の放棄についての許可	民法第千四十九条第一項
（略）			 別表第二　（略） 	項	事項	根拠となる法律の規定	 |---|---|---|
（略）				第二百三十三条　請求すべき按分割合に関する処分の審判事件（別表第二の十五の項の事項についての審判事件をいう。）は、申立人又は相手方の住所地を管轄する家庭裁判所の管轄に属する。 2・3　（同左） 第二百四十条　（同左） 2　扶養義務者の負担すべき費用額の確定の審判事件（別表第二の十六の項の事項についての審判事件をいう。）は、扶養義務者（数人に対する申立てに係るものにあっては、そのうちの一人）の住所地を管轄する家庭裁判所の管轄に属する。 3～6　（同左） 別表第一　（同左） | 項	事項	根拠となる法律の規定 | |---|---|---|
（同左）		
百九	遺留分を算定する場合における鑑定人の選任	民法第千二十九条第二項
百十	遺留分の放棄についての許可	民法第千四十三条第一項
（同左）			 別表第二　（同左） 	項	事項	根拠となる法律の規定	 |---|---|---|
（同左）			

新　法			旧　法		
遺産の分割			遺産の分割		
（略）	（略）	（略）	（同左）	（同左）	（同左）
特別の寄与			（新設）		
十五	特別の寄与に関する処分	民法第千五十条第二項	（新設）	（新設）	（新設）
厚生年金保険法			厚生年金保険法		
十六	（略）	（略）	十五	（同左）	（同左）
生活保護法等			生活保護法等		
十七	（略）	（略）	十六	（同左）	（同左）

参考資料4　**民法及び家事事件手続法の一部を改正する法律（抄）**

（中略）
　　　附　則
（施行期日）
第一条　この法律は、公布の日から起算して一年を超えない範囲内において政令で定める日から施行する。ただし、次の各号に掲げる規定は、当該各号に定める日から施行する。
　一　附則第三十条及び第三十一条の規定　公布の日
　二　第一条中民法第九百六十八条、第九百七十条第二項及び第九百八十二条の改正規定並びに附則第六条の規定　公布の日から起算して六月を経過した日
　三　第一条中民法第九百九十八条、第千条及び第千二十五条ただし書の改正規定並びに附則第七条及び第九条の規定　民法の一部を改正する法律（平成二十九年法律第四十四号）の施行の日
　四　第二条並びに附則第十条、第十三条、第十四条、第十七条、第十八条及び第二十三条から第二十六条までの規定　公布の日から起算して二年を超えない範囲内において政令で定める日
　五　第三条中家事事件手続法第三条の十一及び第三条の十四の改正規定並びに附則第十一条第一項の規定　人事訴訟法等の一部を改正する法律（平成三十年法律第二十号）の施行の日又はこの法律の施行の日のいずれか遅い日
（民法の一部改正に伴う経過措置の原則）
第二条　この法律の施行の日（以下「施行日」という。）前に開始した相続については、この附則に特別の定めがある場合を除き、なお従前の例による。
（共同相続における権利の承継の対抗要件に関する経過措置）
第三条　第一条の規定による改正後の民法（以下「新民法」という。）第八百九十九条の二の規定は、施行日前に開始した相続に関し遺産の分割による債権の承継がされた場合において、施行日以後にその承継の通知がされるときにも、適用する。
（夫婦間における居住用不動産の遺贈又は贈与に関する経過措置）
第四条　新民法第九百三条第四項の規定は、施行日前にされた遺贈又は贈与については、適用しない。
（遺産の分割前における預貯金債権の行使に関する経過措置）
第五条　新民法第九百九条の二の規定は、施行日前に開始した相続に関し、施行日以後に預貯金債権が行使されるときにも、適用する。
2　施行日から附則第一条第三号に定める日の前日までの間における新民法第九百

九条の二の規定の適用については、同条中「預貯金債権のうち」とあるのは、「預貯金債権（預金口座又は貯金口座に係る預金又は貯金に係る債権をいう。以下同じ。）のうち」とする。

（自筆証書遺言の方式に関する経過措置）

第六条　附則第一条第二号に掲げる規定の施行の日前にされた自筆証書遺言については、新民法第九百六十八条第二項及び第三項の規定にかかわらず、なお従前の例による。

（遺贈義務者の引渡義務等に関する経過措置）

第七条　附則第一条第三号に掲げる規定の施行の日（以下「第三号施行日」という。）前にされた遺贈に係る遺贈義務者の引渡義務については、新民法第九百九十八条の規定にかかわらず、なお従前の例による。

2　第一条の規定による改正前の民法第千条の規定は、第三号施行日前にされた第三者の権利の目的である財産の遺贈については、なおその効力を有する。

（遺言執行者の権利義務等に関する経過措置）

第八条　新民法第千七条第二項及び第千十二条の規定は、施行日前に開始した相続に関し、施行日以後に遺言執行者となる者にも、適用する。

2　新民法第千十四条第二項から第四項までの規定は、施行日前にされた特定の財産に関する遺言に係る遺言執行者によるその執行については、適用しない。

3　施行日前にされた遺言に係る遺言執行者の復任権については、新民法第千十六条の規定にかかわらず、なお従前の例による。

（撤回された遺言の効力に関する経過措置）

第九条　第三号施行日前に撤回された遺言の効力については、新民法第千二十五条ただし書の規定にかかわらず、なお従前の例による。

（配偶者の居住の権利に関する経過措置）

第十条　第二条の規定による改正後の民法（次項において「第四号新民法」という。）第千二十八条から第千四十一条までの規定は、次項に定めるものを除き、附則第一条第四号に掲げる規定の施行の日（以下この条において「第四号施行日」という。）以後に開始した相続について適用し、第四号施行日前に開始した相続については、なお従前の例による。

2　第四号新民法第千二十八条から第千三十六条までの規定は、第四号施行日前にされた遺贈については、適用しない。

（家事事件手続法の一部改正に伴う経過措置）

第十一条　第三条の規定による改正後の家事事件手続法（以下「新家事事件手続法」という。）第三条の十一第四項の規定は、附則第一条第五号に掲げる規定の施行の日前にした特定の国の裁判所に特別の寄与に関する処分の審判事件（新家

事事件手続法別表第二の十五の項の事項についての審判事件をいう。）の申立てをすることができる旨の合意については、適用しない。
2　施行日から第三号施行日の前日までの間における新家事事件手続法第二百条第三項の規定の適用については、同項中「民法第四百六十六条の五第一項に規定する預貯金債権」とあるのは、「預金口座又は貯金口座に係る預金又は貯金に係る債権」とする。
（家事事件手続法の一部改正に伴う調整規定）
第十二条　施行日が人事訴訟法等の一部を改正する法律の施行の日前となる場合には、同日の前日までの間における新家事事件手続法第二百十六条の二及び別表第二の規定の適用については、同条中「審判事件」とあるのは「審判事件（別表第二の十五の項の事項についての審判事件をいう。）」と、同表中「第百九十七条」とあるのは「第百九十七条、第二百十六条の二」とする。

（以下略）

参考資料5　法務局における遺言書の保管等に関する法律

（趣旨）
第一条　この法律は、法務局（法務局の支局及び出張所、法務局の支局の出張所並びに地方法務局及びその支局並びにこれらの出張所を含む。次条第一項において同じ。）における遺言書（民法（明治二十九年法律第八十九号）第九百六十八条の自筆証書によってした遺言に係る遺言書をいう。以下同じ。）の保管及び情報の管理に関し必要な事項を定めるとともに、その遺言書の取扱いに関し特別の定めをするものとする。

（遺言書保管所）
第二条　遺言書の保管に関する事務は、法務大臣の指定する法務局が、遺言書保管所としてつかさどる。
2　前項の指定は、告示してしなければならない。

（遺言書保管官）
第三条　遺言書保管所における事務は、遺言書保管官（遺言書保管所に勤務する法務事務官のうちから、法務局又は地方法務局の長が指定する者をいう。以下同じ。）が取り扱う。

（遺言書の保管の申請）
第四条　遺言者は、遺言書保管官に対し、遺言書の保管の申請をすることができる。
2　前項の遺言書は、法務省令で定める様式に従って作成した無封のものでなければならない。
3　第一項の申請は、遺言者の住所地若しくは本籍地又は遺言者が所有する不動産の所在地を管轄する遺言書保管所（遺言者の作成した他の遺言書が現に遺言書保管所に保管されている場合にあっては、当該他の遺言書が保管されている遺言書保管所）の遺言書保管官に対してしなければならない。
4　第一項の申請をしようとする遺言者は、法務省令で定めるところにより、遺言書に添えて、次に掲げる事項を記載した申請書を遺言書保管官に提出しなければならない。
　一　遺言書に記載されている作成の年月日
　二　遺言者の氏名、出生の年月日、住所及び本籍（外国人にあっては、国籍）
　三　遺言書に次に掲げる者の記載があるときは、その氏名又は名称及び住所
　　イ　受遺者
　　ロ　民法第千六条第一項の規定により指定された遺言執行者
　四　前三号に掲げるもののほか、法務省令で定める事項
5　前項の申請書には、同項第二号に掲げる事項を証明する書類その他法務省令で

定める書類を添付しなければならない。
6　遺言者が第一項の申請をするときは、遺言書保管所に自ら出頭して行わなければならない。

（遺言書保管官による本人確認）

第五条　遺言書保管官は、前条第一項の申請があった場合において、申請人に対し、法務省令で定めるところにより、当該申請人が本人であるかどうかの確認をするため、当該申請人を特定するために必要な氏名その他の法務省令で定める事項を示す書類の提示若しくは提出又はこれらの事項についての説明を求めるものとする。

（遺言書の保管等）

第六条　遺言書の保管は、遺言書保管官が遺言書保管所の施設内において行う。
2　遺言者は、その申請に係る遺言書が保管されている遺言書保管所（第四項及び第八条において「特定遺言書保管所」という。）の遺言書保管官に対し、いつでも当該遺言書の閲覧を請求することができる。
3　前項の請求をしようとする遺言者は、法務省令で定めるところにより、その旨を記載した請求書に法務省令で定める書類を添付して、遺言書保管官に提出しなければならない。
4　遺言者が第二項の請求をするときは、特定遺言書保管所に自ら出頭して行わなければならない。この場合においては、前条の規定を準用する。
5　遺言書保管官は、第一項の規定による遺言書の保管をする場合において、遺言者の死亡の日（遺言者の生死が明らかでない場合にあっては、これに相当する日として政令で定める日）から相続に関する紛争を防止する必要があると認められる期間として政令で定める期間が経過した後は、これを廃棄することができる。

（遺言書に係る情報の管理）

第七条　遺言書保管官は、前条第一項の規定により保管する遺言書について、次項に定めるところにより、当該遺言書に係る情報の管理をしなければならない。
2　遺言書に係る情報の管理は、磁気ディスク（これに準ずる方法により一定の事項を確実に記録することができる物を含む。）をもって調製する遺言書保管ファイルに、次に掲げる事項を記録することによって行う。
　一　遺言書の画像情報
　二　第四条第四項第一号から第三号までに掲げる事項
　三　遺言書の保管を開始した年月日
　四　遺言書が保管されている遺言書保管所の名称及び保管番号
3　前条第五項の規定は、前項の規定による遺言書に係る情報の管理について準用する。この場合において、同条第五項中「廃棄する」とあるのは、「消去する」

と読み替えるものとする。
　（遺言書の保管の申請の撤回）
第八条　遺言者は、特定遺言書保管所の遺言書保管官に対し、いつでも、第四条第一項の申請を撤回することができる。
2　前項の撤回をしようとする遺言者は、法務省令で定めるところにより、その旨を記載した撤回書に法務省令で定める書類を添付して、遺言書保管官に提出しなければならない。
3　遺言者が第一項の撤回をするときは、特定遺言書保管所に自ら出頭して行わなければならない。この場合においては、第五条の規定を準用する。
4　遺言書保管官は、遺言者が第一項の撤回をしたときは、遅滞なく、当該遺言者に第六条第一項の規定により保管している遺言書を返還するとともに、前条第二項の規定により管理している当該遺言書に係る情報を消去しなければならない。
　（遺言書情報証明書の交付等）
第九条　次に掲げる者（以下この条において「関係相続人等」という。）は、遺言書保管官に対し、遺言書保管所に保管されている遺言書（その遺言者が死亡している場合に限る。）について、遺言書保管ファイルに記録されている事項を証明した書面（第五項及び第十二条第一項第三号において「遺言書情報証明書」という。）の交付を請求することができる。
一　当該遺言書の保管を申請した遺言者の相続人（民法第八百九十一条の規定に該当し又は廃除によってその相続権を失った者及び相続の放棄をした者を含む。以下この条において同じ。）
二　前号に掲げる者のほか、当該遺言書に記載された次に掲げる者又はその相続人（ロに規定する母の相続人の場合にあっては、ロに規定する胎内に在る子に限る。）
　イ　第四条第四項第三号イに掲げる者
　ロ　民法第七百八十一条第二項の規定により認知するものとされた子（胎内に在る子にあっては、その母）
　ハ　民法第八百九十三条の規定により廃除する意思を表示された推定相続人（同法第八百九十二条に規定する推定相続人をいう。以下このハにおいて同じ。）又は同法第八百九十四条第二項において準用する同法第八百九十三条の規定により廃除を取り消す意思を表示された推定相続人
　ニ　民法第八百九十七条第一項ただし書の規定により指定された祖先の祭祀を主宰すべき者
　ホ　国家公務員災害補償法（昭和二十六年法律第百九十一号）第十七条の五第三項の規定により遺族補償一時金を受けることができる遺族のうち特に指定

された者又は地方公務員災害補償法（昭和四十二年法律第百二十一号）第三十七条第三項の規定により遺族補償一時金を受けることができる遺族のうち特に指定された者
　　ヘ　信託法（平成十八年法律第百八号）第三条第二号に掲げる方法によって信託がされた場合においてその受益者となるべき者として指定された者若しくは残余財産の帰属すべき者となるべき者として指定された者又は同法第八十九条第二項の規定による受益者指定権等の行使により受益者となるべき者
　　ト　保険法（平成二十年法律第五十六号）第四十四条第一項又は第七十三条第一項の規定による保険金受取人の変更により保険金受取人となるべき者
　　チ　イからトまでに掲げる者のほか、これらに類するものとして政令で定める者
　三　前二号に掲げる者のほか、当該遺言書に記載された次に掲げる者
　　イ　第四条第四項第三号ロに掲げる者
　　ロ　民法第八百三十条第一項の財産について指定された管理者
　　ハ　民法第八百三十九条第一項の規定により指定された未成年後見人又は同法第八百四十八条の規定により指定された未成年後見監督人
　　ニ　民法第九百二条第一項の規定により共同相続人の相続分を定めることを委託された第三者、同法第九百八条の規定により遺産の分割の方法を定めることを委託された第三者又は同法第千六条第一項の規定により遺言執行者の指定を委託された第三者
　　ホ　著作権法（昭和四十五年法律第四十八号）第七十五条第二項の規定により同条第一項の登録について指定を受けた者又は同法第百十六条第三項の規定により同条第一項の請求について指定を受けた者
　　ヘ　信託法第三条第二号に掲げる方法によって信託がされた場合においてその受託者となるべき者、信託管理人となるべき者、信託監督人となるべき者又は受益者代理人となるべき者として指定された者
　　ト　イからヘまでに掲げる者のほか、これらに類するものとして政令で定める者
2　前項の請求は、自己が関係相続人等に該当する遺言書（以下この条及び次条第一項において「関係遺言書」という。）を現に保管する遺言書保管所以外の遺言書保管所の遺言書保管官に対してもすることができる。
3　関係相続人等は、関係遺言書を保管する遺言書保管所の遺言書保管官に対し、当該関係遺言書の閲覧を請求することができる。
4　第一項又は前項の請求をしようとする者は、法務省令で定めるところにより、その旨を記載した請求書に法務省令で定める書類を添付して、遺言書保管官に提

出しなければならない。
5 遺言書保管官は、第一項の請求により遺言情報証明書を交付し又は第三項の請求により関係遺言書の閲覧をさせたときは、法務省令で定めるところにより、速やかに、当該関係遺言書を保管している旨を遺言者の相続人並びに当該関係遺言書に係る第四条第四項第三号イ及びロに掲げる者に通知するものとする。ただし、それらの者が既にこれを知っているときは、この限りでない。

（遺言書保管事実証明書の交付）
第十条 何人も、遺言書保管官に対し、遺言書保管所における関係遺言書の保管の有無並びに当該関係遺言書が保管されている場合には遺言書保管ファイルに記録されている第七条第二項第二号（第四条第四項第一号に係る部分に限る。）及び第四号に掲げる事項を証明した書面（第十二条第一項第三号において「遺言書保管事実証明書」という。）の交付を請求することができる。
2 前条第二項及び第四項の規定は、前項の請求について準用する。

（遺言書の検認の適用除外）
第十一条 民法第千四条第一項の規定は、遺言書保管所に保管されている遺言書については、適用しない。

（手数料）
第十二条 次の各号に掲げる者は、物価の状況のほか、当該各号に定める事務に要する実費を考慮して政令で定める額の手数料を納めなければならない。
一 遺言書の保管の申請をする者 遺言書の保管及び遺言書に係る情報の管理に関する事務
二 遺言書の閲覧を請求する者 遺言書の閲覧及びそのための体制の整備に関する事務
三 遺言書情報証明書又は遺言書保管事実証明書の交付を請求する者 遺言書情報証明書又は遺言書保管事実証明書の交付及びそのための体制の整備に関する事務
2 前項の手数料の納付は、収入印紙をもってしなければならない。

（行政手続法の適用除外）
第十三条 遺言書保管官の処分については、行政手続法（平成五年法律第八十八号）第二章の規定は、適用しない。

（行政機関の保有する情報の公開に関する法律の適用除外）
第十四条 遺言書保管所に保管されている遺言書及び遺言書保管ファイルについては、行政機関の保有する情報の公開に関する法律（平成十一年法律第四十二号）の規定は、適用しない。

（行政機関の保有する個人情報の保護に関する法律の適用除外）
第十五条　遺言書保管所に保管されている遺言書及び遺言書保管ファイルに記録されている保有個人情報（行政機関の保有する個人情報の保護に関する法律（平成十五年法律第五十八号）第二条第五項に規定する保有個人情報をいう。）については、同法第四章の規定は、適用しない。
（審査請求）
第十六条　遺言書保管官の処分に不服がある者又は遺言書保管官の不作為に係る処分を申請した者は、監督法務局又は地方法務局の長に審査請求をすることができる。
2　審査請求をするには、遺言書保管官に審査請求書を提出しなければならない。
3　遺言書保管官は、処分についての審査請求を理由があると認め、又は審査請求に係る不作為に係る処分をすべきものと認めるときは、相当の処分をしなければならない。
4　遺言書保管官は、前項に規定する場合を除き、三日以内に、意見を付して事件を監督法務局又は地方法務局の長に送付しなければならない。この場合において、監督法務局又は地方法務局の長は、当該意見を行政不服審査法（平成二十六年法律第六十八号）第十一条第二項に規定する審理員に送付するものとする。
5　法務局又は地方法務局の長は、処分についての審査請求を理由があると認め、又は審査請求に係る不作為に係る処分をすべきものと認めるときは、遺言書保管官に相当の処分を命じ、その旨を審査請求人のほか利害関係人に通知しなければならない。
6　法務局又は地方法務局の長は、審査請求に係る不作為に係る処分についての申請を却下すべきものと認めるときは、遺言書保管官に当該申請を却下する処分を命じなければならない。
7　第一項の審査請求に関する行政不服審査法の規定の適用については、同法第二十九条第五項中「処分庁等」とあるのは「審査庁」と、「弁明書の提出」とあるのは「法務局における遺言書の保管等に関する法律（平成三十年法律第七十三号）第十六条第四項に規定する意見の送付」と、同法第三十条第一項中「弁明書」とあるのは「法務局における遺言書の保管等に関する法律第十六条第四項の意見」とする。
（行政不服審査法の適用除外）
第十七条　行政不服審査法第十三条、第十五条第六項、第十八条、第二十一条、第二十五条第二項から第七項まで、第二十九条第一項から第四項まで、第三十一条、第三十七条、第四十五条第三項、第四十六条、第四十七条、第四十九条第三項（審査請求に係る不作為が違法又は不当である旨の宣言に係る部分を除く。）

から第五項まで及び第五十二条の規定は、前条第一項の審査請求については、適用しない。
（政令への委任）
第十八条　この法律に定めるもののほか、遺言書保管所における遺言書の保管及び情報の管理に関し必要な事項は、政令で定める。
　　　附　則
この法律は、公布の日から起算して二年を超えない範囲内において政令で定める日から施行する。

参考資料6 法務局における遺言書の保管等に関する政令（令和元年政令第178号）

（趣旨）
第一条　この政令は、法務局における遺言書の保管等に関する法律（以下「法」という。）の規定による遺言書の保管及び情報の管理に関し必要な事項を定めるものとする。
（遺言書の保管の申請の却下）
第二条　遺言書保管官は、次の各号のいずれかに該当する場合には、理由を付した決定で、法第四条第一項の申請を却下しなければならない。
　一　当該申請が遺言者以外の者によるものであるとき、又は申請人が遺言者であることの証明がないとき。
　二　当該申請に係る遺言書が、法第一条に規定する遺言書でないとき、又は法第四条第二項に規定する様式に従って作成した無封のものでないとき。
　三　当該申請が法第四条第三項に規定する遺言書保管官に対してされたものでないとき。
　四　申請書が法第四条第四項に定めるところにより提出されなかったとき。
　五　申請書に法第四条第五項に規定する書類を添付しないとき。
　六　法第四条第六項の規定に違反して、遺言者が出頭しないとき。
　七　申請書又はその添付書類の記載が当該申請書の添付書類又は当該申請に係る遺言書の記載と抵触するとき。
　八　法第十二条第一項の手数料を納付しないとき。
（遺言者の住所等の変更の届出）
第三条　遺言者は、法第四条第一項の申請に係る遺言書が遺言書保管所に保管されている場合において、同条第四項第二号又は第三号に掲げる事項に変更が生じたときは、速やかに、その旨を遺言書保管官に届け出なければならない。
2　前項の規定による届出は、同項の遺言書が保管されている遺言書保管所（次条第二項において「特定遺言書保管所」という。）以外の遺言書保管所の遺言書保管官に対してもすることができる。
3　第一項の規定による届出をしようとする遺言者は、法務省令で定めるところにより、変更が生じた事項を記載した届出書に法務省令で定める書類を添付して、遺言書保管官に提出しなければならない。
（遺言者による遺言書保管ファイルの記録の閲覧）
第四条　遺言者は、遺言書保管官に対し、いつでも、法第四条第一項の申請に係る遺言書に係る遺言書保管ファイルに記録された事項を法務省令で定める方法によ

り表示したものの閲覧の請求をすることができる。
2　前項の請求は、特定遺言書保管所以外の遺言書保管所の遺言書保管官に対してもすることができる。
3　第一項の請求をしようとする遺言者は、法務省令で定めるところにより、その旨を記載した請求書に法務省令で定める書類を添付して、遺言書保管官に提出しなければならない。
4　遺言者が第一項の請求をするときは、遺言書保管所に自ら出頭して行わなければならない。この場合においては、法第五条の規定を準用する。
5　法第十二条第一項（第二号に係る部分に限る。）及び第二項の規定は、第一項の閲覧を請求する者について準用する。
（遺言書の保管期間等）
第五条　法第六条第五項（法第七条第三項において準用する場合を含む。）の政令で定める日は、遺言者の出生の日から起算して百二十年を経過した日とする。
2　法第六条第五項の政令で定める期間は五十年とし、法第七条第三項において準用する法第六条第五項の政令で定める期間は百五十年とする。
（遺言書情報証明書の送付請求等）
第六条　遺言書情報証明書又は遺言書保管事実証明書の交付を請求する場合において、その送付を求めるときは、情報通信技術を活用した行政の推進等に関する法律（平成十四年法律第百五十一号）第六条第一項の規定により同項に規定する電子情報処理組織を使用する方法により行う場合を除き、法務省令で定めるところにより、当該送付に要する費用を納付しなければならない。
（法第九条第一項第二号チの政令で定める者）
第七条　法第九条第一項第二号チの政令で定める者は、次に掲げる者とする。
　一　国家公務員災害補償法（昭和二十六年法律第百九十一号）以外の法令において引用し、準用し、又はその例によることとされる同法第十七条の五第三項の規定により遺族補償一時金を受けることができる遺族のうち特に指定された者
　二　災害救助法施行令（昭和二十二年政令第二百二十五号）第十三条第三項の規定により遺族扶助金を受けることができる遺族のうち特に指定された者
　三　警察官の職務に協力援助した者の災害給付に関する法律施行令（昭和二十七年政令第四百二十九号）第十条の五第三項の規定により遺族給付一時金を受けることができる遺族のうち特に指定された者
　四　海上保安官に協力援助した者等の災害給付に関する法律施行令（昭和二十八年政令第六十二号）第十一条第三項の規定により遺族給付一時金を受けることができる遺族のうち特に指定された者
　五　非常勤消防団員等に係る損害補償の基準を定める政令（昭和三十一年政令第

三百三十五号）第九条第三項の規定により遺族補償一時金を受けることができる遺族のうち特に指定された者
　六　公立学校の学校医、学校歯科医及び学校薬剤師の公務災害補償の基準を定める政令（昭和三十二年政令第二百八十三号）第十三条第三項の規定により遺族補償一時金を受けることができる遺族のうち特に指定された者
　七　証人等の被害についての給付に関する法律施行令（昭和三十三年政令第二百二十七号）第十二条第三項の規定により遺族給付一時金を受けることができる遺族のうち特に指定された者
　八　前各号に掲げる者のほか、これらに類するものとして法務省令で定める者
　（法第九条第一項第三号トの政令で定める者）
第八条　法第九条第一項第三号トの政令で定める者は、次に掲げる者とする。
　一　著作権法（昭和四十五年法律第四十八号）第百十六条第二項ただし書の規定により同条第一項の請求についてその順位を別に定められた者
　二　前号に掲げる者のほか、これに類するものとして法務省令で定める者
　（関係相続人等による遺言書保管ファイルの記録の閲覧）
第九条　関係相続人等（法第九条第一項に規定する関係相続人等をいう。次条第三項第二号において同じ。）は、遺言書保管官に対し、遺言書保管所に保管されている関係遺言書（法第九条第二項に規定する関係遺言書をいい、その遺言者が死亡している場合に限る。以下この条において同じ。）について、遺言書保管ファイルに記録された事項を法務省令で定める方法により表示したものの閲覧の請求をすることができる。
２　前項の請求は、当該関係遺言書を現に保管する遺言書保管所以外の遺言書保管所の遺言書保管官に対してもすることができる。
３　第一項の請求をしようとする者は、法務省令で定めるところにより、その旨を記載した請求書に法務省令で定める書類を添付して、遺言書保管官に提出しなければならない。
４　遺言書保管官は、第一項の請求により遺言書保管ファイルに記録された事項を表示したものの閲覧をさせたときは、法務省令で定めるところにより、速やかに、当該関係遺言書を保管している旨を遺言者の相続人（民法（明治二十九年法律第八十九号）第八百九十一条の規定に該当し又は廃除によってその相続権を失った者及び相続の放棄をした者を含む。次条において同じ。）並びに当該関係遺言書に係る法第四条第四項第三号イ及びロに掲げる者に通知するものとする。ただし、それらの者が既にこれを知っているときは、この限りでない。
５　法第十二条第一項（第二号に係る部分に限る。）及び第二項の規定は、第一項の閲覧を請求する者について準用する。

（申請書等の閲覧）
第十条　遺言者は、次に掲げる申請又は届出（以下「申請等」と総称する。）をした場合において、特別の事由があるときは、当該申請等をした遺言書保管所の遺言書保管官に対し、当該申請等に係る申請書若しくは届出書又はその添付書類（以下「申請書等」と総称する。）の閲覧の請求をすることができる。
　一　法第四条第一項の申請
　二　第三条第一項の規定による届出
2　遺言者は、法第八条第一項の撤回をした場合において、特別の事由があるときは、当該撤回がされた遺言書保管所の遺言書保管官に対し、同条第二項の撤回書又はその添付書類（以下「撤回書等」と総称する。）の閲覧の請求をすることができる。
3　次に掲げる者は、申請等をした遺言者が死亡している場合において、特別の事由があるときは、当該申請等がされた遺言書保管所の遺言書保管官に対し、当該申請等に係る申請書等の閲覧の請求をすることができる。
　一　当該遺言者の相続人
　二　関係相続人等（前号に掲げる者を除く。）
　三　当該申請等に係る申請書又は届出書に記載されている法第四条第四項第三号イ又はロに掲げる者（前二号に掲げる者を除く。）
4　次に掲げる者は、法第八条第一項の撤回をした遺言者が死亡している場合において、特別の事由があるときは、当該撤回がされた遺言書保管所の遺言書保管官に対し、当該撤回に係る撤回書等の閲覧の請求をすることができる。
　一　当該遺言者の相続人
　二　当該撤回がされた申請に係る遺言書に記載されていた法第四条第四項第三号イ又はロに掲げる者（前号に掲げる者を除く。）
5　前各項の請求をしようとする者は、法務省令で定めるところにより、その旨を記載した請求書に法務省令で定める書類を添付して、遺言書保管官に提出しなければならない。
6　遺言者が第一項又は第二項の請求をするときは、遺言書保管所に自ら出頭して行わなければならない。この場合においては、法第五条の規定を準用する。
7　法第十二条第一項（第二号に係る部分に限る。）及び第二項の規定は、第一項から第四項までの閲覧を請求する者について準用する。
（行政機関の保有する情報の公開に関する法律の適用除外）
第十一条　申請書等及び撤回書等については、行政機関の保有する情報の公開に関する法律（平成十一年法律第四十二号）の規定は、適用しない。

(行政機関の保有する個人情報の保護に関する法律の適用除外)
第十二条　申請書等及び撤回書等に記録されている保有個人情報(行政機関の保有する個人情報の保護に関する法律(平成十五年法律第五十八号)第二条第五項に規定する保有個人情報をいう。)については、同法第四章の規定は、適用しない。
(事件の送付)
第十三条　法第十六条第四項の規定による事件の送付は、審査請求書の正本によってする。

(意見書の提出等)
第十四条　法第十六条第四項の意見を記載した書面(次項において「意見書」という。)は、正本及び当該意見を送付すべき審査請求人の数に行政不服審査法(平成二十六年法律第六十八号)第十一条第二項に規定する審理員の数を加えた数に相当する通数の副本を提出しなければならない。
2　法第十六条第四項後段の規定による意見の送付は、意見書の副本によってする。

(行政不服審査法施行令の規定の読替え)
第十五条　法第十六条第一項の審査請求に関する行政不服審査法施行令(平成二十七年政令第三百九十一号)の規定の適用については、同令第六条第二項中「法第二十九条第五項」とあるのは「法務局における遺言書の保管等に関する法律(平成三十年法律第七十三号)第十六条第七項の規定により読み替えて適用する法第二十九条第五項」と、「弁明書の送付」とあるのは「法務局における遺言書の保管等に関する法律第十六条第四項の意見の送付」と、「弁明書の副本」とあるのは「法務局における遺言書の保管等に関する政令(令和元年政令第百七十八号)第十四条第一項に規定する意見書の副本」とする。

(法務省令への委任)
第十六条　この政令の実施のため必要な事項は、法務省令で定める。

　　　附　則
この政令は、法の施行の日(令和二年七月十日)から施行する。

参考資料7　法務局における遺言書の保管等に関する法律関係手数料令（令和2年政令第55号）

（遺言書の保管の申請等に係る手数料の額）

第一条　法務局における遺言書の保管等に関する法律（以下「法」という。）第十二条第一項の規定により納付すべき手数料の額は、次の表のとおりとする。

納付しなければならない者	金　額
一　遺言書の保管の申請をする者	一件につき三千九百円
二　遺言書の閲覧を請求する者	一回につき千七百円
三　遺言書情報証明書の交付を請求する者	一通につき千四百円
四　遺言書保管事実証明書の交付を請求する者	一通につき八百円

（遺言書保管ファイルの記録の閲覧等に係る手数料の額）

第二条　法務局における遺言書の保管等に関する政令（令和元年政令第百七十八号。以下「令」という。）第四条第五項、第九条第五項及び第十条第七項において準用する法第十二条第一項（第二号に係る部分に限る。）の規定により納付すべき手数料の額は、次の表のとおりとする。

納付しなければならない者	金　額
一　遺言書保管ファイルに記録された事項を法務省令で定める方法により表示したものの閲覧を請求する者	一回につき千四百円
二　申請書等（令第十条第一項に規定する申請書等をいう。この項の下欄において同じ。）又は撤回書等（同条第二項に規定する撤回書等をいう。同欄において同じ。）の閲覧を請求する者	一の申請に関する申請書等又は一の撤回に関する撤回書等につき千七百円

　　附　則

この政令は、法の施行の日（令和二年七月十日）から施行する。

参考資料8 法務局における遺言書の保管等に関する省令（令和2年法務省令第33号）

目次
　第一章　総則（第一条―第八条）
　第二章　遺言書の保管の申請手続等（第九条―第二十条）
　第三章　遺言者による遺言書の閲覧の請求手続等（第二十一条―第三十二条）
　第四章　関係相続人等による遺言書情報証明書の交付の請求手続等（第三十三条―第五十一条）
　第五章　補則（第五十二条）
　附則
　　　第一章　総則
（遺言書等の持出禁止）
第一条　法務局における遺言書の保管等に関する法律（以下「法」という。）第四条第一項の申請に係る遺言書、申請書等（法務局における遺言書の保管等に関する政令（以下「令」という。）第十条第一項に規定する申請書等をいう。以下同じ。）、撤回書等（同条第二項に規定する撤回書等をいう。以下同じ。）及び遺言書保管ファイルは、事変を避けるためにする場合を除き、遺言書保管所外に持ち出してはならない。ただし、遺言書、申請書等及び撤回書等については、裁判所の命令又は嘱託があったときは、この限りでない。
（裁判所への遺言書等の送付）
第二条　裁判所から法第四条第一項の申請に係る遺言書、申請書等又は撤回書等を送付すべき命令又は嘱託があったときは、遺言書保管官は、その関係がある部分に限り、送付しなければならない。
（帳簿）
第三条　遺言書保管所には、次に掲げる帳簿を備えるものとする。
　一　遺言書保管申請書等つづり込み帳
　二　請求書類つづり込み帳
　三　決定原本つづり込み帳
　四　審査請求書類等つづり込み帳
　五　遺言書保管関係帳簿保存簿
2　次の各号に掲げる帳簿には、当該各号に定める書類をつづり込むものとする。
　一　遺言書保管申請書等つづり込み帳　申請書等及び撤回書等
　二　請求書類つづり込み帳　法第六条第二項、第九条第一項及び第三項並びに第十条第一項並びに令第四条第一項、第九条第一項及び第十条第一項から第四項

までの請求（第七条第一項及び第八条第一項において「閲覧請求等」という。）に係る書類
　三　決定原本つづり込み帳　法第四条第一項の申請を却下した決定に係る決定書の原本
　四　審査請求書類等つづり込み帳　審査請求書その他の審査請求事件に関する書類
3　遺言書保管関係帳簿保存簿には、遺言書保管ファイルを除く一切の遺言書保管関係帳簿の保存状況を記載するものとする。
（保存期間）
第四条　次の各号に掲げる帳簿の保存期間は、当該各号に定めるとおりとする。
　一　遺言書保管申請書等つづり込み帳　受付の日から十年間
　二　請求書類つづり込み帳　受付の日から五年間
　三　決定原本つづり込み帳　これにつづり込まれた決定書に係る決定の翌年度から五年間
　四　審査請求書類等つづり込み帳　これにつづり込まれた審査請求書の受付の年度の翌年度から五年間
　五　遺言書保管関係帳簿保存簿　作成の時から三十年間
（遺言書等の廃棄等）
第五条　遺言書保管所において法第六条第五項（法第七条第三項において準用する場合を含む。）の規定により遺言書を廃棄し若しくは遺言書に係る情報を消去し又は帳簿を廃棄するときは、法務局又は地方法務局の長の認可を受けなければならない。
（記載の文字）
第六条　法第四条第四項の申請書、法第六条第三項の請求書その他の遺言書の保管に関する書面に記載する文字は、字画を明確にしなければならない。
（添付書類の省略）
第七条　同一の遺言書保管所の遺言書保管官に対し、同時に数個の申請等（令第十条第一項に規定する申請等をいう。次条第一項において同じ。）、法第八条第一項の撤回又は閲覧請求等をする場合において、各申請書、各届出書、各撤回書又は各請求書に添付すべき書類に内容が同一であるものがあるときは、一個の申請書、届出書、撤回書又は請求書のみに一通を添付すれば足りる。
2　前項の場合には、他の各申請書、各届出書、各撤回書又は各請求書にその旨を記載しなければならない。
（添付書類の原本還付）
第八条　申請等、法第八条第一項の撤回又は閲覧請求等をした者は、申請書、届出

書、撤回書又は請求書の添付書類の原本の還付を請求することができる。
2　前項の規定により原本の還付を請求する者は、原本と相違ない旨を記載した謄本を提出しなければならない。
3　遺言書保管官は、書類を還付したときは、その謄本に原本還付の旨を記載し、これに押印しなければならない。

　　第二章　遺言書の保管の申請手続等
（遺言書の様式）
第九条　法第四条第二項の法務省令で定める様式は、別記第一号様式によるものとする。
（遺言書の保管の申請書の様式）
第十条　法第四条第四項の申請書は、別記第二号様式によるものとする。
（遺言書の保管の申請書の記載事項）
第十一条　法第四条第四項第四号の法務省令で定める事項は、次に掲げる事項とする。
　一　遺言者の戸籍の筆頭に記載された者の氏名
　二　遺言者の電話番号その他の連絡先
　三　申請をする遺言書保管官の所属する遺言書保管所が遺言者の住所地及び本籍地を管轄しないとき（次号の場合を除く。）は、遺言者が所有する不動産の所在地（当該遺言書保管所が管轄するものに限る。）
　四　遺言者の作成した他の遺言書が現に遺言書保管所に保管されているときは、その旨
　五　遺言書に法第九条第一項第二号（イを除く。）及び第三号（イを除く。）に掲げる者の記載があるときは、その氏名又は名称及び住所
　六　遺言書の総ページ数
　七　手数料の額
　八　申請の年月日
　九　遺言書保管所の表示
（遺言書の保管の申請書の添付書類）
第十二条　法第四条第五項の法務省令で定める書類は、次に掲げる書類とする。
　一　前条第一号に掲げる事項を証明する書類
　二　遺言書が外国語により記載されているときは、日本語による翻訳文
2　法第四条第五項に規定する同条第四項第二号に掲げる事項を証明する書類及び前項第一号に掲げる書類で官庁又は公署の作成したものは、その作成後三月以内のものに限る。
（遺言書保管官による本人確認の方法）

第十三条　法第五条（法第六条第四項及び第八条第三項、令第四条第四項及び第十条第六項並びに第十九条第三項において準用する場合を含む。次条において同じ。）の規定による提示若しくは提出又は説明は、次のいずれかの方法によるものとする。
　一　個人番号カード（行政手続における特定の個人を識別するための番号の利用等に関する法律（平成二十五年法律第二十七号）第二条第七項に規定する個人番号カードをいう。）、運転免許証（道路交通法（昭和三十五年法律第百五号）第九十二条第一項に規定する運転免許証をいう。）、運転経歴証明書（同法第百四条の四第五項（同法第百五条第二項において準用する場合を含む。）に規定する運転経歴証明書をいう。）、旅券等（出入国管理及び難民認定法（昭和二十六年政令第三百十九号）第二条第五号に規定する旅券及び同条第六号に規定する乗員手帳をいう。ただし、書類の提示を行う者の氏名及び出生の年月日の記載があるものに限る。）、在留カード（同法第十九条の三に規定する在留カードをいう。）又は特別永住者証明書（日本国との平和条約に基づき日本の国籍を離脱した者等の出入国管理に関する特例法（平成三年法律第七十一号）第七条に規定する特別永住者証明書をいう。）を提示する方法
　二　前号に掲げるもののほか、官公署から発行され、又は発給された書類その他これに類する書類（氏名及び出生の年月日又は住所の記載があり、本人の写真が貼付されたものに限る。）であって、当該書類の提示を行う者が本人であることを確認することができるものとして遺言書保管官が適当と認めるものを提示する方法
（申請人を特定するために必要な事項）
第十四条　法第五条の法務省令で定める事項は、氏名及び出生の年月日又は住所とする。
（保管証）
第十五条　遺言書保管官は、法第四条第一項の申請に基づいて遺言書の保管を開始したときは、遺言者に対し、保管証を交付しなければならない。
2　前項の保管証は、別記第三号様式により、次に掲げる事項を記録して作成するものとする。
　一　遺言者の氏名及び出生の年月日
　二　遺言書が保管されている遺言書保管所の名称及び保管番号
（保管証の送付の請求）
第十六条　遺言者は、送付に要する費用を納付して、前条第一項の保管証の送付を請求することができる。
2　前項の場合における保管証の送付は、遺言者の住所に宛てて、郵便又は民間事

業者による信書の送達に関する法律(平成十四年法律第九十九号)第二条第六項に規定する一般信書便事業者若しくは同条第九項に規定する特定信書便事業者による同条第二項に規定する信書便(以下「信書便」という。)によってするものとする。

(保管証の交付を要しない場合)

第十七条　遺言書保管官は、遺言者が、法第四条第一項の申請に基づいて遺言書の保管を開始した時から三月を経過しても保管証を受領しないときは、第十五条第一項の規定にかかわらず、遺言者に対し、保管証を交付することを要しない。この場合においては、同条第二項の規定により作成した保管証を廃棄することができる。

(遺言書の保管の申請の却下の方式)

第十八条　遺言書保管官は、法第四条第一項の申請を却下するときは、決定書を作成して、これを申請人に交付するものとする。

2　前項の交付は、当該決定書を送付する方法によりすることができる。

3　遺言書保管官は、法第四条第一項の申請を却下したときは、遺言書及び添付書類を還付するものとする。ただし、偽造された添付書類その他の不正な申請のために用いられた疑いがある添付書類については、この限りでない。

(遺言書の保管の申請の取下げ)

第十九条　法第四条第一項の申請の取下げをしようとする申請人は、その旨を記載した取下書を遺言書保管官に提出しなければならない。

2　前項の取下げは、法第四条第一項の申請に基づいて遺言書の保管が開始された後は、することができない。

3　申請人が第一項の取下げをするときは、法第四条第一項の申請をした遺言書保管所に自ら出頭して行わなければならない。この場合においては、法第五条の規定を準用する。

4　遺言書保管官は、第一項の取下げがされたときは、遺言書並びに申請書及びその添付書類を還付するものとする。前条第三項ただし書の規定は、この場合について準用する。

(遺言書に係る情報の管理の方法)

第二十条　遺言書保管官は、遺言書に係る情報の管理をするには、第十一条第一号及び第五号に掲げる事項をも遺言書保管ファイルに記録しなければならない。

　　　第三章　遺言者による遺言書の閲覧の請求手続等

(遺言者による遺言書の閲覧の請求の方式)

第二十一条　法第六条第三項の請求書は、別記第四号様式によるものとする。

2　前項の請求書には、次に掲げる事項を記載しなければならない。

一　法第四条第四項第二号に掲げる事項及び第十一条第二号に掲げる事項
　二　手数料の額
　三　請求の年月日
　四　遺言書保管所の表示
（遺言者による遺言書の閲覧の方法）
第二十二条　法第六条第二項の規定による遺言書の閲覧は、遺言書保管官又はその指定する職員の面前でさせるものとする。
（遺言者による遺言書保管ファイルの記録の閲覧の請求の方式）
第二十三条　第二十一条の規定は、令第四条第三項の請求書について準用する。
（遺言者による遺言書保管ファイルの記録の閲覧の方法）
第二十四条　令第四条第一項の法務省令で定める方法は、遺言書保管ファイルに記録されている次に掲げる事項を出力装置の映像面に表示する方法とする。
　一　法第七条第二項各号に掲げる事項
　二　第十一条第一号及び第五号に掲げる事項
2　第二十二条の規定は、令第四条第一項の規定による遺言書保管ファイルの記録の閲覧について準用する。
（遺言書の保管の申請の撤回の方式）
第二十五条　法第八条第二項の撤回書は、別記第五号様式によるものとする。
2　前項の撤回書には、次に掲げる事項を記載しなければならない。
　一　法第四条第四項第二号に掲げる事項及び第十一条第二号に掲げる事項
　二　撤回の年月日
　三　遺言書保管所の表示
（遺言書の保管の申請の撤回書の添付書類）
第二十六条　法第四条第四項第二号に掲げる事項に変更がある場合（令第三条第一項の規定により当該変更に係る届出がされている場合を除く。）における法第八条第二項の法務省令で定める書類は、当該変更を証明する書類とする。
（遺言書等の返還の手続）
第二十七条　遺言書保管官は、法第八条第四項の規定により遺言書を遺言者に返還するときは、当該遺言書を受領した旨を記載した受領書と引換えに返還するものとする。
2　遺言書保管官は、第十二条第一項第二号の翻訳文を保存している場合において、法第八条第四項の規定により遺言書を遺言者に返還するときは、当該翻訳文についても当該遺言者に返還するものとする。この場合においては、前項の規定を準用する。

(遺言者の住所等の変更の届出の方式)
第二十八条　令第三条第三項(第三十条第二項において準用する場合を含む。)の届出書は、別記第六号様式によるものとする。
2　前項の届出書には、次に掲げる事項を記載しなければならない。
　一　法第四条第四項第二号に掲げる事項
　二　法定代理人によって届出をするときは、当該法定代理人の氏名又は名称及び住所並びに法定代理人が法人であるときはその代表者の氏名
　三　届出人又は法定代理人の電話番号その他の連絡先
　四　令第三条第一項の変更が生じた事項
　五　届出の年月日
　六　遺言書保管所の表示
(遺言者の住所等の変更の届出書の添付書類)
第二十九条　令第三条第三項(次条第二項において準用する場合を含む。)の法務省令で定める書類は、次に掲げる書類とする。
　一　変更が生じた法第四条第四項第二号に掲げる事項(次条第二項において準用する場合にあっては、変更が生じた第十一条第一号に掲げる事項)を証明する書類
　二　届出人の氏名及び出生の年月日又は住所と同一の氏名及び出生の年月日又は住所が記載されている市町村長その他の公務員が職務上作成した証明書(当該届出人が原本と相違がない旨を記載した謄本を含む。)
　三　法定代理人によって届出をするときは、戸籍謄本その他その資格を証明する書類で作成後三月以内のもの
(その他の変更の届出)
第三十条　遺言者は、法第四条第一項の申請に係る遺言書が遺言書保管所に保管されている場合において、第十一条第一号又は第五号に掲げる事項に変更が生じたときは、その旨を遺言書保管官に届け出るものとする。
2　令第三条第二項及び第三項の規定は、前項の届出について準用する。
(遺言者による申請書等の閲覧の請求の方式)
第三十一条　令第十条第一項及び第二項の請求に係る同条第五項の請求書は、別記第七号様式によるものとする。
2　前項の請求書には、次に掲げる事項を記載しなければならない。
　一　法第四条第四項第二号に掲げる事項及び第十一条第二号に掲げる事項
　二　閲覧を請求する申請書等又は撤回書等
　三　特別の事由
　四　手数料の額

五　請求の年月日
六　遺言書保管所の表示
（遺言者による申請書等の閲覧の方法）
第三十二条　第二十二条の規定は、令第十条第一項及び第二項の規定による申請書等及び撤回書等の閲覧について準用する。
　　　　第四章　関係相続人等による遺言書情報証明書の交付の請求手続等
（関係相続人等による遺言書情報証明書の交付の請求の方式）
第三十三条　法第九条第一項の請求に係る同条第四項の請求書は、別記第八号様式によるものとする。
2　前項の請求書には、次に掲げる事項を記載しなければならない。
　一　請求人の資格、氏名又は名称、出生の年月日又は会社法人等番号（商業登記法（昭和三十八年法律第百二十五号）第七条（他の法令において準用する場合を含む。）に規定する会社法人等番号をいう。）及び住所並びに請求人が法人であるときはその代表者の氏名
　二　法定代理人によって請求するときは、当該法定代理人の氏名又は名称及び住所並びに法定代理人が法人であるときはその代表者の氏名
　三　請求人又は法定代理人の電話番号その他の連絡先
　四　遺言者の氏名、出生の年月日、最後の住所、本籍（外国人にあっては、国籍。以下同じ。）及び死亡の年月日
　五　法第九条第一項第一号に規定する相続人（当該相続人の地位を相続により承継した者を除く。次項第三号並びに次条第一項第一号及び第二号において「相続人」という。）の氏名、出生の年月日及び住所
　六　請求に係る証明書の通数
　七　手数料の額
　八　請求の年月日
　九　遺言書保管所の表示
3　次の各号に掲げる場合は、当該各号に掲げる事項の記載を要しない。
　一　請求人が遺言書保管事実証明書の写しを添付した場合　前項第四号に掲げる事項のうち遺言者の最後の住所、本籍及び死亡の年月日
　二　請求人が遺言書情報証明書又は第四十八条第二項の書面の写しを添付した場合　前号に掲げる事項及び前項第五号に掲げる事項
　三　請求人が不動産登記規則（平成十七年法務省令第十八号）第二百四十七条第五項の規定により交付を受けた同条第一項に規定する法定相続情報一覧図の写し（次条第一項第一号において「法定相続情報一覧図の写し」という。）（相続人の住所の記載があるものに限る。）を添付した場合（廃除された者がある場

合を除く。）　前項第五号に掲げる事項
（関係相続人等による遺言書情報証明書の交付の請求書の添付書類）
第三十四条　法第九条第一項の請求に係る同条第四項の法務省令で定める書類は、次に掲げる書類とする。
　一　遺言者を被相続人とする法定相続情報一覧図の写し（廃除された者がある場合には、法定相続情報一覧図の写し及びその者の戸籍の謄本、抄本又は記載事項証明書）又は遺言者（当該遺言者につき代襲相続がある場合には、被代襲者を含む。）の出生時からの戸籍及び除かれた戸籍の謄本若しくは全部事項証明書並びに相続人の戸籍の謄本、抄本又は記載事項証明書（遺言者又は相続人が外国人である場合には、これらに準ずるもの）
　二　相続人の住所を証明する書類（官庁又は公署の作成したものは、その作成後三月以内のものに限る。）
　三　請求人の氏名及び住所と同一の氏名及び住所が記載されている市町村長その他の公務員が職務上作成した証明書（当該請求人が原本と相違がない旨を記載した謄本を含む。）
　四　請求人が法第九条第一項第一号に規定する相続人に該当することを理由として請求する場合は、当該相続人に該当することを証明する書類
　五　請求人が法第九条第一項第二号に規定する相続人に該当することを理由として請求する場合は、当該相続人に該当することを証明する書類
　六　請求人が法人であるときは、代表者の資格を証明する書類で作成後三月以内のもの
　七　法定代理人によって請求するときは、戸籍謄本その他その資格を証明する書類で作成後三月以内のもの
２　前項の請求に係る遺言書について、既に遺言書情報証明書の交付がされ又は関係相続人等による閲覧がされている場合には、同項第一号及び第二号に掲げる書類の添付を要しない。
（遺言書情報証明書の作成方法）
第三十五条　遺言書情報証明書を作成するには、遺言書保管官は、次に掲げる事項を記載した書面の末尾に認証文を付した上で、作成の年月日及び職氏名を記載し、職印を押さなければならない。
　一　法第七条第二項各号に掲げる事項
　二　遺言書に記載された法第九条第一項第二号（イを除く。）及び第三号（イを除く。）に掲げる者の氏名又は名称及び住所
（遺言書情報証明書の交付の方法）
第三十六条　遺言書保管官は、次に掲げる方法によって遺言書情報証明書を交付し

なければならない。
　一　第十三条各号に掲げる方法により請求人、その法定代理人又は請求人が法人であるときはその代表者が本人であることを確認して交付する方法
　二　請求人又はその法定代理人の住所に宛てて郵便又は信書便により送付して交付する方法
（関係相続人等による遺言書の閲覧の請求の方式）
第三十七条　法第九条第三項の請求に係る同条第四項の請求書は、別記第九号様式によるものとする。
2　第三十三条第二項（第六号を除く。）及び第三項の規定は、前項の請求書について準用する。
（関係相続人等による遺言書の閲覧の請求書の添付書類）
第三十八条　第三十四条の規定は、法第九条第三項の請求に係る同条第四項の法務省令で定める書類について準用する。
（関係相続人等による遺言書の閲覧の方法）
第三十九条　遺言書保管官は、第十三条各号に掲げる方法により請求人、その法定代理人又は請求人が法人であるときはその代表者が本人であることを確認して、法第九条第三項の規定による閲覧をさせなければならない。
2　第二十二条の規定は、法第九条第三項の規定による遺言書の閲覧について準用する。
（関係相続人等による遺言書保管ファイルの記録の閲覧の請求の方式）
第四十条　第三十七条の規定は、令第九条第三項の請求書について準用する。
（関係相続人等による遺言書保管ファイルの記録の閲覧の請求書の添付書類）
第四十一条　第三十四条の規定は、令第九条第三項の法務省令で定める書類について準用する。
（関係相続人等による遺言書保管ファイルの記録の閲覧の方法）
第四十二条　第二十四条及び第三十九条第一項の規定は、令第九条第一項の規定による遺言書保管ファイルの記録の閲覧について準用する。
（遺言書保管事実証明書の交付の請求の方式）
第四十三条　法第十条第二項において準用する法第九条第四項の請求書は、別記第十号様式によるものとする。
2　第三十三条第二項（第五号を除く。）の規定は、前項の請求書について準用する。
（遺言書保管事実証明書の交付の請求書の添付書類）
第四十四条　法第十条第二項において準用する法第九条第四項の法務省令で定める書類は、次に掲げる書類とする。

一　遺言者が死亡したことを証明する書類
　二　請求人の氏名及び住所と同一の氏名及び住所が記載されている市町村長その他の公務員が職務上作成した証明書（当該請求人が原本と相違がない旨を記載した謄本を含む。）
　三　請求人が法第九条第一項第一号に規定する相続人に該当することを理由として請求する場合は、当該相続人に該当することを証明する書類
　四　請求人が法第九条第一項第二号に規定する相続人に該当することを理由として請求する場合は、当該相続人に該当することを証明する書類
　五　請求人が法人であるときは、代表者の資格を証明する書類で作成後三月以内のもの
　六　法定代理人によって請求するときは、戸籍謄本その他その資格を証明する書類で作成後三月以内のもの
２　請求人が第四十八条第二項の書面の写しを添付したときは、前条第二項において準用する第三十三条第二項第四号に掲げる事項のうち遺言者の最後の住所、本籍及び死亡の年月日の記載を要せず、かつ、前項第一号に掲げる書類の添付を要しない。
（遺言書保管事実証明書の作成方法）
第四十五条　遺言書保管事実証明書を作成するには、遺言書保管官は、次に掲げる事項を記載した書面の末尾に認証文を付した上で、作成の年月日及び職氏名を記載し、職印を押さなければならない。
　一　関係遺言書の保管の有無
　二　関係遺言書が保管されている場合にあっては、法第四条第四項第一号及び第七条第二項第四号に掲げる事項
　三　請求人の資格、氏名又は名称及び住所
　四　遺言者の氏名及び出生の年月日
（遺言書保管事実証明書の交付の方法）
第四十六条　第三十六条の規定は、法第十条第一項の規定による遺言書保管事実証明書の交付について準用する。
（令第七条第八号の法務省令で定める者）
第四十七条　令第七条第八号の法務省令で定める者は、次に掲げる者とする。
　一　労働基準法施行規則（昭和二十二年厚生省令第二十三号）第四十三条第二項の規定により遺族補償を受けることができる遺族のうち特に指定された者
　二　船員法施行規則（昭和二十二年運輸省令第二十三号）第六十三条第二項の規定により遺族手当を受けることができる遺族のうち特に指定された者
　三　ハンセン病問題の解決の促進に関する法律施行規則（平成二十一年厚生労働

省令第七十五号）第九条第二項第八号の規定により指定された特定配偶者等支援金を受けることができる遺族のうち特に指定された者
（関係遺言書保管通知）
第四十八条　遺言書保管官は、法第九条第五項本文の場合又は令第九条第四項本文の場合には、速やかに、関係遺言書を保管している旨を当該関係遺言書に記載された法第九条第一項第二号（イを除く。）及び第三号（イを除く。）に掲げる者にも通知するものとする。ただし、それらの者が既にこれを知っているときは、この限りでない。
2　法第九条第五項、令第九条第四項及び前項の通知は、関係遺言書を現に保管する遺言書保管所の遺言書保管官が、郵便又は信書便により書面を送付する方法により行うものとする。
3　前項の遺言書保管所以外の遺言書保管所の遺言書保管官は、法第九条第一項の請求により遺言書情報証明書を交付し又は令第九条第一項の請求により遺言書保管ファイルに記録された事項を表示したものの閲覧をさせたときは、遅滞なく、その旨を前項の遺言書保管所に通知しなければならない。
（関係相続人等による申請書等の閲覧の請求の方式）
第四十九条　令第十条第三項及び第四項の請求に係る同条第五項の請求書は、別記第十一号様式によるものとする。
2　前項の請求書には、次に掲げる事項を記載しなければならない。
　一　第三十三条第二項各号（第五号及び第六号を除く。）に掲げる事項
　二　閲覧を請求する申請書等又は撤回書等
　三　特別の事由
（関係相続人等による申請書等の閲覧の請求書の添付書類）
第五十条　第四十四条の規定は、令第十条第三項又は第四項の請求に係る同条第五項の法務省令で定める書類について準用する。
（関係相続人等による申請書等の閲覧の方法）
第五十一条　第三十九条の規定は、令第十条第三項及び第四項の規定による申請書等及び撤回書等の閲覧について準用する。
　　　第五章　補則
（手数料等の納付の方法）
第五十二条　法第十二条第二項（令第四条第五項、第九条第五項及び第十条第七項において準用する場合を含む。）の手数料の納付は、別記第十二号様式による手数料納付用紙に、当該手数料の額に相当する収入印紙を貼ってしなければならない。
2　令第六条及び第十六条第一項の送付に要する費用は、郵便切手又は信書便の役

務に関する料金の支払のために使用することができる証票であって法務大臣の指定するもので納付しなければならない。
3 　前項の指定は、告示してしなければならない。
　　　　附　則
（施行期日）
第一条　この省令は、法の施行の日（令和二年七月十日）から施行する。
（経過措置）
第二条　この省令の施行前に作成された遺言書（長辺方向の余白がいずれも二十ミリメートル以上のものに限る。）については、この省令の施行の日から六月を経過する日までの間は、別記第一号様式備考第一号の規定中「日本産業規格A列四番」とあるのは「日本産業規格A列五番以上A列四番以下」と読み替えるものとし、同様式備考第四号の規定は適用しない。

別記第1号様式（第9条関係）

(備考)
1 用紙は,文字が明瞭に判読できる日本産業規格A列四番の紙とする。
2 縦置き又は横置きかを問わず,縦書き又は横書きかを問わない。
3 各ページにページ番号を記載すること。
4 片面のみに記載すること。
5 数枚にわたるときであっても,とじ合わせないこと。
6 様式中の破線は,必要な余白を示すものであり,記載することを要しない。

参考資料8　法務局における遺言書の保管等に関する省令（令和２年法務省令第33号）　327

別記第２号様式（第１０条関係）　　　　　　申請年月日　令和　□□年□□月□□日

遺言書保管所の名称　［　　　　　　］（地方）法務局　［　　　］支局・出張所

遺言書の保管申請書

【遺言者欄】※保管の申請をする遺言者の氏名，住所等を記入してください。また，該当する□にはレ印を記入してください。

遺言書の作成年月日	□ 1：令和／2：平成／3：昭和　□□年□□月□□日
遺言者の氏名	姓：□□□□□□□□□□□□□□□ 名：□□□□□□□□□□□□□□□
遺言者の氏名（フリガナ）	セイ：□□□□□□□□□□□□□□□ メイ：□□□□□□□□□□□□□□□
遺言者の出生年月日	□ 1：令和／2：平成／3：昭和／4：大正／5：明治　□□年□□月□□日
遺言者の住所	〒□□□−□□□□ 都道府県市区町村大字丁目：［　　　　　　　　　　］ 番地：□□□□□□□□□□□□□□□ 建物名：□□□□□□□□□□□□□□□
遺言者の本籍	都道府県：□□　市区町村：□□□□□□□□□□ 大字丁目：□□□□□□□□□□□□□□□ 番地：□□□□□□□□□□□□□□□
筆頭者の氏名 (注)筆頭者が遺言者と異なる場合は，記入してください。	□ 遺言者と同じ 姓：□□□□□□□□□□□□□□□ 名：□□□□□□□□□□□□□□□
遺言者の国籍（国又は地域） (注)外国人の場合のみ記入してください。	コード：□□　国名・地域名：□□□□□□□□□□□□
遺言者の電話番号 (注)ハイフン(−)は不要です。	□□□□□□□□□□□

1001　　　　　　　　　　　　　　　　　　　　　　　　　ページ数　1／

328　参考資料8　法務局における遺言書の保管等に関する省令（令和2年法務省令第33号）

【遺言者本人の確認・記入等欄】※以下の事項について，全て確認の上，記入してください。また，該当する☐にはレ印を記入してください。

☐ 遺言者が所有する不動産の所在地を管轄する遺言書保管所に保管の申請をする。
(注)不動産の所在地を記入してください。

都道府県 ☐☐☐☐　市区町村 ☐☐☐☐☐☐☐☐☐☐☐

大字丁目 ☐☐☐☐☐☐☐☐☐☐☐☐☐☐☐

番地 ☐☐☐☐☐☐☐☐☐☐☐☐☐☐☐

☐ 申請に係る遺言書は，私が作成した民法第968条の自筆証書による遺言書に相違ない。

☐ 現在，遺言書保管所に他の遺言書が保管されている。

① 他の遺言書が保管されている場合は，その保管番号を記入してください。
(注)複数ある場合には，備考欄に記入してください。

保管番号　H ☐☐☐☐ － ☐☐☐☐☐☐ － ☐☐☐☐☐☐☐☐ － ☐☐

② 上記①の遺言書が保管された後，氏名，出生年月日，住所，本籍(外国人にあっては，国籍(国又は地域))又は筆頭者の氏名に変更があった場合は，その変更内容を記入してください。

変更内容

☐ 上記①の保管番号の遺言書について，上記②の変更内容に基づく変更届出を行う。
(注)変更を証する書類を添付してください。

手数料の額

遺言者の署名又は記名押印

備考欄

遺言書の総ページ数　　　　　　ページ

参考資料8　法務局における遺言書の保管等に関する省令（令和2年法務省令第33号）　329

【受遺者等・遺言執行者等欄】 ※遺言書に記載している受遺者等又は遺言執行者等の氏名，住所等を記入してください。また，該当する☐にレ印を記入してください。

受遺者等又は遺言執行者等の番号 ☐ 番
(注)受遺者等又は遺言執行者等の全員に対して通し番号を記入してください。

受遺者等又は遺言執行者等の別 ☐ 受遺者等　☐ 遺言執行者等
(注)受遺者等と遺言執行者等を兼ねる場合は，両方にレ印を記入してください。

氏名 姓／名
(注)法人の場合は，姓の欄に商号又は名称を記入してください。

住所 〒□□□－□□□□
(注)法人の場合は，本店又は主たる事務所の所在地を記入してください。
都道府県／市区町村／大字丁目／番地／建物名

出生年月日 1:令和／2:平成／3:昭和／4:大正／5:明治／6:不明 (注)6:不明の場合，年月日は記入不要です。　□□年□□月□□日
(注)法人の場合は，記入不要です。

会社法人等番号
(注)法人の場合のみ記入してください。

受遺者等又は遺言執行者等の番号 ☐ 番
(注)受遺者等又は遺言執行者等の全員に対して通し番号を記入してください。

受遺者等又は遺言執行者等の別 ☐ 受遺者等　☐ 遺言執行者等
(注)受遺者等と遺言執行者等を兼ねる場合は，両方にレ印を記入してください。

氏名 姓／名
(注)法人の場合は，姓の欄に商号又は名称を記入してください。

住所 〒□□□－□□□□
(注)法人の場合は，本店又は主たる事務所の所在地を記入してください。
都道府県／市区町村／大字丁目／番地／建物名

出生年月日 1:令和／2:平成／3:昭和／4:大正／5:明治／6:不明 (注)6:不明の場合，年月日は記入不要です。　□□年□□月□□日
(注)法人の場合は，記入不要です。

会社法人等番号
(注)法人の場合のみ記入してください。

(注)記入欄が不足する場合は，用紙を追加してください。

1003　　　　ページ数　／

別記第3号様式(第15条第2項関係)

保管証

遺言者の氏名	
遺言者の出生の年月日	
遺言書が保管されている遺言書保管所の名称	
保管番号	

　上記の遺言者の申請に係る遺言書の保管を開始しました。

令和　年　月　日
　　　法務局

　　　　　　　　　　　　　　　　　　　　遺言書保管官　　　　　　職印

参考資料8 法務局における遺言書の保管等に関する省令（令和2年法務省令第33号） 331

別記第4号様式（第21条第1項関係）

請求年月日 令和 □□年□□月□□日

請求先の遺言書保管所の名称 _____ （地方）法務局 _____ 支局・出張所

遺言書の閲覧の請求書（遺言者用）

【請求人欄】※請求人の氏名，住所等を記入してください。

請求人（遺言者）の氏名	セイ														
	姓														
	メイ														
	名														

請求人（遺言者）の出生年月日　1:令和/2:平成/3:昭和/4:大正/5:明治　□□年□□月□□日

請求人（遺言者）の住所
〒□□□-□□□□
都道府県/市区町村/大字丁目
番地
建物名

請求人（遺言者）の本籍
都道府県　市区町村
大字丁目
番地

請求人（遺言者）の国籍（国又は地域）　コード□□　国名・地域名 _____
(注)外国人の場合のみ記入してください。

請求人（遺言者）の電話番号 □□□□□□□□□□
(注)ハイフン(-)は不要です。

4001　　ページ数 1／

【請求対象の遺言書欄】※閲覧を請求する遺言書の保管番号等を記入してください。また，該当する☐にはレ印を記入してください。

遺言書が保管されている遺言書保管所の名称	（地方）法務局	支局・出張所

請求対象の
遺言書の保管番号
（注）請求対象の遺言書の保管番号を記入してください（複数ある場合は全て記入してください。）。
3通以上ある場合には備考欄に記入してください。

保管番号 H☐☐☐☐－☐☐☐☐☐☐－☐☐☐☐☐☐☐☐☐☐－☐☐
　　　　 H☐☐☐☐－☐☐☐☐☐☐－☐☐☐☐☐☐☐☐☐☐－☐☐

希望する閲覧の方法　☐ モニターによる遺言書保管ファイルの記録の閲覧　☐ 遺言書の閲覧

手数料の額　　遺言書保管ファイルの記録の閲覧
　　　　　　　遺言書の閲覧

請求人（遺言者）の署名又は記名押印

備考欄

4002

ページ数 2／

参考資料8　法務局における遺言書の保管等に関する省令（令和2年法務省令第33号）　333

別記第5号様式（第25条第1項関係）

撤回年月日　令和　□□年□□月□□日

保管先の遺言書保管所の名称　　　　　　　　（地方）法務局　　　　　支局・出張所

遺言書の保管の申請の撤回書

【遺言者欄】※保管の申請を撤回する遺言者の氏名，住所等を記入してください。

撤回をする者（遺言者）の氏名	セイ	
	姓	
	メイ	
	名	

撤回をする者（遺言者）の出生年月日　□ 1：令和／2：平成／3：昭和／4：大正／5：明治　□□年□□月□□日

撤回をする者（遺言者）の住所
〒□□□-□□□□
都道府県・市区町村・大字丁目
番地
建物名

撤回をする者（遺言者）の本籍
都道府県／市区町村
大字丁目
番地

撤回をする者（遺言者）の国籍（国又は地域）　コード □□　国名・地域名
（注）外国人の場合のみ記入してください。

撤回をする者（遺言者）の電話番号　□□□□□□□□□□
（注）ハイフン（－）は不要です。

2001

ページ数　1／2

334　参考資料8　法務局における遺言書の保管等に関する省令（令和2年法務省令第33号）

【撤回対象の遺言書欄】※以下の事項について，全て確認の上，記入してください。

本撤回書において保管の申請を撤回する遺言書は，遺言者が遺言書保管所に保管している全ての遺言書か，それとも一部の遺言書か。

☐　1：全部の遺言書／2：一部の遺言書

撤回対象の遺言書の保管番号
(注)撤回対象の遺言書の保管番号を全て記入してください(複数ある場合は全て記入してください。)。3通以上ある場合には備考欄に記入してください。

保管番号　H☐☐☐☐－☐☐☐☐☐☐－☐☐☐☐☐☐☐☐☐☐－☐☐
　　　　　H☐☐☐☐－☐☐☐☐☐☐－☐☐☐☐☐☐☐☐☐☐－☐☐

遺言書が保管された後，氏名，出生年月日，住所，本籍（外国人にあっては，国籍（国又は地域））又は筆頭者の氏名に変更があった場合は，その変更内容を記入してください。
(注)変更を証する書類を添付してください。

変更内容

撤回をする者
（遺言者）の署名又は記名押印

備考欄

【受領書】※撤回する遺言書を受領した際に記入していただきますので，あらかじめ記入しないでください。

撤回対象の遺言書を受領した。
（☐翻訳文を含む）

令和☐☐年☐☐月☐☐日

撤回をする者（遺言者）の署名

2002

ページ数　2／2

参考資料8 法務局における遺言書の保管等に関する省令（令和2年法務省令第33号） 335

別記第6号様式（第28条第1項関係）

届出年月日 令和 □□年 □□月 □□日

届出先の遺言書保管所の名称 [____] （地方）法務局 [____] 支局・出張所

変更届出書

【届出人等欄】※変更の届出をする遺言者の氏名，住所等を記入してください。また，該当する☐にはレ印を記入してください。

届出人（遺言者）の氏名
- セイ
- 姓
- メイ
- 名

届出人（遺言者）の出生年月日
☐ 1：令和／2：平成／3：昭和／4：大正／5：明治　□□年 □□月 □□日

届出人（遺言者）の住所
〒 □□□-□□□□
都道府県
市区町村
大字丁目
番地
建物名

届出人（遺言者）の本籍
都道府県
市区町村
大字丁目
番地

届出人（遺言者）の国籍（国又は地域）
コード □□　国名・地域名
（注）外国人の場合のみ記入してください。

☐ 法定代理人による届出の有無
（注）法定代理人による届出の場合には，レ印を記入してください。
法定代理人の氏名及び住所

届出人（遺言者）又は法定代理人の電話番号
（注）ハイフン（-）は不要です。

遺言書が保管されている遺言書保管所の名称
[____] （地方）法務局 [____] 支局・出張所

変更対象の遺言書の保管番号
（注）変更対象の遺言書の保管番号を全て記入してください。3通以上ある場合には備考欄に記入してください。

保管番号 H□□□□-□□□□□□□-□□
　　　　 H□□□□-□□□□□□□-□□

3001

ページ数 1／

参考資料8　法務局における遺言書の保管等に関する省令（令和2年法務省令第33号）

【変更内容欄】※変更が生じた内容を記入してください。

1

① 対象　□　1:遺言者/2:受遺者等/3:遺言執行者等/4:その他

② 内容　□　1:氏名（商号又は名称）/2:出生年月日/3:住所（本店又は主たる事務所の所在地）/4:本籍
　　　　　　5:筆頭者の氏名/6:国籍（国又は地域）/7:会社法人等番号/8:その他

③ 氏名　姓 ☐☐☐☐☐☐☐☐☐☐☐☐☐
　　　　名 ☐☐☐☐☐☐☐☐☐☐☐☐☐

④ 変更年月日　令和 ☐☐年 ☐☐月 ☐☐日

⑤ 変更前 ［　　　　　　　　　　　　　　　　］

⑥ 変更後 ［　　　　　　　　　　　　　　　　］

2

① 対象　□　1:遺言者/2:受遺者等/3:遺言執行者等/4:その他

② 内容　□　1:氏名（商号又は名称）/2:出生年月日/3:住所（本店又は主たる事務所の所在地）/4:本籍
　　　　　　5:筆頭者の氏名/6:国籍（国又は地域）/7:会社法人等番号/8:その他

③ 氏名　姓 ☐☐☐☐☐☐☐☐☐☐☐☐☐
　　　　名 ☐☐☐☐☐☐☐☐☐☐☐☐☐

④ 変更年月日　令和 ☐☐年 ☐☐月 ☐☐日

⑤ 変更前 ［　　　　　　　　　　　　　　　　］

⑥ 変更後 ［　　　　　　　　　　　　　　　　］

届出人（遺言者）又は法定代理人の署名又は記名押印 ［　　　　　　　］

備考欄 ［　　　　　　　　　　　　　　　　］

3002　　　　　　　　　　　　　　　　　　　ページ数 ／

参考資料8　法務局における遺言書の保管等に関する省令（令和2年法務省令第33号）　337

別記第7号様式（第31条第1項関係）

請求年月日　令和 □□ 年 □□ 月 □□ 日

請求先の遺言書保管所の名称　［　　　　　］（地方）法務局　［　　　　　］支局・出張所

申請書等の閲覧の請求書（遺言者用）

【請求人欄】※請求人の氏名，住所等を記入してください。

請求人（遺言者）の氏名	セイ	
	姓	□□□□□□□□□□□□
	メイ	
	名	□□□□□□□□□□□□

請求人（遺言者）の出生年月日　1：令和／2：平成／3：昭和／4：大正／5：明治　□□ 年 □□ 月 □□ 日

請求人（遺言者）の住所　〒 □□□ － □□□□

都道府県
市区町村
大字丁目　［　　　　　　　　　　　］

番地　□□□□□□□□□□□□

建物名　□□□□□□□□□□□□

請求人（遺言者）の本籍
都道府県　□□□□□　市区町村　□□□□□
大字丁目　□□□□□□□□□□□□
番地　□□□□□□□□□□□□

請求人（遺言者）の国籍（国又は地域）　コード □□　国名・地域名　［　　　　　　　　　　］
（注）外国人の場合のみ記入してください。

請求人（遺言者）の電話番号　□□□□□□□□□□□
（注）ハイフン（－）は不要です。

7001

ページ数　1／

参考資料8 法務局における遺言書の保管等に関する省令（令和2年法務省令第33号）

【請求対象の申請書等欄】※閲覧を請求する申請書等に係る遺言書の保管番号等を記入してください。
また，該当する☐にはレ印を記入してください。

| 遺言書保管所の名称 | | （地方）法務局 | | 支局・出張所 |

遺言書の保管番号　(注)遺言書の保管番号を記入してください（複数ある場合は全て記入してください。）。
3通以上ある場合には，備考欄に記入してください。

H☐☐☐☐ － ☐☐☐☐☐☐ － ☐☐☐☐☐☐☐☐ － ☐☐
H☐☐☐☐ － ☐☐☐☐☐☐ － ☐☐☐☐☐☐☐☐ － ☐☐

請求対象の申請書等・届出書等・撤回書等の種別　　☐保管申請書等　☐変更届出書等　☐撤回書等

閲覧を請求する特別の事由

手数料の額　　　　　円

請求人（遺言者）の署名又は記名押印

備考欄

7002　　　　　　　　　　　　　　　　　　　　　　　ページ数　2／

参考資料8　法務局における遺言書の保管等に関する省令（令和2年法務省令第33号）　339

別記第8号様式（第33条第1項関係）　　　　　請求年月日　令和　□□年□□月□□日

請求先の遺言書保管所の名称　[　　　　　]（地方）法務局[　　　　　]支局・出張所

遺言書情報証明書の交付請求書

【請求人欄】※請求人の氏名，住所等を記入してください。また，該当する☐にはレ印を記入してください。

請求人の資格　☐　1：相続人／2：相続人以外

請求人の氏名
- 姓　[□□□□□□□□□□□□□□]
- 名　[□□□□□□□□□□□□□□]

（注）法人の場合は，姓の欄に商号又は名称を記入してください。

請求人の出生年月日　☐　1：令和／2：平成／3：昭和／4：大正／5：明治　□□年□□月□□日
（注）法人の場合は，記入不要です。

請求人の会社法人等番号　[□□□□□□□□□□□□]
（注）法人の場合のみ記入してください。

請求人の住所　〒 □□□－□□□□
（注）法人の場合は，本店又は主たる事務所の所在地を記入してください。

- 都道府県／市区町村／大字丁目　[　　　　　　　　　　]
- 番地　[　　　　　　　　　　]
- 建物名　[　　　　　　　　　　]

☐　**法定代理人による請求の有無**
（注）法定代理人による請求の場合には，レ印を記入してください。

法定代理人の氏名及び住所　[　　　　　　　　　　]

請求人又は法定代理人の電話番号　[□□□□□□□□□□]
（注）ハイフン（−）は不要です。

5001　　　　　　　　　　　ページ数　1／

340　参考資料8　法務局における遺言書の保管等に関する省令（令和2年法務省令第33号）

【請求対象の遺言書欄】※請求対象の遺言書の保管番号等を記入してください。

遺言者の氏名
- セイ
- 姓
- メイ
- 名

遺言者の出生年月日　□ 1:令和／2:平成／3:昭和／4:大正／5:明治　□□年 □□月 □□日

遺言者の住所　〒□□□-□□□□
- 都道府県／市区町村／大字丁目
- 番地
- 建物名

遺言者の本籍
- 都道府県
- 市区町村
- 大字丁目
- 番地

遺言者の国籍（国又は地域）　コード □□　国名・地域名
(注)外国人の場合のみ記入してください。

遺言者の死亡年月日　令和 □□年 □□月 □□日

遺言書が保管されている遺言書保管所の名称　　　　（地方）法務局　　　　支局・出張所

請求対象の遺言書の保管番号
(注)請求対象の遺言書の保管番号を記入してください(複数ある場合は，全て記入してください。)。
3通以上ある場合には備考欄に記入してください。

保管番号　H□□□□-□□□□□□□-□□□□□□□□-□□
　　　　　H□□□□-□□□□□□□-□□□□□□□□-□□

5002

ページ数　2／

参考資料8　法務局における遺言書の保管等に関する省令（令和2年法務省令第33号）　341

【請求人本人の確認・記入欄】※以下の事項について，該当するものがあれば☐にレ印を記入してください。

- ☐ 遺言書情報証明書の交付を受けた。
- ☐ 遺言書の閲覧をした。
- ☐ 遺言書保管ファイルの記録の閲覧をした。
- ☐ 遺言書保管事実証明書の交付を受けた。
- ☐ 遺言書が保管されている旨の通知を受け取った。

(注)請求書の記載や添付が必要とされている証明書などの書類を一部省略できる場合があります。

請求通数　　　　　通

手数料の額　　　　　円

請求人又は法定代理人の署名又は記名押印

備考欄

5003

ページ数　3／

【相続人欄】 ※遺言者の法定相続人全員の氏名等を記入してください。法定相続情報一覧図の写し（住所が記載されたもの）等を添付する場合は，本用紙の記入を省略することができます。

| 相続人の氏名 | 姓 | | | | | | | | | | | |
| | 名 | | | | | | | | | | | |

相続人の出生年月日　□ 1:令和/2:平成/3:昭和/4:大正/5:明治　□□年 □□月 □□日

相続人の住所　〒 □□□－□□□□
都道府県／市区町村／大字丁目
番地
建物名

| 相続人の氏名 | 姓 | | | | | | | | | | | |
| | 名 | | | | | | | | | | | |

相続人の出生年月日　□ 1:令和/2:平成/3:昭和/4:大正/5:明治　□□年 □□月 □□日

相続人の住所　〒 □□□－□□□□
都道府県／市区町村／大字丁目
番地
建物名

| 相続人の氏名 | 姓 | | | | | | | | | | | |
| | 名 | | | | | | | | | | | |

相続人の出生年月日　□ 1:令和/2:平成/3:昭和/4:大正/5:明治　□□年 □□月 □□日

相続人の住所　〒 □□□－□□□□
都道府県／市区町村／大字丁目
番地
建物名

（注）記入欄が不足する場合は，用紙を追加してください。

5004

ページ数　／

参考資料8　法務局における遺言書の保管等に関する省令（令和2年法務省令第33号）　343

別記第9号様式（第37条第1項関係）

請求年月日　令和　　年　　月　　日

請求先の遺言書保管所の名称　　　　　（地方）法務局　　　　　支局・出張所

遺言書の閲覧の請求書（関係相続人等用）

【請求人欄】※請求人の氏名，住所等を記入してください。また，該当する☐にはレ印を記入してください。

請求人の資格　　1：相続人／2：相続人以外

請求人の氏名　姓
（注）法人の場合は，姓の欄に商号又は名称を記入してください。
　　　　　　　名

請求人の出生年月日　1：令和／2：平成／3：昭和／4：大正／5：明治　　年　　月　　日
（注）法人の場合は，記入不要です。

請求人の会社法人等番号
（注）法人の場合のみ記入してください。

請求人の住所　〒　　　－　　　
（注）法人の場合は，本店又は主たる事務所の所在地を記入してください。
都道府県
市区町村
大字丁目

番地

建物名

☐ 法定代理人による請求の有無
（注）法定代理人による請求の場合には，レ印を記入してください。
法定代理人の氏名及び住所

請求人又は法定代理人の電話番号
（注）ハイフン（－）は不要です。

4101

ページ数　1／

参考資料8 法務局における遺言書の保管等に関する省令（令和2年法務省令第33号）

【請求対象の遺言書欄】※閲覧を請求する遺言書の保管番号等を記入してください。また，該当する☐には レ印を記入してください。

遺言者の氏名	セイ（姓）／メイ（名）
遺言者の出生年月日	☐ 1:令和/2:平成/3:昭和/4:大正/5:明治　□□年□□月□□日
遺言者の住所	〒□□□-□□□□ 都道府県／市区町村／大字丁目 番地 建物名
遺言者の本籍	都道府県／市区町村 大字丁目 番地
遺言者の国籍（国又は地域） （注）外国人の場合のみ記入してください。	コード□□　国名・地域名
遺言者の死亡年月日	令和□□年□□月□□日
遺言書が保管されている遺言書保管所の名称	（地方）法務局　　支局・出張所
請求対象の遺言書の保管番号	（注）請求対象の遺言書の保管番号を記入してください（複数ある場合は全て記入してください。）。3通以上ある場合には，備考欄に記入してください。 H□□□□-□□□□□□-□□□□□□□□-□□ H□□□□-□□□□□□-□□□□□□□□-□□
希望する閲覧の方法	☐ モニターによる遺言書保管ファイルの記録の閲覧　☐ 遺言書の閲覧
手数料の額	遺言書保管ファイルの記録の閲覧 遺言書の閲覧

4102　　ページ数 2／

参考資料8　法務局における遺言書の保管等に関する省令（令和2年法務省令第33号）　345

【請求人本人の確認・記入欄】※以下の項目について，該当するものがあれば☐にレ印を記入してください。

☐ 遺言書情報証明書の交付を受けた。
☐ 遺言書の閲覧をした。
☐ 遺言書保管ファイルの記録の閲覧をした。
☐ 遺言書保管事実証明書の交付を受けた。
☐ 遺言書が保管されている旨の通知を受け取った。
(注)請求書の記載や添付が必要とされている証明書などの書類を一部省略できる場合があります。

請求人又は法定代理人の署名又は記名押印

備考欄

4103

ページ数　3／

【相続人欄】※遺言者の法定相続人全員の氏名等を記入してください。法定相続情報一覧図の写し(住所が記載されたもの)等を添付する場合は，本用紙の記入を省略することができます。

| 相続人の氏名 | 姓 | | | | | | | | | | |
| | 名 | | | | | | | | | | |

相続人の出生年月日　□ 1:令和／2:平成／3:昭和／4:大正／5:明治　□□年□□月□□日

相続人の住所　〒□□□-□□□□

都道府県／市区町村／大字丁目：

番地：

建物名：

| 相続人の氏名 | 姓 | | | | | | | | | | |
| | 名 | | | | | | | | | | |

相続人の出生年月日　□ 1:令和／2:平成／3:昭和／4:大正／5:明治　□□年□□月□□日

相続人の住所　〒□□□-□□□□

都道府県／市区町村／大字丁目：

番地：

建物名：

| 相続人の氏名 | 姓 | | | | | | | | | | |
| | 名 | | | | | | | | | | |

相続人の出生年月日　□ 1:令和／2:平成／3:昭和／4:大正／5:明治　□□年□□月□□日

相続人の住所　〒□□□-□□□□

都道府県／市区町村／大字丁目：

番地：

建物名：

(注)記入欄が不足する場合は，用紙を追加してください。

4104

ページ数　／

参考資料8　法務局における遺言書の保管等に関する省令（令和2年法務省令第33号）　347

別記第10号様式（第43条第1項関係）

請求年月日　令和　□□年□□月□□日

請求先の遺言書保管所の名称　_____　(地方)法務局　_____　支局・出張所

遺言書保管事実証明書の交付請求書

【請求人欄】※請求人の氏名，住所等を記入してください（太線枠内を複写して証明書を作成する場合があるため，字画をはっきりと記入してください。）。また，該当する□にはレ印を記入してください。

請求人の資格	□ 1:相続人／2:相続人以外
請求人の氏名又は名称	姓 □□□□□□□□□□□□□□□
	名 □□□□□□□□□□□□□□□
請求人の住所	〒 □□□－□□□□
	都道府県 市区町村 大字丁目 _____
	番地 □□□□□□□□□□□□□□□
	建物名 □□□□□□□□□□□□□□□

(注) 1. 法人の場合は，「請求人の氏名又は名称」の姓の欄に商号又は名称，「請求人の住所」に本店又は主たる事務所の所在地を記入してください。
　　 2. 記入枠が足りない場合には，太線枠内の余白に記入してください。

請求人の出生年月日	□ 1:令和／2:平成／3:昭和／4:大正／5:明治　□□年□□月□□日

(注)法人の場合は，記入不要です。

請求人の会社法人等番号	□□□□□□□□□□□□

(注)法人の場合のみ記入してください。

□ 法定代理人による請求の有無
(注)法定代理人による請求の場合には，レ印を記入してください。
法定代理人の氏名及び住所

請求人又は法定代理人の電話番号	□□□□□□□□□□□

(注)ハイフン(－)は不要です。

請求人又は法定代理人の署名又は記名押印　_____

備考欄　_____

6001　　　　ページ数　1／

348 参考資料8 法務局における遺言書の保管等に関する省令（令和2年法務省令第33号）

【請求対象の遺言書欄】※請求対象の遺言書の保管番号等を記入してください（太線枠内を複写して証明書を作成する場合があるため，字画をはっきりと記入してください。）。

- 遺言者の氏名　セイ／姓　　メイ／名
- 遺言者の出生の年月日　1:令和/2:平成/3:昭和/4:大正/5:明治　　年　月　日
- （注）記入枠が足りない場合には，太線枠内の余白に記入してください。
- 遺言者の住所　〒□□□-□□□□
  - 都道府県／市区町村／大字丁目
  - 番地
  - 建物名
- 遺言者の本籍　都道府県／市区町村／大字丁目／番地
- 遺言者の国籍（国又は地域）　コード　国名・地域名
  - （注）外国人の場合のみ記入してください。
- 遺言者の死亡年月日　令和　年　月　日
- 遺言書が保管されている遺言書保管所の名称　　（地方）法務局　支局・出張所
- 保管されている遺言書の保管番号　（注）保管されている遺言書の保管番号を記入してください（複数ある場合は全て記入してください。）。2通以上ある場合には，備考欄に記入してください。
  - H□□□□-□□□□□□-□□□□□□□-□□
- 請求通数　　通
- 手数料の額　　円

6002

ページ数　2／

参考資料8　法務局における遺言書の保管等に関する省令（令和2年法務省令第33号）　349

別記第11号様式（第49条第1項関係）

請求年月日　令和　　年　　月　　日

請求先の遺言書保管所の名称　　　　　　　　（地方）法務局　　　　　支局・出張所

申請書等の閲覧の請求書（関係相続人等用）

【請求人欄】※請求人の氏名，住所等を記入してください。また，該当する□にはレ印を記入してください。

請求人の資格	□ 1：相続人／2：相続人以外
請求人の氏名 (注)法人の場合は、姓の欄に商号又は名称を記入してください。	姓 名
請求人の出生年月日 (注)法人の場合は、記入不要です。	1：令和／2：平成／3：昭和／4：大正／5：明治　　年　月　日
請求人の会社法人等番号 (注)法人の場合のみ記入してください。	
請求人の住所 (注)法人の場合は、本店又は主たる事務所の所在地を記入してください。	〒　　　－　　　　 都道府県 市区町村 大字丁目 番地 建物名
□ 法定代理人による請求の有無 (注)法定代理人による請求の場合には、レ印を記入してください。 法定代理人の氏名及び住所	
請求人又は法定代理人の電話番号 (注)ハイフン（－）は不要です。	
請求人又は法定代理人の署名又は記名押印	
備考欄	

7101

ページ数　1／

参考資料8 法務局における遺言書の保管等に関する省令（令和2年法務省令第33号）

【請求対象の申請書等欄】※閲覧を請求する申請書等に係る遺言書の保管番号等を記入してください。
また，該当する☐にはレ印を記入してください。

遺言者の氏名	セイ／姓／メイ／名
遺言者の出生年月日	1：令和／2：平成／3：昭和／4：大正／5：明治　　年　月　日
遺言者の住所	〒□□□－□□□□　都道府県・市区町村・大字丁目／番地／建物名
遺言者の本籍	都道府県／市区町村／大字丁目／番地
遺言者の国籍（国又は地域）	コード　　　国名・地域名　（注）外国人の場合のみ記入してください。
遺言者の死亡年月日	令和　　年　月　日
遺言書保管所の名称	（地方）法務局　　　支局・出張所
遺言書の保管番号	（注）遺言書の保管番号を記入してください（複数ある場合は全て記入してください。）。3通以上ある場合には，備考欄に記入してください。 H□□□□－□□□□□□－□□□□□□□□－□□ H□□□□－□□□□□□－□□□□□□□□－□□
請求対象の申請書等・届出書等・撤回書等の種別	☐保管申請書等　☐変更届出書等　☐撤回書等
閲覧を請求する特別の事由	

手数料の額　　　　　円

7102

ページ数　2／

別記第12号様式（第52条第1項関係）

手数料納付用紙

（地方）法務局　　　支局・出張所　御中

（申請人・請求人の表示）

住所 _____

_____

_____

_____

氏名又は名称

_____

_____

（法定代理人の表示）

住所 _____

_____

_____

_____

氏名

_____

_____

（その他）

納付金額　　　　　　　　　　円

年　月　日	担　当

印紙貼付欄

収入印紙は，割印をしないで，印紙貼付欄に貼り付けてください。

ページ数	／

参考資料9 遺言書保管事務取扱手続準則（令和2年5月11日付け法務省民商第97号通達）

第1章　総則
第2章　遺言書の保管の申請手続等
第3章　遺言者による遺言書の閲覧の請求手続等
第4章　関係相続人等による遺言書情報証明書の交付の請求手続等
第5章　審査請求
第6章　補則

　　　第1章　総則
（趣旨）
第1条　法務局における遺言書の保管等に関する法律（平成30年法律第73号。以下「法」という。）第2条第1項に規定する法務大臣の指定する法務局が遺言書保管所としてつかさどる事務の取扱いについては、法令に定めるもののほか、この準則によるものとする。
（事故等の報告）
第2条　遺言書保管官は、遺言書の保管に関する事務に関して事故その他の異状を認めたときは、速やかに、当該遺言書保管官を監督する法務局又は地方法務局の長にその旨を報告するものとする。
（遺言書保管官の交替）
第3条　遺言書保管官は、その事務を交替するときは、法第4条第1項の申請に係る遺言書のほか、遺言書保管ファイル、申請書等（法務局における遺言書の保管等に関する政令（令和元年政令第178号。以下「令」という。）第10条第1項に規定する申請書等をいう。以下同じ。）及び撤回書等（同条第2項に規定する撤回書等をいう。以下同じ。）その他の帳簿等を点検した上で、事務を引き継ぐものとする。
2　前項の規定により事務の引継ぎを受けた遺言書保管官は、引き継いだ帳簿等を調査して、当該遺言書保管官を監督する法務局又は地方法務局の長にその調査結果を記載した別記第1号様式による報告書を提出するものとする。
（遺言書保管官の職務の代行）
第4条　遺言書保管官が出張その他の事由により職務を行うことができないときは、法務局又は地方法務局の長は、その職務を代行する者を定めることができる。
（遺言書の保管の方法）
第5条　遺言書保管官は、遺言書を保管番号の順序に従ってつづり込んで保管する

参考資料9　遺言書保管事務取扱手続準則（令和2年5月11日付け法務省民商第97号通達）　353

ものとする。
（遺言書の適切な保管）
第6条　遺言書保管官は、遺言書の滅失又は毀損の防止その他の遺言書の適切な保管のために必要な措置を講ずるものとする。
（遺言書等の持出）
第7条　遺言書保管官は、事変を避けるために遺言書、申請書等、撤回書等及び遺言書保管ファイルを遺言書保管所外に持ち出したときは、速やかに、その旨を当該遺言書保管官を監督する法務局又は地方法務局の長に報告するものとする。
2　前項の報告は、別記第2号様式による報告書によりするものとする。
（裁判所への関係書類の送付）
第8条　遺言書保管官は、法務局における遺言書の保管等に関する省令（令和2年法務省令第33号。以下「省令」という。）第2条の規定により裁判所に関係書類を送付するときは、該当する書類の写しを作成して、当該関係書類が返還されるまでの間、これを保管するものとする。
2　遺言書保管官は、前項の関係書類を送付するときは、当該関係書類をつづり込んでいた箇所に、裁判所の命令書又は嘱託書及びこれらの附属書類を同項の規定により作成した写しと共につづり込むものとする。
3　遺言書保管官は、第1項の関係書類が裁判所から返還された場合には、当該関係書類を前項の命令書又は嘱託書の次につづり込むものとする。この場合には、第1項の規定により作成した写しを廃棄するものとする。
4　前3項の規定は、裁判官の発する令状に基づき検察官、検察事務官又は司法警察職員（以下「捜査機関」という。）が関係書類を押収する場合について準用する。
（遺言書保管申請書等つづり込み帳等）
第9条　遺言書保管申請書等つづり込み帳又は請求書類つづり込み帳（以下「遺言書保管申請書等つづり込み帳等」という。）には、それぞれ申請書等及び撤回書等又は閲覧請求等（省令第3条第2項第2号に規定する閲覧請求等をいう。以下同じ。）に係る書類を受け付けた順に従ってつづり込むものとする。
2　遺言書保管官は、遺言書保管申請書等つづり込み帳等を格納するときは、処理未済又は印紙の異状の有無を調査して、その調査結果を遺言書保管申請書等つづり込み帳等の表紙（裏面を含む。）の適宜の箇所に記載し、これに認印を押印するものとする。
（必要帳簿）
第10条　遺言書保管所には、省令で定めるもののほか、次に掲げる帳簿を備えるものとする。

(1) 送付書類等受発送簿
(2) 保管証等用紙管理簿
(3) 遺言書保管返戻通知関係書類つづり込み帳
(4) 再使用証明申出書類等つづり込み帳
(5) 雑書つづり込み帳
2 次の各号に掲げる帳簿には、当該各号に定める事項を記載するものとする。
 (1) 送付書類等受発送簿　他の帳簿に記載しない書類の発送及び受領に関する事項
 (2) 保管証等用紙管理簿　保管証、遺言書情報証明書及び遺言書保管事実証明書の作成に使用する用紙の管理に関する事項
3 次の各号に掲げる帳簿には、当該各号に定める書類をつづり込むものとする。
 (1) 遺言書保管返戻通知関係書類つづり込み帳　省令第48条第2項（第35条第2項において準用する場合を含む。）の書面を送付した場合において、配達不能等により返戻された当該書面
 (2) 再使用証明申出書類等つづり込み帳　収入印紙に係る再使用証明申出書及び償還に関する書類
 (3) 雑書つづり込み帳　他の帳簿につづり込まない書類

（保存期間）

第11条　次の各号に掲げる帳簿の保存期間は、当該各号に定めるとおりとする。
 (1) 送付書類等受発送簿　当該年度の翌年度から3年間
 (2) 保管証等用紙管理簿　当該年度の翌年度から1年間
 (3) 遺言書保管返戻通知関係書類つづり込み帳　当該年度の翌年度から5年間
 (4) 再使用証明申出書類等つづり込み帳　当該年度の翌年度から5年間
 (5) 雑書つづり込み帳　当該年度の翌年度から1年間

（帳簿の様式）

第12条　次の各号に掲げる帳簿の様式は、当該各号に定めるところによるものとする。
 (1) 遺言書保管関係帳簿保存簿　別記第3号様式
 (2) 送付書類等受発送簿　別記第4号様式
 (3) 保管証等用紙管理簿　別記第5号様式
2 省令第3条第1項第3号及び第4号に掲げる帳簿並びに第10条第1項各号に掲げる帳簿の表紙は、別記第6号様式によるものとする。

（つづり込みの方法）

第13条　省令第3条第1項第3号及び第4号に掲げる帳簿並びに第10条第1項各号に掲げる帳簿は、1年度ごとに別冊とするものとする。ただし、1年度ごとに

1冊とすることが困難なときは、分冊して差し支えない。
2　前項本文の規定にかかわらず、所要用紙の枚数が少ない帳簿については、数年度分を1冊につづり込むことができる。この場合には、1年度ごとに小口見出しを付する等して年度の区別を明らかにするものとする。
（廃棄処分等）
第14条　遺言書保管官は、省令第5条の認可を受けようとするときは、当該遺言書保管官を監督する法務局又は地方法務局の長に別記第7号様式による申請書を提出するものとする。
（申請その他の手続の予約）
第15条　法、令又は省令に基づく申請、届出、撤回又は請求（次条第1項において「申請その他の手続」という。）（書面を送付する方法により行われる場合を除く。）の受付は、予約により行うことができる。
（受付等）
第16条　申請書、届出書、撤回書又は請求書が提出されたときは、申請その他の手続ごとの受付の年月日を表示した書面（以下「受付票」という。）を印刷するものとする。
2　受付票には、受付、本人確認等をした都度、該当欄に担当者が押印するものとし、これを申請書、届出書、撤回書又は請求書と共に遺言書保管申請書等つづり込み帳等につづり込むものとする。
3　遺言書保管官は、法第4条第1項の申請を却下しなければならない場合であっても、遺言書保管官が相当と認めるときは、事前にその旨を申請人に告げ、その申請の取下げの機会を設けることができる。
（本人確認）
第17条　省令第13条各号に掲げる方法により書類の提示を受けたときは、遺言書保管官は、当該書類を提示した者の同意を得て、当該書類の写しを作成し、申請書、撤回書、請求書又は取下書と共につづり込むものとする。ただし、当該者の同意が得られないときは、この限りでない。
2　遺言書保管官は、省令第13条各号に掲げる方法により確認を行ったときは、受付票に確認済みの旨（前項ただし書の場合においては、確認済みの旨及び提示された書類の種類、証明書番号その他書類を特定することができる番号等の書類の主要な内容）を記載するものとする。
（原本還付の旨の記載）
第18条　省令第8条第3項の原本還付の旨の記載は、謄本の最初の用紙の表面余白に別記第8号様式による印版を押印してするものとする。

第2章　遺言書の保管の申請手続等

（指定する者への通知に関する申出等）

第19条　法第4条第1項の申請がされた場合において、遺言書保管官は、遺言者に対し、遺言書保管官が当該遺言者の死亡時に当該遺言者が指定する者（当該遺言者の推定相続人（相続が開始した場合に相続人になるべき者をいう。）並びに当該申請に係る遺言書に記載された法第9条第1項第2号及び第3号に掲げる者のうちの一人に限る。）に対し当該遺言書を保管している旨を通知することの申出の有無を確認するものとする。

2　前項の申出は、別記第9号様式による申出書を提出する方法により行わせるものとする。

3　第1項の申出がされたときは、前項の申出書に記載された事項を遺言書保管ファイルに付記するものとする。

（保管証の写しの作成等）

第20条　省令第15条第2項の規定により保管証を作成するときは、当該保管証の写しを作成し、これを遺言書と共につづり込むものとする。

2　遺言書保管所において法第6条第5項の規定により遺言書を廃棄するときは、前項の規定により作成した保管証の写しにその旨を記載するものとする。法第8条第4項の規定により遺言書を返還したときも、同様とする。

（保管証の廃棄）

第21条　遺言書保管官は、省令第17条の規定により保管証を廃棄するときは、受付票にその旨を記載するものとする。

（申請の却下）

第22条　省令第18条第1項の決定書は、別記第10号様式又はこれに準ずる様式によるものとし、申請人に交付するもののほか、遺言書保管所に保存すべきものを1通作成するものとする。

2　遺言書保管官は、前項の遺言書保管所に保存すべき決定書の原本の欄外に決定告知の年月日及びその方法を記載して認印を押印し、これを決定原本つづり込み帳につづり込むものとする。

3　遺言書保管官は、法第4条第1項の申請を却下したときは、手数料納付用紙に貼付された収入印紙に係る賠償償還の手続をした上で、受付票に却下した旨を記載し、これを申請書と共に遺言書保管申請書等つづり込み帳につづり込むものとする。

4　遺言書保管官は、省令第18条第2項の規定により申請人に送付した決定書の原本が所在不明等を理由として返戻されたときは、当該決定書の原本を申請書と共に遺言書保管申請書等つづり込み帳につづり込むものとする。

5　遺言書保管官は、省令第18条第3項ただし書の規定により添付書類を還付しなかった場合は、受付票にその理由を記載するものとする。この場合において、還付しなかった添付書類は、申請書と共に遺言書保管申請書等つづり込み帳につづり込むものとする。
6　捜査機関が申請書又は省令第18条第3項ただし書の規定により還付しなかった添付書類の押収をしようとするときは、これに応ずるものとする。この場合には、押収に係る書類の写しを作成し、当該写しに当該捜査機関の名称及び押収の年月日を記載した上、当該書類が捜査機関から返還されるまでの間、前項の規定により遺言書保管申請書等つづり込み帳につづり込むべき箇所に当該写しをつづり込むものとする。

（却下の場合の措置）
第23条　遺言書保管官は、令第2条の規定により却下しようとするときは、事案の内容が簡単なものを除き、当該遺言書保管官を監督する法務局又は地方法務局の長に内議するものとする。

（申請の取下げ）
第24条　省令第19条第1項の取下書には、申請の受付の年月日その他の取下げに係る申請を特定することができる事項を記載し、これを遺言書保管申請書等つづり込み帳につづり込むものとする。
2　遺言書保管官は、法第4条第1項の申請が取り下げられた場合において、手数料納付用紙に収入印紙が貼り付けられていないときは、受付票に「貼付印紙なし」と記載して、これに認印を押印するものとする。
3　第22条第5項及び第6項の規定は、省令第19条第4項後段において準用する省令第18条第3項ただし書の規定により添付書類を還付しない場合について準用する。

（遺言書保管ファイルの記録の処理）
第25条　遺言書保管ファイルには、法第4条第1項の申請に係る申請書に記載された事項のうち受遺者等（遺言書に記載された法第9条第1項第2号に掲げる者）及び遺言執行者等（遺言書に記載された同項第3号に掲げる者）の出生の年月日並びに会社法人等番号を付記するものとする。

　　　第3章　遺言者による遺言書の閲覧の請求手続等
（遺言者による遺言書等の閲覧）
第26条　遺言書保管官は、遺言者に遺言書又は遺言書保管ファイルの記録の閲覧をさせるときは、次に掲げるところによるものとする。
(1)　遺言書の枚数を確認する等その抜取り及び脱落の防止に努めるものとする。

(2) 遺言書の汚損、記入及び改ざんの防止に厳重に注意するものとする。
(3) 請求に係る部分以外を閲覧しないように厳重に注意するものとする。
(4) 閲覧者が筆記するときは、毛筆及びペンの使用を禁じ、遺言書を下敷にさせないものとする。
2 前項の場合において、遺言者に遺言書保管ファイルの記録の閲覧をさせるときは、第19条第3項及び前条の規定により付記された事項についても閲覧させるものとする。

（その他の事項の変更の届出）
第27条 遺言者の法第4条第1項の申請に係る遺言書が遺言書保管所に保管されている場合において、当該申請に係る申請書に記載された省令第11条第2号に掲げる事項、第25条の規定により遺言書保管ファイルに付記する事項又は別記第9号様式の記載事項に変更が生じたときは、省令第30条の規定の例に準じて届出をさせるものとする。

（職権による記録の変更）
第28条 法第7条第1項の規定により保管する遺言書に係る情報の管理をする遺言書保管官は、遺言書保管ファイルの記録に遺言書保管官による錯誤又は遺漏があることを発見したときは、遅滞なく、遺言書保管ファイルの記録を変更するものとする。

（遺言者による申請書等の閲覧）
第29条 第26条第1項の規定は、遺言者に申請書等又は撤回書等の閲覧をさせる場合について準用する。

第4章 関係相続人等による遺言書情報証明書の交付の請求手続等

（遺言書情報証明書等の作成の場合の注意事項等）
第30条 遺言書情報証明書又は遺言書保管事実証明書（以下「遺言書情報証明書等」という。）を作成して交付するときは、次に掲げるところによるものとする。
(1) 遺言書保管官は、作成した遺言書情報証明書等が請求書に係るものであることを確認するものとする。
(2) 遺言書情報証明書等は、鮮明に作成するものとする。
(3) 遺言書情報証明書等が2枚以上であるときは、当該遺言書情報証明書等の各用紙に当該用紙が何枚目であるかを記載するものとする。
(4) 認証文、認証者の職氏名及び認証日付の記載並びに職印等の押印は、整然と、かつ、鮮明にするものとする。
(5) 遺言書保管官は、前号の認証文、認証者の職氏名及び認証日付並びに職印に間違いがないことを確認するものとする。

2　遺言書保管官は、請求人が受領しないため交付することができないまま1月を経過した遺言書情報証明書等があるときは、受付票に「交付不能」と記載して、当該遺言書情報証明書等を廃棄して差し支えない。
（遺言書情報証明書等の認証文）
第31条　遺言書情報証明書等の認証文は、次のようにするものとする。
(1)　遺言書情報証明書　「上記のとおり遺言書保管ファイルに記録されていることを証明する。」
(2)　遺言書保管事実証明書　次のアからエまでに掲げる場合に応じ、それぞれアからエまでに定めるもの
　　ア　請求人の資格が相続人であり、かつ、関係遺言書が遺言書保管所に保管されている場合　「上記の遺言者の申請に係る遺言書が遺言書保管所に保管され、上記のとおり遺言書保管ファイルに記録されていることを証明する。」
　　イ　請求人の資格が相続人以外であり、かつ、関係遺言書が遺言書保管所に保管されている場合　「上記の遺言者の申請に係る請求人を受遺者等（遺言書に記載された法務局における遺言書の保管等に関する法律第9条第1項第2号に掲げる者）又は遺言執行者等（遺言書に記載された同項第3号に掲げる者）とする遺言書が遺言書保管所に保管され、上記のとおり遺言書保管ファイルに記録されていることを証明する。」
　　ウ　請求人の資格が相続人であり、かつ、関係遺言書が遺言書保管所に保管されていない場合　「上記の遺言者の申請に係る遺言書が遺言書保管所に保管されていないことを証明する。」
　　エ　請求人の資格が相続人以外であり、かつ、関係遺言書が遺言書保管所に保管されていない場合　「上記の遺言者の申請に係る請求人を受遺者等（遺言書に記載された法務局における遺言書の保管等に関する法律第9条第1項第2号に掲げる者）又は遺言執行者等（遺言書に記載された同項第3号に掲げる者）とする遺言書が遺言書保管所に保管されていないことを証明する。」
（職氏名の記載）
第32条　遺言書情報証明書等に遺言書保管官が職氏名を記載するときは、次のようにするものとする。
　　何法務局（何地方法務局）何支局（何出張所）
　　　遺言書保管官　　　　何　某
（関係相続人等による遺言書等の閲覧）
第33条　第26条第1項の規定は、関係相続人等に遺言書又は遺言書保管ファイルの記録の閲覧をさせる場合について準用する。

（関係相続人等による申請書等の閲覧）
第34条　第26条第1項の規定は、関係相続人等に申請書等又は撤回書等の閲覧をさせる場合について準用する。
（第19条第1項の申出に基づく通知）
第35条　第19条第1項の申出があった場合において、遺言書保管官は、遺言者の死亡の事実を確認したときは、その申請に係る遺言書を保管している旨を当該遺言者が指定した者に通知するものとする。
2　前項の通知については、省令第48条第2項及び第3項の規定を準用する。

第5章　審査請求

（審査請求の受理）
第36条　遺言書保管官は、法第16条第1項の審査請求について、行政不服審査法（平成26年法律第68号）第19条第1項の規定に基づく審査請求書を受け取ったときは、送付書類等受発送簿にその旨を記載するものとする。
（相当の処分）
第37条　遺言書保管官は、法第16条第3項の規定により相当の処分をしようとする場合には、事案の簡単なものを除き、当該遺言書保管官を監督する法務局又は地方法務局の長に内議するものとする。この場合には、審査請求書の写しのほか、審査請求に係る申請却下の決定書の写し、申請書の写しその他相当の処分の可否を審査するために必要な関係書類を併せて送付するものとする。
2　第39条第1項の規定は、遺言書保管官を監督する法務局又は地方法務局の長が前項の内議につき指示しようとする場合について準用する。
3　遺言書保管官は、相当の処分をしたときは、当該処分の内容を別記第11号様式による通知書により審査請求人に通知するものとする。
4　前項の処分をしたときは、遺言書保管官は、その処分に係る却下決定の取消決定書その他処分の内容を記載した書面を2通作成して、その1通を審査請求人に交付し、他の1通を審査請求書類等つづり込み帳につづり込むものとする。
5　前項の場合には、遺言書保管官は、当該処分の内容を別記第12号様式により当該遺言書保管官を監督する法務局又は地方法務局の長に報告するものとする。
（審査請求事件の送付）
第38条　遺言書保管官は、法第16条第4項前段に規定する審査請求事件を送付する場合には、別記第13号様式による意見を記載した書面（以下この条において「意見書」という。）を付してするものとする。この場合において、意見書は、正本及び当該意見書を送付すべき審査請求人の数に行政不服審査法第11条第2項に規定する審理員の数を加えた数に相当する通数の副本を送付しなければならな

い。
2　前項の規定により審査請求事件を送付する場合には、遺言書保管官は、審査請求書の正本のほか、審査請求に係る申請却下の決定書の写し、申請書の写しその他の審査請求の理由の有無を審査するのに必要な関係書類を送付するものとする。
3　遺言書保管官は、審査請求事件を送付したときは、審査請求書及び意見書の各写しを審査請求書類等つづり込み帳につづり込むものとする。
4　法第16条第4項後段の規定による意見の送付は、意見書の副本のほか、別記第14号様式による送付書に第2項の規定により送付された関係書類を添付するものとする。
（審査請求についての裁決）
第39条　法務局又は地方法務局の長が審査請求につき裁決をするには、次に掲げるところによるものとする。
　(1)　地方法務局の長は、審査請求の内容に問題がある場合には、当該地方法務局を監督する法務局の長に内議すること。
　(2)　法務局の長は、審査請求につき裁決をする場合又は内議を受けた場合において、審査請求の内容に特に問題があるときは、当職に内議すること。
2　審査請求に対する裁決は、別記第15号様式による裁決書によるものとし、行政不服審査法第42条第1項に規定する審理員意見書を添付するものとする。
3　法務局又は地方法務局の長は、審査請求につき裁決をしたときは、その裁決書の写しを添えて当職にその旨を報告（地方法務局の長にあっては、当該地方法務局を監督する法務局の長を経由して）するものとする。
（審査請求に対する措置）
第40条　法務局又は地方法務局の長は、審査請求につき裁決をしたときは、裁決書の謄本（審理員意見書の写しを含む。）を審査請求人及び遺言書保管官に交付するものとする。
2　遺言書保管官が前項の裁決書の謄本を受け取ったときは、送付書類等受発送簿にその旨を記載し、審査請求書類等つづり込み帳につづり込んだ審査請求書の写しの次につづり込むものとする。

第6章　補則

（過納手数料の還付）
第41条　保管の申請又は閲覧請求等に係る手数料が過大に納められたときは、遺言書保管官は、申請人又は請求人からの請求により、過大に納付された手数料の額に相当する金額の金銭を還付するものとする。

（再使用証明）
第42条　申請人又は請求人が保管の申請又は閲覧請求等を取り下げた場合において、当該者から申請書又は請求書の手数料納付用紙に貼付された収入印紙で消印されたものについて当該取下げの日から1年以内に当該遺言書保管所における申請又は閲覧請求等において再度使用したい旨の申出が別記第16号様式による再使用証明申出書の提出によりされたときは、遺言書保管官は、当該手数料納付用紙の余白に別記第17号様式による印版を押印して、再使用することができる印紙の金額、証明の年月日及び証明番号を記載し、これに認印を押印するものとする。
2　遺言書保管官は、前項の手続を執ったときは、再使用証明申出書に証明の年月日及び証明番号を記載するものとする。
（再使用証明後の賠償償還手続）
第43条　遺言書保管官は、前条の規定により証明を受けた者から再使用証明をした収入印紙について賠償償還の申出があったときは、同条第1項の規定により記載した再使用証明文を朱抹し、再使用証明を施した用紙及び再使用証明申出書の見やすい箇所に「再使用証明失効」と朱書し、これに認印を押印するものとする。
（再使用証明収入印紙の使用）
第44条　遺言書保管官は、再使用証明をした収入印紙を使用して申請又は閲覧請求等があった場合には、第42条第1項の規定により記載した証明番号の下に「使用済」と朱書して、これに認印を押印するものとする。
2　遺言書保管官は、前項の場合には、再使用証明申出書に「使用済」と朱書して、これに認印を押印するものとする。
3　前2項の規定にかかわらず、第42条の規定により再使用証明をした日から1年を経過した収入印紙の再使用は認めないものとし、申請人又は請求人の請求により賠償償還の手続を執るものとする。
4　前項の規定により賠償償還の手続を執ったときの事務の取扱いについては、前条の例によるものとする。

参考資料9　遺言書保管事務取扱手続準則（令和2年5月11日付け法務省民商第97号通達）

別記第1号様式（第3条第2項関係）

　　　　　　　　　　　　　　　　　　　　　　　年　　月　　日

　　法務局長　　　　　殿

　　　　　　　　　　　　　　法務局　　　　支局（出張所）
　　　　　　　　　　　　　　遺言書保管官　　　　　職印

　　　　　　　　　　報　告　書

　当庁遺言書保管官交替による事務の引継ぎに伴い，遺言書，遺言書保管ファイル，申請書等及び撤回書等その他の帳簿等の調査をしたので，その結果を下記のとおり報告します。

　　　　　　　　　　　　　　　記

別記第2号様式（第7条第2項関係）

　　　　　　　　　　　　　　　　　　　　　　　年　　月　　日

　　法務局長　　　　　殿

　　　　　　　　　　　　　　法務局　　　　支局（出張所）
　　　　　　　　　　　　　　遺言書保管官　　　　　職印

　　　　　　　　　　持　出　報　告　書

　遺言書保管事務取扱手続準則第7条第1項の規定により下記のとおり報告します。
　　　　　　　　　　　　　　　記

持ち出した書類等	
持ち出した理由	
持　出　場　所	
書　類　等　の　現　況	

別記第3号様式（第12条第1項第1号関係）

帳　簿の名称				保存年限			
年　度	番　号	冊　数	保存終期		廃棄年月日	備　考	

別記第4号様式（第12条第1項第2号関係）

進行番号	受領又は発送の月日	書類の日付	書類の発送者又は受領者	書類の内容	備　考

別記第5号様式（第12条第1項第3号関係）

年月日	受入枚数	払出枚数	残枚数	印	備考

別記第6号様式（第12条第2項関係）

遺　言　書　保　管　帳　簿			
年　　度		年度	
保存簿番号	第　　　　号	保存終期	年　　月　　日
名　　称			
庁　　名	法務局　　　　　支局（出張所）		

参考資料9　遺言書保管事務取扱手続準則（令和2年5月11日付け法務省民商第97号通達）

別記第7号様式（第14条関係）

<table>
<tr><td colspan="7">　　　　　　　　　　　　　　　　　　　　　　　　年　　月　　日

　　法務局長　　　　　　殿
　　　　　　　　　　　　　法務局　　　　　支局（出張所）
　　　　　　　　　　　　　遺言書保管官　　　　　　　　[職印]</td></tr>
<tr><td colspan="7">帳簿等の廃棄・消去認可申請書</td></tr>
<tr><td colspan="7">　次（又は別紙目録）の帳簿等は，保管期間又は保存期間を経過したので，廃棄又は消去について認可されるよう申請します。</td></tr>
<tr><td colspan="7">目　　録</td></tr>
<tr><td rowspan="2">年　度</td><td rowspan="2">名　　称</td><td rowspan="2">冊数
又は
件数</td><td rowspan="2">保管（保存）
期間</td><td colspan="2">保管（保存）始期</td><td rowspan="2">備　考</td></tr>
<tr><td colspan="2">保管（保存）終期</td></tr>
<tr><td></td><td></td><td></td><td></td><td colspan="2"></td><td></td></tr>
<tr><td></td><td></td><td></td><td></td><td colspan="2"></td><td></td></tr>
<tr><td></td><td></td><td></td><td></td><td colspan="2"></td><td></td></tr>
<tr><td></td><td></td><td></td><td></td><td colspan="2"></td><td></td></tr>
</table>

別記第8号様式（第18条関係）

　　　原　　本　　還　　付

別記第9号様式（第19条第2項関係）

【死亡時の通知の対象者欄】 ※死亡時の通知を希望する場合は、☐にレ印を記入の上、①又は②のいずれかを選択し、指定する通知対象者の氏名、住所等を記入してください。

☐ 死亡時の通知を希望するため、本申請書記載の私の氏名、出生年月日、本籍及び筆頭者の氏名の情報を遺言書保管官が戸籍担当部局に提供すること、並びに私の死亡後、私の死亡の事実に関する情報を遺言書保管官が戸籍担当部局から取得することに同意する。
(注) 同意がある場合には、遺言書保管官が遺言者の死亡の事実に関する情報を取得し、当該遺言者があらかじめ指定する以下に記載の者に対して、遺言書が保管されている旨の通知を行います。

① 受遺者等又は遺言執行者等を通知対象者に指定する場合

通知対象者に指定する受遺者等又は遺言執行者等の番号　☐　番
(注) 受遺者等又は遺言執行者等を通知対象者に指定する場合は、指定する「受遺者等又は遺言執行者等の番号」を記入してください。

② 推定相続人を通知対象者に指定する場合

遺言者との続柄　☐　1：配偶者／2：子／3：父母／4：兄弟姉妹／5：その他（　　　）

氏名　姓　☐☐☐☐☐☐☐☐☐☐☐☐☐☐☐
　　　名　☐☐☐☐☐☐☐☐☐☐☐☐☐☐☐

住所　〒☐☐☐－☐☐☐☐
　　　都道府県
　　　市区町村
　　　大字丁目
　　　番地
　　　建物名

(注) 申立てによる死亡時の通知の対象者には、受遺者等、遺言執行者等又は推定相続人（相続が開始した場合に相続人となるべき者をいう。）のうち1名のみを指定することができます。

1004　　　ページ数　／

参考資料9　遺言書保管事務取扱手続準則（令和2年5月11日付け法務省民商第97号通達）　367

別記第10号様式（第22条第1項関係）

　　　　　　　　　　　決　　　　定

　　　　　　　　　　　　　　　住　　所
　　　　　　　　　　　　　　　申請人

　　　　年　　月　　日付けの申請事件は，以下の理由により，法務局における
　遺言書の保管等に関する政令第2条第　号の規定に基づき却下します。
　　なお，この処分に不服があるときは，いつでも，当職を経由して，何法務局長（又
　は地方法務局長）に対し，審査請求をすることができます（法務局における遺言書
　の保管等に関する法律第16条第1項）。
　　おって，この処分につき取消しの訴えを提起しようとする場合には，この処分の
　通知を受けた日から6月以内（通知を受けた日の翌日から起算します。）に，国を
　被告として（訴訟において国を代表する者は法務大臣となります。），提起しなけ
　ればなりません（なお，処分の通知を受けた日から6月以内であっても，処分の日
　から1年を経過すると処分の取消しの訴えを提起することができなくなりますので
　御注意ください。）。ただし，処分の通知を受けた日の翌日から起算して6月以内
　に審査請求をした場合には，処分の取消しの訴えは，その審査請求に対する裁決の
　送達を受けた日から6月以内（送達を受けた日の翌日から起算します。）に提起し
　なければならないこととされています。

　　　　年　　月　　日

　　　　　　　　　　　　　　法務局　　　　　支局（出張所）
　　　　　　　　　　　　遺言書保管官　　　　　　　　職印

　却下理由

（注）　1　却下理由は，具体的かつ詳細に記載すること。
　　　　2　年月日は，決定書作成の日を記載すること。

別記第11号様式（第37条第3項関係）

```
                                              年   月   日
            殿
                        法務局         支局（出張所）
                        遺言書保管官              職印

                通  知  書

  下記の   年   月   日付けの申請事件についてされた審査請求は，理由が
あると認め，下記のとおりの処分をしたので，通知します。
                         記
1  申請人の氏名
2  申請人の住所
3  処分の内容（具体的かつ詳細に記載すること。）
```

別記第12号様式（第37条第5項関係）

```
                                              年   月   日
         法務局長          殿
                        法務局         支局（出張所）
                        遺言書保管官              職印

                報  告  書

      年   月   日付けの申請事件の却下決定に対し審査請求があり，その審
査請求を理由があると認めたので，下記のとおり処分をしました。
                         記
1  ○○（具体的かつ詳細に記載すること。）
```

参考資料9　遺言書保管事務取扱手続準則（令和2年5月11日付け法務省民商第97号通達）

別記第13号様式（第38条第1項関係）

　　　　　　　　　　　　　　　　　　　　　　　　　　年　月　日
　　法務局長　　　　　　殿
　　　　　　　　　　　　　　　法務局　　　　　支局（出張所）
　　　　　　　　　　　　　　　遺言書保管官　　　　　　職印

　　　　　　　　　　意　見　書

　　　　年　　月　　日付けの申請事件の却下処分について，別紙のとおり審査請求があったが，本件審査請求は，下記のとおり理由がないと認められるので，審査請求書の正本及び関係書類を添えて事件を送付します。
　　　　　　　　　　　　　記
1　○○（具体的かつ詳細に記載すること。）

別記第14号様式（第38条第4項関係）

　　　　　　　　　　　　　　　　　　　　　　　　　　年　月　日
　　審理員　　　　　　殿
　　　　　　　　　　　　　　　　　法務局長　　　　　　職印

　　　　　　　　　　送　付　書

　　　　年　　月　　日付けの申請事件の却下処分に関する審査請求について，法務局における遺言書の保管等に関する法律第16条第4項の規定に基づき，審査請求書及び関係書類を添えて，遺言書保管官の意見を送付します。

別記第15号様式(第39条第2項関係)

裁　　決

住所
審査請求人

　　　　年　　月　　日付けの申請事件の却下処分に関する審査請求について，次のとおり裁決します。

　なお，この裁決につき取消しの訴えを提起しようとする場合には，この裁決の送達を受けた日から6月以内(送達を受けた日の翌日から起算します。)に，国を被告として(訴訟において国を代表する者は法務大臣となります。)，提起しなければなりません(なお，裁決の送達を受けた日から6月以内であっても，裁決の日から1年を経過すると裁決の取消しの訴えを提起することができなくなりますので御注意ください。)。

1　主文
2　事案の概要
3　審査関係人の主張の要旨
4　理由(主文が審理員意見書と異なる内容である場合には，異なることとなった
　　理由を含む。)

　　　　　　年　　月　　日

法務局長　　　　　職印

参考資料9　遺言書保管事務取扱手続準則（令和2年5月11日付け法務省民商第97号通達）

別記第16号様式（第42条第1項関係）

証明年月日		証明番号		
再 使 用 証 明 申 出 書					
印 紙 の 金 額	金　　　　　　　　　円			
印　　　　紙	券　面　額	枚　　数	金　　額	
^	円	枚	円
^	円	枚	円
^	円	枚	円
^	円	枚	円
^	円	枚	円
^	円	枚	円
^	円	枚	円
^	合　　計	枚	円
申請又は請求の年月日	年　　　月　　　日			
備　　　　　考				
上記のとおり収入印紙の再使用につき申出をします。 　　　　年　　　月　　　日 　　　　　申請人又は請求人　住所 　　　　　　　　　　　　　　氏名又は名称 　　　法務局　　　　支局（出張所）　　　御中				

（注）申請人又は請求人の署名又は記名押印を要する。

別記第17号様式（第42条第1項関係）

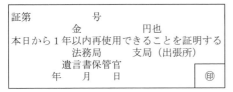

● 事項索引

あ行

遺言執行者
　——がある場合における遺贈の履行 114
　——がある場合における相続人の行為の効果 174
　——の権限の明確化 111
　——の対抗要件具備権限 116
　——の通知義務 112
　——の復任権 120
　——の法的地位 113
　——の預貯金の払戻し権限等 ... 118
遺言書情報証明書 169
遺言の内容を明らかにする 169
遺言の利用の促進 3
遺産確認訴訟 100
遺産の分割の内容を明らかにする 169
遺産分割
　——における取得額を求める一般的な計算式 58
　——の審判の既判力 100
　——の調停の申立て 81
遺産分割前
　——の遺産に属する財産の処分 ... 93
　——の払戻し 68
　——の預貯金債権の払戻し制度 ... 201
　——の預貯金債権の払戻しの上限 70, 72
遺贈 11, 28
　——の担保責任 110
遺贈義務者 114
一部算入説 138
一部分割 87, 89, 90
一切の事情 185, 186
遺留分 133, 143
遺留分減殺請求権 156
　——の金銭債権化 122
遺留分侵害額 133, 143, 147, 154
　——を求める計算式 134, 144, 148

遺留分侵害額請求権 124, 156
遺留分超過額説 134, 153
遺留分を算定するための財産の価額 134, 135, 138, 149, 159
　——を求める計算式 136
遺留分を求める計算式 134
訴えの変更 129

か行

確定日付のある証書による通知 ... 169
家事使用人 24
家督相続制度 122
株式 164
仮分割の仮処分 80, 84, 85
期限の許与 126, 127, 129, 132
帰属上の一身専属権 18, 52
逆転現象 138, 143
求償 26, 155
旧法主義 198, 199, 204
共有持分 11, 17, 32, 38, 93
居住建物取得者による消滅請求 49
居住建物の修繕等 21, 25, 48
居住建物の使用及び収益 20
居住建物の所有者による消滅請求 ... 21
居住要件 15
居住用不動産 60
寄与分 146, 177, 186
具体的相続分 13, 27, 45, 93
　——の権利性 96
　——を求める計算式 58
具体的相続分説 143
契印 105
経過措置 198
形成権の行使 124
形成の訴え 127
欠格事由・廃除 37
原状回復義務 32, 53
現物給付 131
権利濫用 26, 45
後継遺贈 10

抗弁 ·· 127
効力要件 ··· 164
固定資産税 ························· 26, 28, 49

◆ さ行

債権の承継がされた場合の対抗要件の特則
　··· 166
再婚者数 ·· 10
財産目録 ····························· 101, 103, 105
　──の訂正 ································ 109
　──の添付 ································ 108
　──の毎葉 ···························· 101, 106
裁量割合 ·· 186
死因贈与 ······························· 11, 28, 152
事業承継 ·· 122
事実婚や同性カップルのパートナー
　··· 7, 56, 182
指定相続分に応じた債務の承継の承認
　·· 170, 172
　──の撤回 ································ 171
自筆証書遺言の方式緩和 ················ 202
自筆証書遺言の本文 ······················· 103
借家 ·· 11
受遺者又は受贈者が複数いる場合における
　遺留分侵害額の負担 ············· 149, 152
受遺者又は受贈者の負担額の上限 ······ 153
修繕費 ······································· 26, 49
出生数 ··· 1
主文 ························ 76, 82, 84, 86, 129, 130
準共有 ··· 78
少子高齢化 ·· 1
使用貸借契約の推認 ················· 34, 45
消滅時効 ·· 125
将来の給付判決 ······························ 129
除斥期間 ································· 124, 193
署名押印 ·· 106
新法主義 ································ 201, 204
制限説 ·· 162
施行日 ·· 196
是正の催告 ······································· 30
善意 ··· 175
全額算入説 ···································· 138
善管注意義務 ······························ 20, 48

占有補助者 ······································· 34
相続債務 ····················· 134, 147, 154, 171, 192
相続登記の促進 ······························ 116
相続人が複数いる場合における特別寄与料
　の請求 ······································· 190
相続人が複数いる場合における特別寄与料
　の負担 ······································· 191
相続人に対する贈与 ······················· 135
相続分 ·· 157
　──の指定 ················ 62, 142, 160, 170, 191
相続法制検討ワーキングチーム ········ 5
贈与税の特例 ······························ 59, 61
贈与等の基準時 ································ 61

◆ た行

対抗要件 ····················· 19, 46, 79, 116, 160, 162,
　　　　　　　　　　　　　164, 165, 176, 199
第三者 ·· 162
代襲相続人 ···································· 159
代償財産 ·· 98
他の共同相続人の利益を害する ······ 80, 82,
　　　　　　　　　　　　　　　　　87, 90
嫡出でない子の相続分 ···················· 1, 5
中間試案 ································· 66, 131
著作権 ·· 164
追加試案 ································· 67, 131
通常の必要費 ·················· 21, 25, 26, 38, 49
店舗兼住宅 ································ 40, 64
同意の撤回 ······································· 99
特定財産承継遺言 ············ 14, 62, 79, 116,
　　　　　　　　　　　117, 142, 160, 188
特定承継 ·· 166
特別縁故者 ···································· 177
特別寄与料の額 ······················· 186, 188
特別寄与料の請求期間 ··················· 193
特別受益 ················ 28, 45, 57, 60, 82, 94,
　　　　　　　　　　134, 136, 143, 159, 188
特別の寄与 ···································· 177
　──に関する処分の審判事件 ······ 194
　──の制度における請求権者の範囲
　··· 181
独立の訴え ····························· 127, 129, 130
特許権 ·· 164

事項索引　375

◆ な行

内縁の配偶者 …………………………… 11, 36

◆ は行

配偶者居住権
　——の買取請求権 ……………………… 29
　——の財産評価 ………………………… 27
　——の譲渡 ………………………… 21, 23
　——の消滅原因 ………………………… 30
　——の消滅請求 ………………………… 31
　——の設定の登記 ……………………… 19
　——の設定の登記の抹消 ……………… 33
　——の存続期間 …………………… 30, 33
　——の法的性質 ………………………… 18
配偶者短期居住権
　——の譲渡 ……………………………… 48
　——の消滅 ……………………………… 53
　——の消滅原因 ………………………… 51
　——の消滅の申入れ …………………… 43
　——の存続期間 ……………… 41, 42, 43
配偶者の相続分の引上げ ……………… 66
被相続人の親族 ………………………… 181
　——であることの基準時 …………… 182
費用償還請求権 …………………… 22, 49
不相当な対価をもってした有償行為 … 140
附帯決議 ………………………………… 7
負担付遺贈 ……………………………… 14
負担付贈与 …………………………… 138
物権的効果 …………………………… 122
平均寿命 …………………………… 1, 10
平成31年度税制改正 ………………… 28
包括遺贈 ………………… 114, 158, 188
包括承継 …………………………… 166, 176
法制審議会民法（相続関係）部会 …… 5
法定相続情報一覧図 ………………… 74
法定相続分説 ………………………… 143
法定相続分を超える ……………… 161, 162
本案係属要件 …………………………… 81

◆ ま行

民法（相続関係）等の改正に関する要綱 ……………………………………………… 6
民法第九百九条の二に規定する法務省令で定める額を定める省令 ……………… 70
無催告 …………………………………… 51
無償の労務提供 …………………… 181, 184
無断増改築の禁止 ………………… 21, 48
申立ての趣旨の拡張 …………………… 88
申立ての趣旨の特定 …………………… 92
持戻し計算 ……………………………… 57
持戻し免除の意思表示推定規定 … 57, 200

◆ や行

養子縁組 ……………………………… 177
要式行為 ………………………………… 65
用法遵守義務 ……………………… 20, 48
預貯金以外の金融商品 ……………… 118
預貯金債権の遺贈 …………………… 119
預貯金債権の特定財産承継遺言 …… 118

◆ ら行

履行遅滞 …………………………… 124, 126
老人ホーム ……………………………… 29

◆ 遺言書保管法

遺言者
　——による遺言書の閲覧 …………… 231
　——による遺言書の閲覧の請求の方式 ……………………………………………… 233
　——による遺言書保管ファイルに記録されている事項の閲覧 …………………… 231
　——による遺言書保管ファイルの記録の閲覧の請求の方式 …………………… 233
　——の死亡の日に相当する日 ……… 228
　——の住所地 ………………………… 212
　——の住所等の変更の届出 ………… 234
　——の住所等の変更の届出の方式 … 235
　——の所有する不動産の所在地 …… 212
　——の本籍地 ………………………… 212
遺言書
　——に係る情報の管理 ……………… 227
　——に係る情報の管理の期間 ……… 228
　——に係る情報の消去 ………… 228, 229
　——の原本の保管 …………………… 227
　——の廃棄 …………………………… 228

――の返還 ………………………………… 229
――の保管の期間 ………………………… 228
――の保管の申請 ………… 209, 212, 218,
　　　　　　　　　　　　　219, 220, 224
――の保管の申請の却下 …………………… 220
――の保管の申請の撤回 ……………… 229, 230
――の保管の申請の撤回の方式 …………… 230
――の保管の申請の方式 …………………… 222
――の保管を行う公的機関 ………………… 210
――を保管している旨の通知 ………… 237, 252
――を保管している旨の通知の申出
　………………………………… 238, 239, 252
遺言書情報証明書 ……………………… 244, 251
――の交付請求の方式 …………………… 246
――の交付の請求 ………………………… 250
遺言書保管事実証明書 ………………… 237, 241
――の交付請求の方式 …………………… 242
――の交付の請求 ………………………… 250
遺言書保管所 …………………………… 209, 212
　他の遺言書が保管されている―― …… 213
遺言書保管省令 ……………………………… 211
遺言書保管政令 ……………………………… 211
遺言書保管ファイル ………………………… 227
遺言書保管法 …………………………… 209, 211
――の施行期日 …………………………… 260
外形的な確認 …………………… 214, 216, 218
管轄 …………………………………… 212, 218
関係遺言書 …………………………… 237, 241
関係相続人等 ……………………… 237, 241, 244
――による遺言書の閲覧 ………………… 244
――による遺言書の閲覧の請求 ………… 250

――による遺言書の閲覧の請求の方式
　……………………………………………… 249
――による遺言書保管ファイルの記録の
　閲覧 ……………………………………… 244
――による遺言書保管ファイルの記録の
　閲覧の請求 ……………………………… 250
――による遺言書保管ファイルの記録の
　閲覧の請求の方式 ……………………… 249
却下事由 ……………………………………… 220
検認 …………………………………… 209, 254
自筆証書遺言 ………………………………… 209
――に伴うリスク ………………………… 210
――の利点 ………………………………… 210
審査請求 ……………………………………… 221
申請書等の閲覧 ……………………… 256, 258
申請の方式 …………………………………… 218
相談 …………………………………………… 214
手数料 ………………………………………… 255
撤回書等の閲覧 ……………………… 256, 258
法務局 ………………………………………… 210
　法務大臣の指定する―― ……………… 212
法務局手続案内予約サービス ……………… 219
法務省令で定める様式 ………… 215, 217, 218
保管証 …………………………………… 226, 237
本人確認 ……………………… 218, 229, 230, 233
本人出頭 ……………………………………… 224
民法第968条の定める方式 ………… 214, 218
民法第968条の自筆証書によってした遺言
　に係る遺言書 …………………………… 215
無封 …………………………………… 215, 218
予約 …………………………………………… 219

一問一答 新しい相続法〔第2版〕
——平成30年民法等（相続法）改正、遺言書保管法の解説

2019年3月25日　初　版第1刷発行
2020年10月15日　第2版第1刷発行

編著者　堂薗　幹一郎
　　　　野口　宣大

発行者　石川　雅規

発行所　㈱商事法務
　　　　〒103-0025　東京都中央区日本橋茅場町3-9-10
　　　　TEL 03-5614-5643・FAX 03-3664-8844〔営業〕
　　　　TEL 03-5614-5649〔編集〕
　　　　https://www.shojihomu.co.jp/

落丁・乱丁本はお取り替えいたします。　印刷／広研印刷㈱
© 2020 Kanichiro Dozono, Nobuhiro Noguchi　Printed in Japan
Shojihomu Co., Ltd.
ISBN978-4-7857-2813-7
＊定価はカバーに表示してあります。

JCOPY ＜出版者著作権管理機構　委託出版物＞
本書の無断複製は著作権法上での例外を除き禁じられています。
複製される場合は、そのつど事前に、出版者著作権管理機構
（電話 03-5244-5088、FAX 03-5244-5089、e-mail: info@jcopy.or.jp）
の許諾を得てください。